# LE GÉNIE DU MENSONGE

# François Noudelmann

# Le génie du mensonge

Max Milo

DU MÊME AUTEUR

*Les Airs de famille. Une philosophie des affinités*, Gallimard, « Blanche »,
2012.
*Tombeaux. D'après La Mer de la fertilité de Mishima*, Éditions
Cécile Defaut, « Le livre de la vie », 2012.
*Le Toucher des philosophes. Sartre, Nietzsche et Barthes au piano*,
Gallimard, « Blanche », 2008, rééd. Gallimard, « Folio essais » (n° 589),
2014.
*Hors de moi*, Léo Scheer, 2006
*Samuel Beckett*, Adpf publications, 2006.
*Jean-Paul Sartre*, Adpf publications, 2006.
*Pour en finir avec la généalogie*, Léo Scheer, 2004.
*Politique et filiation* (dir.), Éditions Kimé, « Collège international de
philosophie », 2004.
*Dictionnaire Sartre* (dir.), Honoré Champion, 2004.
*L'étranger dans la mondialité* (dir.), P.U.F., 2002.
*Le Matériau, voir et entendre* (dir.), P.U.F., 2002.
*Roland Barthes après Roland Barthes* (dir.), P.U.F., 2002.
*Avant-gardes et modernité*, Hachette, « Contours littéraires », 2000.
*Scène et image* (dir.), Mérignies, Éditions de la Licorne, 2000.
*Ponge : matière, matériau, matérialisme* (dir.), Mérignies, Éditions de la
Licorne, 2000.
*Image et absence. Essai sur le regard*, L'Harmattan, « Ouverture philoso-
phique », 1998, rééd. 2000.
*Beckett ou la scène du pire. Étude sur « En attendant Godot » et « Fin de
partie »*, Honoré Champion, 1998, rééd. 2010.
*Suite/Série/Séquence* (dir.), Mérignies, Éditions de la Licorne, 1998.
*Sartre : l'incarnation imaginaire*, L'Harmattan, « Ouverture philoso-
phique », 1996, rééd. 2000.
*Huis Clos et Les Mouches de Sartre*, Gallimard, « Foliothèque » (n° 30),
1993, rééd. 2006.
*Le Corps à découvert* (dir.), Éditions S.T.H., 1992.
*La Nature, de l'identité à la liberté* (dir.), Éditions S.T.H., 1991.

© Max Milo Éditions, Paris, 2015
www.maxmilo.com
ISBN : 978-2-315-00642-7

*À Gio.*

*L'esprit de l'homme est ainsi fait qu'on le prend beaucoup mieux par le mensonge que par la vérité.*

Érasme, *Éloge de la folie*

*Il ne faut pas s'offusquer que les autres nous cachent la vérité puisque nous nous la cachons si souvent à nous-mêmes.*

La Rochefoucauld, *Maximes*

# INTRODUCTION
## POUR UNE APPROCHE AMORALE DU MENSONGE

La condamnation morale du mensonge empêche d'en apprécier la complexité. Pour peu que nous arrivions à suspendre notre jugement devant une personne qui ment, il devient alors passionnant et instructif d'observer les ressorts et la richesse des attitudes mensongères. Tel Darwin scrutant sur le visage de son enfant la joie et la douleur afin de les consigner dans une étude sur l'émotion des animaux, nous découvrons l'étendue des signes et des langages propres au mensonge. La vie ordinaire en offre de multiples scènes, intimes et collectives. L'adultère est depuis longtemps un champ d'expérience pour voir l'infidèle inventer des scénarios, tordre les mots et manœuvrer avec plus ou moins d'habilité. Le spectacle politique aussi lorsqu'un responsable corrompu vient jurer par tous les saints qu'il est innocent. Certes, nous réfrénons avec peine nos sentiments – jalousie ou mépris – tant l'outrage envers la vérité nous choque, mais un peu de lucidité sur la nature des humains et de leur discours laisse entrevoir l'incroyable richesse du mensonge et ses figures infinies. Sans atteindre toujours la rigueur du scientifique ou le calme du cynique, du moins pouvons-nous interroger l'inventivité mensongère.

La faculté de dire le contraire de la vérité fascine et inquiète. Dès lors qu'un menteur a été dévoilé, il est discrédité pour longtemps. Tous ses discours deviennent suspects, même quand il dit vrai, comme le cri de l'enfant qui hurle « Au loup ! » et n'est plus cru parce qu'il a menti une première fois. La propension humaine à mentir jette le soupçon sur tous les parleurs. Comment repérer, derrière une voix limpide ou un regard franc, un propos fallacieux, quelle science permettrait de confondre le menteur le plus aguerri ? De petites mythologies offrent l'espoir de contrer les discours faux grâce à des techniques policières et psychologiques. Ainsi du « détecteur de mensonge », devenu un cliché des films américains, qui transcrit sur un graphique les émotions du sujet interrogé. Le *polygraph*, comme son nom l'indique, écrit beaucoup, à partir de la parole et du langage corporel. Il restitue ce qui est tu, caché, le secret. L'appareil branché sur le corps du sujet testé mesure les réactions à de multiples questions et enregistre les réponses qui ont provoqué une émotion, une transpiration ou une accélération cardiaque. Récemment les techniques de détection ont été raffinées grâce à l'analyse des microexpressions ou encore à l'imagerie fonctionnelle repérant des zones du cerveau s'activant lors d'un mensonge. Une série télévisuelle, *Lie to me*, a connu un grand succès avec ses pseudo-savants qui observent le moindre pli d'un visage, le bougé d'un doigt, la taille d'une pupille ou le timbre d'une voix. Au service de la vérité policière, ils percent les âmes et pointent les affirmations mensongères les plus retorses. Que ces tests soient fiables ou non, ils reprennent une idée depuis longtemps éprouvée : le corps révèle la vérité quand l'âme la cache. Les plus grands psychologues, comme Racine ou Proust, ont montré des personnages qui trahissent leurs intentions et leurs sentiments par un ton, un tremblement ou une coloration. Les mensonges d'Odette à Swann se devinent par un regard douloureux et une voix plaintive qui ajoutent trop d'expressions à sa tristesse.

Le corps expose le conflit entre la vérité et le mensonge, il donne figure au tort commis à l'encontre du vrai. Et les troubles physiques, discrets et intenses, montrent combien le mensonge ne reste pas celé dans une âme malicieuse, mais provoque un désordre extérieur. Il produit un corps particulier, infidèle au message qu'il est censé exprimer. Le mensonge développe sa propre substance, peu contrôlable, entre pus et kyste, sudation et hystérie. Cette dynamique engage autant les matérialités corporelles que des figures inventives, des chorégraphies, des scénarios, des discours qui échappent à la maîtrise consciente. L'étude d'une telle productivité conduit à relativiser le dualisme inhérent aux sciences de la détection du mensonge. Il n'existe pas d'un côté une zone intérieure, propre à la pensée, où se forgerait le mensonge, et de l'autre une enveloppe charnelle dont la fragilité permettrait de déceler l'arrière-fond. Le corps n'est pas ce véhicule tremblant d'une parole fausse, ni la surface transparente d'un conflit entre la ruse et la vérité. Il participe plutôt à la constitution d'un complexe instable, fait de mots et de gestes, d'alibis et de comédies. Le mensonge suppose en effet un comportement intégral et métamorphique, car mentir associe les passions et les raisons, mobilise des énergies intellectuelles et pulsionnelles inextricables. Parler, écrire, juger, ressentir, aimer... toutes ces activités peuvent relever d'une fabrication mensongère, active ou passive, spirituelle et charnelle.

La détection d'un mensonge se heurte à plusieurs résistances dont la plus connue est la maîtrise d'un menteur chevronné. Certes les paramètres d'un test s'adaptent à chaque individu dont les émotions sont mesurées selon ses propres mensonges, et dont les écarts de réaction permettent d'établir une échelle singulière. Toutefois certaines personnalités arrivent à se contrôler, parfois à l'aide d'un tranquillisant, et elles échappent alors aux détections. Le menteur, tel un parfait comédien, se met dans la peau d'un personnage qui dit la vérité.

Mais la plus grande objection à l'égard de telles techniques tient au caractère supposé intentionnel d'un mensonge. La définition ordinaire laisse penser qu'un individu ment en connaissance de cause : il sait la vérité et il décide de la masquer, voire de dire le contraire. Il ment *sciemment*. Cependant il existe quantité de situations où le mensonge n'est pas clairement identifié. La présentation spécieuse des faits et la torsion du langage autorisent plusieurs « versions » de la vérité. Face à des questions telles que « Avez-vous trompé votre femme ? » ou « Avez-vous reçu de l'argent illégalement ? », de multiples réponses et postures témoignent que la frontière entre le vrai et le faux passe par des arguties linguistiques et juridiques. Les phrases du président Bill Clinton, confondu pour avoir menti sous serment, ont ainsi fait l'objet de commentaires dignes d'une exégèse biblique pour savoir s'il fallait considérer une fellation avec sa stagiaire comme un acte sexuel délictueux.

Faute de pouvoir sonder les reins et les cœurs, la dénonciation d'un mensonge se heurte à l'obscurité des intentions. Le menteur ment-il toujours délibérément et avec quel degré de conscience de son mensonge ? Le tranchant des principes moraux ne convient pas à une analyse fine des mobiles ou de l'implication du menteur dans ses énoncés. Et parfois le menteur, sans devenir psychotique pour autant, peut croire par autoconviction à ses propres mensonges. Un enfant qui nie avoir cassé la théière ou un meurtrier qui conteste avoir planté son couteau dans le cœur d'une victime seront certes confondus par des preuves. Cependant, la vérité n'est pas toujours assise sur des faits authentifiables. La perception qu'a le menteur de son mensonge peut varier, au point que la vérité se décline en tailles et couleurs : des petits ou demi-mensonges, ou encore ce que la langue anglaise appelle *white lies*, paraissent sans conséquence et ne provoquent pas le sentiment d'une trahison ni d'une faute. La vie ordinaire oblige à mentir un peu, voire le requiert pour ne pas heurter les autres. Exiger la vérité en toutes circonstances, à la manière d'Alceste dans *Le Misanthrope*, mène à la solitude, voire à la folie. Ceux qu'il dénonce, les menteurs par commodité civile, ne sont d'ailleurs pas persuadés qu'ils mentent. La conscience du mensonge étant suspendue à la définition ou au sentiment de chacun, l'intention de trahir la vérité ne peut être tenue pour un critère absolu. Certains s'arrangent avec la vérité quand d'autres éprouvent de forts scrupules à mentir. Il en va du mensonge comme du passage à l'acte : les individus ne sont pas égaux devant la possibilité d'enfreindre la loi morale.

Dès lors, comment repérer un mensonge qui n'est pas vécu comme tel ? Nous accédons là au mensonge le plus répandu et le plus intéressant : celui que chacun exerce à l'égard de soi-même. Le mensonge devient là une question immense qui dépasse les jugements moraux et juridiques. Se confronter à la puissance du mensonge exige d'en analyser l'efficacité, à la mesure de celle produite par la vérité, dans sa profération, sa fabrication et son autonomie. Pour accomplir cette tâche, un détecteur de mensonge ne suffit pas. Une science autant qu'un art de l'observation s'imposent, ce que peut accomplir une « psychologie », du moins celle que pratiquaient les moralistes du XVIIe siècle ou encore celles de Nietzsche et de Freud. Les mille et une manières dont un sujet s'abuse, croit à ses mensonges, se prend dans les pièges de son amour-propre conduisent à étendre l'enquête sur le mensonge bien au-delà de l'acte intentionnel. Les menteurs ne savent pas toujours qu'ils mentent, d'autant qu'ils abusent à la fois les autres et eux-mêmes. La notion d'*intention* semble trop grossière pour apprécier les multiples nuances et ressorts par lesquels un sujet déguise, arrange et truque la vérité.

Une enquête amorale sur le mensonge analysera, sans juger, les logiques inventives d'un sujet qui construit un monde cohérent et puissant, destiné à prendre les autres dans ses leurres. En situation ordinaire, les menteurs montrent beaucoup de talents pour soutenir leur mensonge car ils doivent l'alimenter de quantité d'autres histoires. Alors que le franc-parleur, une fois qu'il a confié la vérité, n'a plus besoin de s'encombrer d'arguties, la clarté étant faite, le menteur, lui, compose de multiples et infinies fictions. Il affabule, il enchevêtre beaucoup de récits, il en rajoute sans cesse à mesure que des preuves contraires surgissent. Souvent cette accumulation de détails ou cet effort pour contrer la vérité devient le révélateur du mensonge. En racontant trop d'histoires, le menteur « en fait trop » et se dénonce. Cependant de telles constructions viennent aussi des menteurs non intentionnels, ceux qui mentent à leur insu. Elles présentent alors une richesse esthétique et psychique étonnante, par des torsions et des hypertrophies du langage. Face à des figures si prolixes et si retorses, le soupçon vient de l'insistance dont témoigne un sujet pour afficher une vérité ou une qualité.

Insister, répéter, marteler sont des gestes langagiers suspects qui révèlent une inquiétude inverse à l'assurance exposée par l'énonciateur. Freud observait que nous répétons ce que nous n'arrivons pas à dire une fois pour toutes. La répétition d'un comportement renvoie, selon lui, à un traumatisme passé que le sujet n'arrive pas à articuler. D'un point de vue langagier, elle indique plutôt une dissonance vécue au présent, voire un conflit contemporain entre l'énoncé et sa signification. Pourquoi tel sujet éprouve-t-il le besoin récurrent de dire qu'il va bien, qu'il n'a pas peur ou que tout lui réussit ? L'entendre continuellement claironner sa bonne santé ne nous suggère-t-il pas d'en douter fortement ? L'insistance peut se repérer aussi dans un ton, un rythme de phrase, un débit paradoxalement assuré. Des oreilles fines sauront détecter le sous-texte de tels phénomènes parfois infimes qui portent la trace d'un mensonge.

Cette intuition psychologique trouve une confirmation dans l'usage politique ou publicitaire des rhétoriques persuasives. Le domaine des opinions regorge en effet de formules volontairement contradictoires où l'affirmation du faux se donne l'apparence du vrai. L'aspect tactique du renversement s'entend pour peu que nous décelions le procédé. « Je n'ai pas besoin de rappeler mon combat pour les ouvriers de la métallurgie » dira celui qui l'affiche pourtant, par prétérition, pour mieux les trahir. Ou encore, un homme politique provoquant une scission au sein de son parti nommera « rassemblement » son nouveau groupe. De telles manipulations verbales relèvent des techniques de persuasion, et les publicitaires en connaissent bien les ressorts. Ainsi des produits dont le défaut, plutôt que d'être masqué, est converti en qualité, comme cette voiture trop chère dont la promotion insistera sur son prix modique au regard des qualités exceptionnelles qu'elle propose. Ces procédés restent sommaires tant l'intention de travestir la vérité repose sur une simple inversion et maintient la bipolarité du vrai et du faux. En revanche, certaines constructions de l'esprit témoignent d'un travail beaucoup plus complexe, conférant au mensonge une puissance créatrice étonnante.

Des discours théoriques, en apparence détachés de toute intention falsificatrice, conjuguent les traits évoqués : un complexe psychique et une stratégie verbale. D'une part, ils manifestent une volonté de dire, de découvrir, de déclarer, d'autre part, ils composent des formes verbales qui masquent les mobiles de leurs affirmations. Une écoute suspicieuse de ces grands discours détectera ainsi leur caractère obsessionnel, la récurrence d'une idée, d'une phrase, d'un mot qui cognent et reviennent sans cesse. Des « théoriciens » ou « affirmateurs » emploient des images, des tournures, des expressions qui jouent le rôle de fétiches. Il ne suffit pas d'y repérer un style, car ces formes s'articulent au mensonge qui motive l'activité théoricienne. L'architecture du propos et la sophistication des arguments offrent un voile langagier qui masque les mobiles de ces œuvres dites « de l'esprit ». L'idéalisme se pare ainsi de l'abstraction afin de cacher la cuisine où se fabriquent les idéalités. Cependant les paroles démonstratives ou les traités théoriques sont aussi des *corps* qui exposent et produisent des mensonges sublimes.

Le recours systématique au langage le plus abstrait conduit à s'intéresser tout particulièrement aux philosophes qui usent des généralisations et revendiquent l'universalité de leur pensée. Les idées ayant vocation à être comprises par tous, du moins dans la tradition majoritaire de la philosophie, elles doivent être détachées de leur auteur et de leurs conditions d'énonciation. L'investissement particulier du philosophe, les motivations qui l'ont poussé à développer tels ou tels concepts, thèses ou démonstrations, s'effacent devant l'élévation d'une œuvre venue de l'esprit, destinée à s'adresser à d'autres esprits. S'intéresser à la vie de ceux qui découvrent ou créent des idées semble dès lors anecdotique, voire déplacé. Cependant les études historiques sur les philosophes de l'Antiquité et leurs pratiques ont, depuis quelques décennies, permis de réhabiliter cet intérêt pour l'existence concrète des penseurs. Elles suggèrent que la philosophie ne se limite pas à l'élaboration de doctrines et se construit par des choix de vie. Encore faut-il préciser le sens de cette « vie philosophique ».

L'intérêt pour la vie des penseurs présuppose habituellement une cohérence entre leur pensée et leur existence. Ils sont censés incarner une conception de l'existence par leur attitude – insoumission, sagesse, contrôle de soi. Cependant, rien n'assure qu'ils aient vécu selon ce parfait accord de leurs idées et de leurs comportements. La valeur « exemplaire » et légendaire donnée à des actes « philosophiques » (les provocations de Diogène, le suicide de Sénèque...) empêche d'approcher concrètement les motivations psychiques de leur auteur. Contre cette illusion d'une cohérence idéale, Nietzsche adopta un style volontairement polémique envers les grandes figures de la philosophie : Socrate affichait-il son indépendance à l'égard du monde ? N'éprouvait-il aucune peur de la mort ? C'est qu'il haïssait la vie et n'était capable d'aucune joie existentielle, écrivit l'auteur du *Crépuscule des idoles*. Le ressentiment était, selon lui, la source des philosophies qui valorisent l'au-delà et masquent leurs vrais mobiles. Cette méchante apostrophe a le mérite d'éveiller notre attention sur la réputation d'une pensée pure et vertueuse, suspectée soudain d'obéir à une stratégie cachée.

La distorsion entre les idées proclamées et la vie menée atteint sa courbe maximale lorsqu'un penseur agit à l'inverse de ce qu'il professe. Il est alors du plus grand profit de comprendre ce lien paradoxal entre une construction intellectuelle et une pratique opposée. Certes la réaction la plus commune face à un tel décalage consiste à dénoncer les tartufes qui s'auto-proclament vertueux alors qu'ils se comportent de façon immorale. Cependant, cette hypocrisie concerne à nouveau les actes intentionnels et nous préférons nous intéresser au mensonge non conscient, à cette élaboration théorique produite par contrariété avec l'existence vécue. Il ne s'agit dès lors plus d'une simple contradiction, d'un accident négligeable, mais d'une invention verbale retorse qui exprime *une vérité sous la forme d'un mensonge*. Le discours ne se développe pas « malgré » ou « en dépit » d'un comportement contraire, il se construit « à partir de lui » !

Nous devons alors renverser la formule « ce penseur affiche tel principe, *bien qu'*il se comporte autrement » et préférer « ce penseur affiche ce principe *parce qu'*il vit le contraire de ce qu'il théorise ». Ainsi de Rousseau qui écrivit un grand traité d'éducation dans lequel il se présente comme un père attentionné non pas malgré, mais grâce à l'abandon de ses cinq enfants.

Ce qu'on nomme contradiction relève davantage d'un processus psychique par lequel un penseur travaille une division de son moi qui l'amène à proférer une vérité antinomique à ce qu'il vit. Ce *mentir-vrai*, selon le mot d'Aragon, assemble un corps de concepts dans lequel il s'invente une existence théorique. Foucault, au moment où il professe le courage de la vérité, cache le sida qui va l'emporter quelques mois après. Il délivre un dernier discours inverse à la pratique du secret qu'il organise méticuleusement. Le constater ne suffit pas, le dénoncer conduit à ne rien comprendre. L'analyser permet, en revanche, d'accéder à la torsion féconde par laquelle un déni produit une performance conceptuelle. En s'adressant à notre rationalité la philosophie nous masque les ressorts psychiques à l'œuvre dans ses thèses. Nous prenons pour du cristal les constructions théoriques et croyons d'emblée à une transparence entre la personne du penseur et l'auteur qui énonce des vérités. Il ne va pourtant pas de soi que ces deux instances soient les mêmes. Qui sommes-nous lorsque nous pensons ? Nous-mêmes ou quelqu'un d'autre ? Une telle question concerne aussi bien ceux qui maîtrisent le raisonnement que tout un chacun. Une fois ce doute installé, une fois l'opacité reconnue, il devient possible d'interroger l'adhésion du penseur à sa pensée et de découvrir ses multiples facettes.

L'identité d'un philosophe avec ses idées relève d'une fiction. Une écoute seconde de leurs démonstrations nous encourage à questionner les raisons de ses choix intellectuels et son investissement dans un concept. L'hagiographie scolaire agglomère un nom d'auteur et une thèse – Descartes et le cogito, Pascal et le pari, Kant et la loi morale, Hegel et la dialectique, Sartre et l'engagement... – et nous empêche d'apercevoir les distorsions et les mobiles complexes qui conduisent un auteur à élire une idée, à s'acharner à la soutenir parfois à l'inverse de ce qu'il a pu vivre et ressentir, et qu'il aurait pu soutenir avec autant de légitimité. Pourquoi Sartre a-t-il soudain défendu avec une conviction féroce la notion d'engagement ? Que s'est-il passé en 1945 pour qu'il s'identifie à la figure du philosophe interventionniste alors qu'il s'était peu mobilisé pendant l'Occupation ? L'explication rationnelle et morale ne suffit pas, ni ses propres justifications. Pourquoi Deleuze, qui détestait les voyages, est-il devenu le chantre du nomadisme ? Et pourquoi a-t-il voulu disparaître derrière ses concepts, soutenant l'idée d'une vie impersonnelle des penseurs ? Nombre de philosophes se sont consacrés à l'édification d'un mot phare qui a rayonné sur tous les domaines de la pensée, au point d'acquérir une existence propre et autonome, détachée de tout référent. Ainsi de l'hypertrophie du mot « autrui » dans l'œuvre de Levinas, devenu le parangon de l'altérité et sollicitant l'imaginaire des lecteurs au creux d'une rationalité affichée. Les grandes notions, ces « mots-clés » tels que les analyse Adorno, s'apparentent à des fétiches. Ils détiennent une magie communicative et procèdent de puissants dénis.

Dès lors que nous admettons cette part de fiction dans la formation et l'emploi des concepts, nous accédons à la forge psychique des philosophes. Leurs apparentes contradictions découvrent en un même auteur des vies multiples qui s'opposent, s'articulent, se leurrent et se recomposent. Au même moment où Beauvoir écrit *Le Deuxième Sexe* et pose les bases du féminisme, elle vit une passion dévorante avec un écrivain américain. D'un côté, elle théorise l'indépendance des femmes, de l'autre, elle écrit des centaines de pages sur sa jouissance servile. S'il est impossible de dire où se trouve la « vraie » Beauvoir, l'analyse de cette double vie est du plus grand intérêt pour comprendre l'investissement psychique d'une pensée et les tours contradictoires qui l'autorise à affirmer de grandes thèses. Ces personnalités multiples d'un philosophe sont rarement assumées, bien qu'elles puissent relever d'une stratégie de pensée, comme l'expérimente Kierkegaard grâce aux nombreux pseudonymes qui lui permettent de soutenir et de vivre des théories contraires. Il rédige des discours religieux quand il mène une vie libertine, et il écrit un journal de séducteur quand il vit en ascète. Le mentir-vrai se tient au cœur de la raison philosophique.

Le mot de mensonge, dégagé de sa charge morale et inscrit dans cette voie psychique, doit être nuancé et affiné, car il désigne une grande variété de figures. Il est nécessaire de dénouer ses contenus agglomérés et de distinguer ses processus et ses symptômes. Si nous ne le limitons plus à la négation intentionnelle de la vérité, le mensonge prend des formes verbales complexes dont plusieurs œuvres, systèmes et postures intellectuelles montreront l'extraordinaire diversité. Quelques traits communs les rassemblent toutefois tels que *le désir d'affirmer* – même si le mode affirmatif peut être contesté officiellement – qui se prolonge en désir d'argumenter, de démontrer, de relier des idées. La survalorisation des « concepts », idées générales qui recouvrent plus ou moins des réalités sensibles et disparates, offre un autre signe de l'affabulation et de son fétichisme langagier. Un troisième trait, plus thématique, est la nécessité pour le menteur de formuler une théorie de la vérité. Là encore plusieurs noms de la vérité déploient leurs écrans : sincérité, authenticité, véridiction, véracité… toutefois, le menteur rencontre toujours cette antithèse du vrai et du faux qu'il doit reconstruire pour mieux mentir encore.

Devrais-je le répéter des dizaines de fois que j'en deviendrais alors suspect, mon propos se situe loin du dénigrement et ne se place jamais du point de vue de celui qui échappe au mensonge ou, pire, de celui qui sait le vrai. Le mot de « menteur » ne relève jamais, ici, de l'accusation. Pour autant, je m'intéresse à l'écart entre ce qui peut être tenu comme vérifiable et la pratique affabulatoire de certains discours théoriques. La vérité du vécu de tel ou tel penseur reste à jamais inaccessible, comme celle de toute vie psychique. Cependant, il existe bien des contrariétés entre le vrai et le faux selon des valeurs de discours qui sont admises par les menteurs eux-mêmes et qui permettent de pointer au moins les « contradictions » entre ce qu'ils affirment et ce qu'ils pratiquent. Dans ce discord entre eux et eux-mêmes se découvre une puissance psychique qui donne à lire sous un jour nouveau les écrits et les discours abstraits.

Le choix des auteurs retenus pour cette analyse du mensonge repose sur un critère : mon admiration présente ou passée pour leurs œuvres que j'ai longuement fréquentées. Elle devrait contenir toute forme de ressentiment et toute tentation de dénoncer de vilains menteurs. Écrire pour calomnier des auteurs m'a toujours paru un exercice douteux, propre à la haine délatrice des grandes autorités. Un minimum de générosité s'avère nécessaire pour comprendre les œuvres, les relire en les créditant d'un sens irréductible à une seule interprétation, quitte à les passer ensuite au tamis d'une lecture infidèle.

Certes une des moindres raisons de cette enquête tient à ma connaissance de nombreux philosophes de profession que je côtoie dans les milieux académiques et médiatiques. Et j'ai toujours éprouvé un étonnement, sans doute naïf, à constater un grand écart entre des principes, des valeurs revendiqués avec éclat, et les vies menées à l'opposé de ces vertus. Le décalage est d'autant plus criant que le discours est tonitruant. Mais, au fond, pourquoi y aurait-il moins de fabulateurs chez les philosophes que dans toute une population ? Ils n'ont rien à envier au personnel politique ni à tout fabricant de contrefaçons. Ils offriront plutôt des « cas » permettant de comprendre, au-delà de ladite philosophie, la puissance inventive et la construction para-doxale du mensonge à l'égard de soi-même. L'inconséquence, si répandue chez les parleurs, se transforme souvent chez eux en un fascinant délire théorique, source de joies et générateur de pensées pour leurs lecteurs. Le défaut se meut en excès, la torsion devient création.

# LE PATHOS DE LA VÉRITÉ

« Aimer la vérité », une telle expression emporte l'adhésion tant elle correspond à un idéal moral et spirituel. Qui pourrait afficher, à l'inverse, son amour du mensonge ? La recherche du vrai ou la fidélité à la *vérité* reçoivent d'emblée l'acquiescement. Il conviendrait toutefois de préciser ce que ces formules recouvrent tant elles désignent des mobiles différents et requièrent des vertus spécifiques. La vérité métaphysique, celle de Dieu ou du monde suprasensible, n'est pas la vérité morale qui engage une attitude de la conscience. Elle n'est pas non plus la vérité factuelle, policière et judiciaire. Loin de retracer une histoire de la vérité dans la tradition philosophique, nous interrogeons plutôt les affects qui accompagnent les références à la vérité. Pourquoi « aimer » ce qui se donne pour vrai ? Quelles satisfactions procure l'engagement de soi dans la vérité ? Pour quelles raisons déclarer publiquement son amour de la vérité ? Une série d'antithèses orchestre l'heureux choix du vrai, sa transparence, sa sincérité, sa naturelle pureté, à l'inverse de l'opacité du faux, de l'erreur, du mensonge et de son hypocrite comédie. Toutes ces notions déclinent à la fois les versants moraux et les imaginaires de la vérité qui lui associent tant de qualités positives.

Nulle surprise dès lors à l'enthousiasme que suscite la proclamation de la vérité, si ce n'est qu'un menteur la déclarerait aussi volontiers. Le menteur serait-il soudain pris d'un accès de franchise, il rencontrerait le fameux paradoxe logique pointé par Eubulide. La formule « je mens » est impossible à soutenir puisqu'elle implique son contraire : je mens en disant que je mens, donc je dis la vérité. Si cet énoncé a été beaucoup glosé à la suite du philosophe grec, en revanche, la phrase contraire, « je dis la vérité », reste sous-estimée. Celle-là peut être prononcée aussi bien par un menteur que par un individu sincère, sans paradoxe logique. Du point de vue qui nous intéresse ici, nous devons interroger son soutien énonciatif, tant elle manifeste la joie d'affirmer, en concentrant son énergie sur une propriété majeure de l'affirmation : la véracité. « Je sais ce que je dis et j'insiste : c'est vrai », proclame l'affirmateur avec une force d'autoconviction censée convaincre son interlocuteur. L'implicite de la déclaration « je dis la vérité » tient en effet dans la demande d'une confiance : il faut croire l'affirmateur sur parole. Il en appelle à notre amour commun du vrai, au crédit que nous lui accordons. « Croyez-moi, je dis vrai ! » Mais pourquoi éprouve-t-il le besoin d'en appeler à la vérité de son dire, de l'imposer, de réclamer un certificat d'authenticité, au lieu de formuler simplement ce qu'il veut dire ? Une telle réclamation entraîne notre suspicion et nous sommes enclins, malicieusement, à douter d'un discours dès qu'une telle demande aura été formulée.

## Tous des menteurs, sauf Rousseau

L'amoureux de la vérité nous prend à témoin de son amour. Il nous rend captifs du crédit porté à son dire, car il a besoin de nous pour garantir sa sincérité. Nous devenons insidieusement son obligé. Cette alliance de la proclamation hyperbolique et de la prise d'otage a trouvé en Rousseau l'une de ses plus éclatantes incarnations. L'écrivain philosophe ne cesse d'afficher son amour de la vérité. Il la porte en lui comme l'essence commune de la philosophie et de sa personnalité. Sa devise favorite, reprise à Juvénal, est *Vitam impendere vero* – « consacrer sa vie à la vérité » – et il en a fait son cachet, gravant ainsi la formule pour signer son nom.

Cependant la vérité pratique l'emporte, avec Rousseau, sur la vérité générale. S'il veut « dire » cette vérité, c'est officiellement pour réparer les torts qu'on lui a faits et aussi pour avouer quelques fautes à la dérobée. Il écrit *Les Confessions* dans ce dessein. Il y affiche continûment son honnêteté, sa franchise, devant le lecteur, lui racontant les multiples situations où il s'est mis à nu, sans fard. L'homme qui haïssait l'artifice théâtral n'en termine pas moins sa longue entreprise d'aveux, ses centaines de pages « sincères », par une spectaculaire mise en scène de sa déclaration publique. Il se montre au lecteur en train d'affirmer devant des témoins :

« J'ai dit la vérité. Si quelqu'un sait des choses contraires à ce que je viens d'exposer, fussent-elles mille fois prouvées, il sait des mensonges et des impostures, et, s'il refuse de les approfondir et de les éclaircir avec moi, tandis que je suis en vie, il n'aime ni la justice ni la vérité. Pour moi, je le déclare hautement et sans crainte : quiconque, même sans avoir lu mes écrits, examinera par ses propres yeux mon naturel, mon caractère, mes mœurs, mes penchants, mes plaisirs, mes habitudes, et pourra me croire un malhonnête homme, est lui-même un homme à étouffer[1]. »

L'auditoire en est resté coi, au dire de l'affirmateur. La vérité s'est imposée avec les mots de son héraut, car il *est* lui–même la vérité victorieuse, selon une apologie en personne. Celui qui s'y opposerait mérite la mort, comme le mensonge même doit être vaincu et châtié car rien n'est plus haïssable. Fin psychologue, La Rochefoucauld observait que « l'aversion du mensonge est souvent une imperceptible ambition de rendre nos témoignages considé-rables, et d'attirer à nos paroles un respect de religion[2] ». De fait, Rousseau, par une profession de foi, impose une dévotion pour son discours. Il s'est donné le dernier mot, il offre en spectacle sa « déclaration » et il interdit toute possibilité de la contester. Faut-il encore le dire mille fois ? Tout est déclaré, c'est-à-dire clair, il a dit vrai !

Toutefois le doute naît chez un psychologue un peu averti : tant de pathos et tant de hargne, tant d'exposition et de répétition signalent que tout n'est pas dit une fois

---

1. Jean-Jacques Rousseau, *Les Confessions*, in *Œuvres complètes*, t. I, Gallimard, « Bibliothèque de la Pléiade », 1959, p. 656.
Lorsque le lieu d'édition n'est pas précisé dans les notes en pied de page ou dans la bibliographie de l'auteur en début de volume, il s'agit de Paris (N.D.É.).
2. François de La Rochefoucauld, *Maximes et Réflexions diverses*, Gallimard, « Folio classique » (n° 728), 1976, p. 54.

pour toutes. Et de fait, après *Les Confessions*, Rousseau éprouvera de nouveau le besoin de s'expliquer, de se justifier avec *Rousseau juge de Jean-Jacques*. Un vertueux a-t-il à ce point besoin d'exhiber sa vertu ? L'autoprésentation comporte nécessairement des masques et des ruses. Rousseau est d'ailleurs conscient de la différence entre « l'homme vrai » et « l'homme qui dit la vérité ». Le premier agit sans même ressentir le désir de se présenter aux autres. Pourquoi, dès lors, marteler qu'on est dans la vérité, qu'on est son défenseur ? Parce que je suis attaqué injustement ! répond Rousseau.

De quoi est-il accusé au juste ? À le lire, il est difficile de cerner ses fautes, tant l'auteur multiplie les exemples de calomnies – plagiat, trahison, vol, lubricité, blasphème... Cependant, l'une d'elles, obsédante et masquée, constitue le nœud d'un procès général qui s'exerce jusqu'à la fin de ses jours : l'abandon de ses enfants. Notre grand vertueux clame sa vérité, crie à l'injustice en de nombreuses affaires, mais au fond le crime inexpiable reste ce défaut de responsabilité à l'égard de sa progéniture. Dans *Les Confessions*, il reconstruit son cheminement moral et tente de camoufler cette tache avec plus ou moins d'habileté. La rencontre de Thérèse, qu'il met enceinte, y est présentée comme une étape décisive dans son accès à la vertu. « J'ai toujours regardé le jour qui m'unit à ma Thérèse comme celui qui fixa mon être moral[3] », affirme-t-il.

Comment dès lors justifier le placement de cinq enfants à l'institution publique ? Une pre-mière défense consiste

---

3. Jean-Jacques Rousseau, *Les Confessions, op. cit.*, p. 341.

Le pathos de la vérité

à relativiser l'événement. La grossesse n'est qu'une affaire de grosseur et n'engage pas ceux qui ont engrossé. Rousseau relate ainsi la nouvelle, occultant le terme de paternité : « Tandis que j'engraissais à Chenonceau, ma pauvre Thérèse engraissait à Paris d'une autre manière, et quand j'y revins, je trouvai l'ouvrage que j'avais mis sur le métier plus avancé que je ne l'avais cru[4]. » Le problème semble conjuré par une désinvolture presque badine qui rabaisse la procréation à une physiologie triviale. Par ailleurs, dans *L'Émile*, l'éducateur compare l'accouchement au fait de pisser avec douleur, ce que Rousseau connaît bien pour avoir des problèmes d'urètre.

La seconde explication est plus surprenante, car elle contrarie l'image de soi exposée dans *Les Confessions*. Alors que Rousseau a commencé son autobiographie en affirmant son absolue singularité, incomparable aux autres hommes, il se réfugie derrière les us et coutumes. L'homme qui se disait « enivré de vertu » adopte désormais les mœurs corrompues de son temps. Peupler l'hôpital des Enfants-Trouvés, parce qu'on est débauché ou pauvre, est une conduite ordinaire, voire approuvée. « Puisque c'est *l'usage* du pays, quand on y vit on peut le suivre[5] », observe le géniteur qui doit, malgré tout, vaincre les résistances de la mère. Croit-il vraiment à ses propres arguments ? Se dédouane-t-il de la faute en l'avouant ? La vérité se donne ici sous la forme de l'aveu. Mais Rousseau ne se ment-il pas à lui-même ?

---

4. *Ibid.*, p. 342-343.
5. *Ibid.*, p. 344.

Le déni de la faute et son aveu paradoxal produisent un tourniquet infernal entre vérité et mensonge. Le fautif renverse le préjudice et devient la victime : cet abandon d'enfants va suivre Rousseau toute sa vie et ses détracteurs s'en serviront pour le dénigrer injustement, à ses yeux. Concevrait-il des remords ? Il récidive pourtant, aggravant son geste car il se prive de toute réparation éventuelle : Rousseau avait laissé une carte chiffrée dans les langes du premier né, gardant ouverte la possibilité d'une future reconnaissance de l'enfant, mais il abandonne les suivants sans plus aucune trace de leur origine. L'abandonneur allègue à chaque fois de nouvelles justifications, non seulement la précarité de sa condition sociale mais aussi la mauvaise éducation qu'auraient prodiguée Thérèse Levasseur et sa famille. De plus, il veut croire que l'institution publique élève mieux les orphelins, alors même que le taux de mortalité est réputé très élevé chez les Enfants-Trouvés. Toutefois cet excès de raisons fait soupçonner une inquiétude, une mauvaise foi destinée à masquer la responsabilité du crime.

La surenchère pour absoudre le philosophe s'est poursuivie chez ses biographes. L'affaire des enfants abandonnés a connu en effet des gloses étonnantes et les avocats de Rousseau continuent aujourd'hui de plaider l'innocence : sa maladie urinaire, son impuissance, l'infidélité de Thérèse et l'hypothèse d'enfants adultérins ont fourni des thèses justifiant l'abandon. Il est courant de voir les admirateurs transformer leur auteur en idole irréprochable. Tant de raisons spécieuses visent à retourner le tort : l'injustice n'a plus été commise à l'endroit des orphelins mais de Rousseau lui-même. Toutefois une telle accumulation de vérités et de contre-vérités trahit un mensonge, du moins une faute inexpiable. Il faut affirmer la « vérité », proclamer haut et fort ce mot pour mieux taire le forfait. Le ton est outré, la profération trop forte, au point qu'elle se fissure parfois, ainsi que le note le contemporain Dorat observant que la voix de Rousseau ne tremblait jamais, sauf au moment où il évoquait l'abandon de ses enfants.

L'amour de la vérité, aussi investi et surexposé, se dénonce comme un mensonge. Rousseau a vécu ce paradoxe dans la passion, s'identifiant à la vertu outragée. Il s'est de plus en plus construit une image de lui comme un martyr de la vérité, subissant les avanies des « menteurs », les autres, ces méchants qui dissimulent leurs mobiles. À la fin de sa vie, il prétend qu'on le déteste pour ce qu'il est, l'homme bon, plus que pour d'éventuelles fautes. Le délire masochiste qui l'anime le conduit à aimer cette calomnie générale contre lui puisqu'elle le transforme en allégorie du Bien martyrisé : « Je ne trouve rien de si grand, rien de si beau, que de souffrir pour la vérité. J'envie la gloire des martyrs[6]. »

Ce que nous pouvons appeler le *pathos* de la vérité prend des formes psychiques diverses et parfois dramatiques. Avec Rousseau la scène qu'organise

---

6. Jean-Jacques Rousseau, « Lettre à M. de Saint-Germain, 26 février 1770 », in *Correspondance complète*, t. XXXVII, éd. R. A. Leigh, université d'Oxford, The Voltaire Foundation, 1980, p. 261.

le *mensonge affirmatif* relève d'une paranoïa qui convoque tous les menteurs de la terre autour d'un sujet unique, injustement accusé. L'obsession d'un complot fomenté contre lui est un discours connu des lecteurs familiers de Rousseau. Et cette fiction se construit tôt, avant l'abandon des enfants. Elle peut trouver son origine dans la mort de sa mère lorsqu'elle met au monde Jean-Jacques, et dans l'attitude de son père qui tient le fils pour le responsable involontaire de ce décès. Mais une approche psychanalytique du sujet Rousseau n'entre pas dans nos intentions et nous en restons à l'analyse d'un discours qui se nourrit à la fois d'un *déni* et d'une *affirmation de vérité*.

La paranoïa repérable de Rousseau tourne constamment autour de la publication de *L'Émile*, paru en 1762, qui lui semble la cause de tous ses malheurs. De fait, le livre a été condamné par la Sorbonne, saisi par la police, brûlé devant le Palais de Justice. Un décret de prise de corps a contraint Rousseau à se réfugier en Suisse et là, de nouveau, l'ouvrage est attaqué et son auteur doit encore fuir. La « Profession de foi du vicaire savoyard », qui constitue le quatrième chapitre de *L'Émile*, a provoqué les foudres cléricales en Europe. Toutefois cette cause objective – la condamnation d'un essai pour des motifs idéologiques – est minimisée par Rousseau qui interprète sa persécution à la lumière d'un autre mobile, plus personnel. Dans *Les Confessions*, il évoque le processus difficile qui a accompagné l'écriture de *L'Émile*, bien différent de celui du *Contrat social*. Jean-Jacques conçoit le traité sur l'éducation comme son œuvre ultime après laquelle il prendra sa retraite. Malheureusement il est constamment retardé dans son entreprise, à cause de tracas répétés pour l'impression du livre et d'un état psychique empirant à mesure qu'il écrit ce traité. Une scène révèle sa fixation masochiste : alors qu'on lui conseille de publier anonymement ce texte qui va lui causer de graves ennuis, Rousseau refuse : *L'Émile* doit le faire triompher pour la postérité, il lui rendra son honneur. Au lieu d'adopter la prudence, il affirme son autorité et affiche ce traité comme un portrait en pied.

En imaginant qu'une foule de menteurs le calomnient, Rousseau se cache à lui-même son propre mensonge. Cependant la vérité continue de travailler au cœur du déni, dans l'écriture affirmative et excessive de la paranoïa. Après avoir évoqué l'abandon de ses enfants, Rousseau date le début de ses malheurs à la publication de *L'Émile* et il entre dans l'obsession d'un complot mondial contre lui. Il se voit bientôt brûler sur un bûcher au milieu de ses livres, et tout cela pour une raison de plus en plus spécieuse : on lui reprocherait sa conception de l'éducation. La construction du mobile paranoïaque vient d'une culpabilité : le sujet se sent attaqué injustement pour mille motifs parce que, au fond, il se croit coupable d'une faute absolue, existentielle.

La thèse du complot sert donc à occulter la tare fondamentale, elle substitue des fautes qui n'en sont pas à une autre – indépassable : on accuse Rousseau d'être un superéducateur, on ne lui reproche donc pas d'être un sous-éducateur. Le tourniquet vire au délire lorsque Rousseau croit déchiffrer partout les signes de sa persécution, même chez ses protecteurs.

Mme de Luxembourg, Hume, Mirabeau… tous complotent contre l'auteur de *L'Émile*. « Les planchers sous lesquels je suis ont des yeux, les murs qui m'entourent ont des oreilles : environné d'espions et de surveillants malveillants et vigilants, inquiet et distrait, je jette à la hâte sur le papier quelques mots interrompus […] On craint toujours que la vérité ne s'échappe par quelque fissure[7]. » Cette vérité que les autres sont censés convoiter est en fait le mensonge de Rousseau qui fuit derrière les remparts d'affirmations qu'il a construits autour de lui.

Le mensonge affirmatif – « Rousseau est un grand éducateur » – construit une machinerie qui peut s'emballer à l'insu du sujet. Le monde entier se transforme en de multiples regards accusateurs, qui avivent le sentiment d'injustice, et pousse la victime imaginaire à crier « sa » vérité jusqu'au sacrifice de soi. Le pathos de la vérité tient au surinvestissement d'une idole verbale à laquelle s'identifie le sujet, prêt à mourir pour sa victoire. Et plus la nécessité de refouler le mensonge se fait pressante, plus la glorification de la vérité devient dramatique. De fait, le sujet, pris dans la transe d'une affirmation hyperbolique, se scinde en devenant le personnage idolâtre d'un mot-fétiche. Rousseau en montre la logique spectaculaire : le monde s'étant constitué en tribunal pour le juger et le condamner, il plaide sa cause en divisant sa parole dans *Rousseau juge de Jean-Jacques*. Trois dialogues le mettent en scène en train de répondre à

---

7. Jean-Jacques Rousseau, *Les Confessions*, *op. cit.*, p. 279.

Le pathos de la vérité

un « Français » et de justifier ses comportements. Cette plaidoirie pour soi-même reprend la thèse du complot, daté précisément du 18 juin 1762 – la publication de *L'Émile* – et devenu « conspiration universelle » contre sa personne. L'autoportrait est tellement investi par la représentation du martyr de la vérité qu'il produit un clivage entre le Rousseau victime hypostasiée et les Jean-Jacques débattant avec leurs accusateurs. « Rousseau la vérité » s'est transformé en icône. Ne reste plus qu'une multitude de *moi* éparpillés, délirants, qui se défendent et se récrient. Les hurlements ne visent d'ailleurs plus à convaincre aucun juré, car le sujet ainsi fragmenté a perdu le sens de l'adresse à qui que ce soit. Il vit dans un théâtre où il incarne à la fois les acteurs et les spectateurs de son martyr.

La proclamation de la vérité, lorsqu'elle atteint une telle passion, peut se passer de tout interlocuteur. Elle va même jusqu'à interdire toute possibilité d'une réponse et d'une délibération, car elle se nourrit de son propre délire. L'issue du procès que Rousseau instruit contre lui-même aboutit à l'abandon de toute charge et dans le troisième dialogue que l'auteur imagine avec le Français, ce dernier l'innocente, ce qui équivaut à une autoabsolution. Rousseau, l'auteur des *Dialogues*, a produit un Rousseau acteur qui a cité des textes de Rousseau philosophe, sans fournir de véritables arguments contre l'accusation. Son but n'est plus de convaincre mais d'exhiber son martyr en saint innocent de la vérité. Il finit par porter son texte à Dieu en projetant de déposer ses *Dialogues* sur le grand autel de Notre-Dame. Sur l'enveloppe il a écrit :

« Protecteur des opprimés, Dieu de justice et de vérité, reçois ce dépôt que remet sur Ton autel et confie à Ta Providence un étranger infortuné, seul, sans défense sur la terre, outragé, moqué, diffamé, trahi de toute une génération[8]. » Mais le 24 février 1776 il découvre que l'autel est protégé d'une grille et la paranoïa reprend son empire : Rousseau est persuadé qu'elle a été installée à dessein, pour l'empêcher d'atteindre Dieu et de réclamer justice.

Le pathos de la vérité, avec Rousseau, se révèle à son paroxysme comme une passion christique. Malgré son exceptionnelle énergie, il témoigne à la fois de la nature symptomatique des grandes déclarations au nom de la vérité et de la puissance créatrice d'un mensonge qui taraude la conscience d'un sujet. Celui qui ne cesse de se référer à la Vérité a quelque chose à cacher, et il développe à son insu une représentation hypertrophiée et transférentielle de son mensonge. La foi en la vérité va de pair avec la paranoïa chez Rousseau qui fait son autoportrait en supplicié de tous les menteurs de la terre. Le modèle d'une pareille injustice, commise à l'égard de celui qui incarne la vérité, ou du moins le désir de vérité, est l'*Apologie de Socrate*. Mais faute d'un Platon pour rapporter le procès, Rousseau en appelle à l'empathie de ses lecteurs plus qu'à une réflexion critique. Il se détourne de l'analyse philosophique au profit de son autoprésentation en martyr. Dans son excès n'a-t-il pas manifesté, par son délire

---

8. Jean-Jacques Rousseau, *Rousseau juge de Jean-Jacques*, in *Œuvres complètes*, t. I, *op. cit.*, p. 978.

Le pathos de la vérité

paranoïaque, la propension de tout sujet à surinvestir un concept, à s'identifier à lui et à se transformer en son preux chevalier ? Héros de la vérité, de la liberté, de la justice… combien n'ont pas cédé, dans leur petit théâtre intime, à ce scénario qui enchante la vie ordinaire ? Un tel surinvestissement paraît fou lorsqu'il prend des dehors délirants et spectaculaires, cependant il donne à entendre les mobiles psychiques de ceux qui vivent dans la foi d'un concept, affirment l'incarner et s'en croient les porte-étendards.

## Théories et pratiques du mensonge : Montaigne, Rousseau, Kant, Constant, Nietzsche

Si nous admettons qu'un mensonge s'expose dans sa pleine puissance lorsqu'il se présente sous les auspices du vrai, il devient fructueux d'observer comment le menteur éprouve le besoin d'une théorie de la vérité. Il peut la formuler positivement, affichant toutes les qualités du vrai, ou négativement, décryptant la fausseté. Suprême artifice, le menteur se cache, selon cette deuxième version, en discourant sur le mensonge, voire en dénonçant tous les menteurs. Pointer le défaut des autres est souvent le révélateur du sien. De ce point de vue, les délateurs professionnels devraient toujours être suspectés. Mais, de manière plus raffinée, le menteur peut recourir à un grand discours sur le sens du vrai et du faux, ou sur les méandres mensongers. Rousseau, encore, nous en offre un bel exemple, proposant une thèse sur le mensonge dans les *Rêveries du promeneur solitaire*. À la quatrième promenade, le philosophe entrevoit un problème qui pourrait saper la sincérité affichée dans ses *Confessions* : un sujet peut certes avoir le *sentiment* de dire la vérité mais pourrait *se mentir à lui-même* sans le savoir. Le mensonge involontaire, qui plus est, exercé envers soi, se détecte difficilement et ruine la prétention à l'authenticité. Rousseau admet que le « connais-toi toi-même » est difficile à suivre et qu'on peut être dupe de sa franchise.

Parler « du » mensonge, comme s'il relevait d'une seule définition, ne convient pas à ses usages si variés. « Le » mensonge n'existe pas et, au-delà d'une discussion morale sur sa nature intentionnelle, ses formes et ses mobiles exigent une analyse beaucoup plus fine qu'une synthèse conceptuelle. Pourquoi ment-on, comment, quels sont les types de mensonge, jouit-on du mensonge, le maîtrise-t-on… autant de questions qui appellent une approche pragmatique et psychologique. Montaigne observait déjà, au XVIe siècle, l'extraordinaire diversité du mensonge et il proposait de distinguer entre le mensonge et le mentir[9]. La langue usait facilement, à son époque, des verbes substantivés, permettant de souligner le mensonge comme activité : le *mentir* – qui retrouvera son actualité avec l'expression d'Aragon, le mentir-vrai.

Montaigne suggère, sous l'autorité de la grammaire, que le mensonge se résume à dire une chose fausse,

---

9. Montaigne, *Essais*, éd. Pierre Villey, P.U.F., 2 vol., 1978, *loc. cit.*, Livre I, chap. IX, t. I, p. 35.

sans intention de nuire, tandis que le mentir concerne l'invention ou la tromperie exercée en connaissance de cause. Il reprend là une distinction énoncée depuis l'Antiquité, de Platon à Cicéron puis à Augustin, dont les discours sur le mensonge n'ont cessé de différencier le menteur de celui qui « dit un mensonge ». Le menteur est condamnable par principe car il sait qu'il ment et il le fait dans l'intention de tromper les autres, de les induire en erreur. En revanche, celui qui dit un mensonge l'ignore parfois et ses mobiles peuvent être louables même s'ils restent illicites. Quelques rares situations justifient une entorse à la vérité, et encore… tout le monde ne saurait y prétendre car seul le sage, celui qui sait distinguer le vrai du faux, a le droit, exceptionnel-lement, d'employer un mensonge pour de nobles fins. Augustin, dans ses deux ouvrages sur le mensonge, en décrit la variété avec précision, laissant entendre qu'il existe « des » mensonges plutôt que « le » mensonge. Intraitable toutefois, il réprouve le mentir comme une abomination et n'admet aucune exception au devoir de vérité : « Il y a bien des espèces de mensonges et nous devons les détester tous sans exception, car il n'y en a aucun qui ne soit contraire à la vérité[10]. »

Loin d'une telle intransigeance, Montaigne, lui, ouvre une nouvelle voie pour comprendre les formes du mentir sans les condamner d'emblée. « Si, comme la vérité, le mensonge n'avait qu'un visage, nous serions en meilleurs termes. Car nous prendrions pour certain l'opposé de ce que dirait le menteur. Mais le revers de

---

10. Augustin, *Contra Mendacium*, III.

la vérité a cent mille figures et un champ indéfini[11]. »
L'auteur des *Essais*, peu dogmatique, observe que
la vérité et le mensonge ne sont pas symétriques et
obéissent à des logiques différentes que celle, logique,
du vrai et du faux. Mentir relève du multiple et du
divers, il ne peut être défini car il ne connaît pas de
limites. Si Montaigne ne lui accorde pas un crédit
moral, le considérant comme un vice, il distingue
cependant les mensonges avec un fond de vrai et les
mensonges inventés. Les premiers en appellent à l'art
du déguisement, ils manipulent la réalité et doivent
constamment la transformer à mesure qu'elle revient
contester ces versions fallacieuses. Les seconds
supposent un certain *génie* puisqu'ils créent une réalité
à partir de rien et ils lui insufflent une force de vérité
qui convainc les auditeurs du mensonge. L'originalité
et la perspicacité de Montaigne viennent de sa position
théorique : il ne juge pas, il ne condamne pas, il analyse,
il s'étonne. Il entrevoit la part ludique du mentir, sa
fragilité, sa folie aussi. Les menteurs s'étourdissent de
leurs propres mensonges, ils s'abusent au point de ne
plus maîtriser leurs fictions. Le mensonge devient alors
intransitif : on ment pour mentir et finalement on perd
la tête. La spirale du mensonge conduit le plaisir de
l'invention au délire de la personnalité.

Rousseau, le chantre de la vérité, admet ponctuel-
lement ce jeu grisant avec le mensonge. Le plus
étonnant surgit au détour de sa réflexion sur un mauvais
souvenir. Rousseau est en train de battre sa coulpe en

---

11. Montaigne, *Essais*, *op. cit.*, *loc. cit.*, Livre I, chap. ix, t. I, p. 37.

Le pathos de la vérité

avouant qu'il a, sa vie durant, regretté un mensonge particulier, mais il se rappelle tout à coup d'autres petits mensonges commis presque innocemment. Et soudain le lecteur comprend qu'il s'agit moins du contenu du mensonge que de son activité : le mentir constitue un plaisir en soi, sans mobile. Inventer des faits, affirmer leur vérité avec une « foi absolue », relève d'un goût enfantin pour l'imagination, du désir de plier le réel aux fantaisies les plus débridées. Rousseau, qui n'a eu de cesse de proclamer sa haine du mensonge comme la pire ignominie, confesse qu'il a pu mentir par gaieté de cœur !

Mentir par plaisir, sans intention de nuire, laisse entrevoir la complexité du mensonge, son infiltration sournoise dans quantité de comportements. Si le mensonge visait seulement à contrefaire le vrai par intérêt, la morale lui réglerait facilement son sort. S'il peut s'exercer sans but et s'affranchir de toute utilité, alors il échappe à la raison morale. La vérité sort de la bouche des enfants, selon un dicton populaire, mais le mensonge aussi, ou du moins par une autre disposition, joyeuse et malicieuse. Il a partie liée avec l'imaginaire et le suspens de la signification. Tout devient possible à qui sait mentir pour mentir, de façon intransitive. Peu importe qu'une affirmation soit vraie ou fausse, du moment qu'elle permet d'inventer en racontant.

Souvent le mensonge d'un enfant fait l'objet d'une implacable répression car il s'agit d'éduquer au plus tôt à la vérité. Toutefois, derrière le mobile pédagogique et moral qui conduit à réprimander le petit menteur se cache une peur panique : le contrat de confiance ne fonctionne plus, ne garantit plus la certitude que l'échange verbal obéit à l'ordre du sens. Rien n'est plus assuré dès lors que le doute s'est introduit et que le langage s'est délesté de ses référents. Et pire encore, les référents deviennent interchangeables : si l'imaginaire avait seulement substitué une réalité à une autre, le mensonge aurait le statut d'une contre-vérité acceptable, et, de fait, des personnes ou des sociétés vivent dans le mensonge avec une certaine stabilité. Cependant, la volubilité du mentir empêche toute certitude, chaque chose pouvant se renverser en son contraire puisque tout est faux, même la vérité. Telle réalité peut se présenter sous l'aspect d'une autre par le seul arbitraire d'une affirmation joueuse. Que croire, qui croire, lorsque le renversement devient roi ? L'enfant menteur donne le vertige, il lui faut des claques.

Et si le choix de dire la vérité obéissait au seul conformisme ? Le devoir qui oblige à l'égard du vrai a sans aucun doute des raisons morales mais la grégarité y trouve aussi sa part. Le psychologue le plus suspicieux parmi les philosophes, Nietzsche, a observé ce mobile qui sape la prétention glorieuse à la vérité. Dans la vie ordinaire, ceux qui disent la vérité agissent par paresse. Une fois qu'ils l'ont dite, ils se sentent quittes de tout autre discours. En revanche les mensonges requièrent de l'imagination, du déguisement, de la mémoire. Pour assurer un mensonge, il est nécessaire d'en inventer quantité d'autres. Il faut donc du talent et du courage pour mentir, remarque Nietzsche dans *Humain trop humain* : « Pourquoi, dans la vie de tous les jours, les hommes disent-ils la plupart du temps

Le pathos de la vérité

la vérité ? Sûrement pas parce qu'un dieu a défendu le mensonge. Mais, premièrement, parce que c'est plus commode ; car le mensonge réclame invention, dissimulation et mémoire (raison qui fait dire à Swift : qui raconte un mensonge s'avise rarement du lourd fardeau dont il se charge ; il lui faudra en effet, pour soutenir un mensonge, en inventer vingt autres). Ensuite, parce qu'il est avantageux, quand tout se présente simplement, de parler sans détour : je veux ceci, j'ai fait cela, et ainsi de suite ; c'est-à-dire parce que les voies de la contrainte et de l'autorité sont plus sûres que celles de la ruse. Mais s'il arrive qu'un enfant ait été élevé au milieu de complications familiales, il maniera le mensonge tout aussi naturellement et dira toujours involontairement ce qui répond à son intérêt ; sens de la vérité, répugnance pour le mensonge en tant que tel lui sont absolument étrangers, et ainsi donc il ment en toute innocence[12]. »

Quand le chemin tout tracé de la vérité offre le confort et la sécurité, celui du mensonge est escarpé et n'accueille que les aventuriers. Ce retournement de l'évidence morale peut sembler une provocation tant l'éloge du mensonge relève d'une rhétorique subversive. Toutefois Nietzsche va plus loin qu'une suggestion immorale, il vise un état d'avant la signification morale.

---

12. Friedrich Nietzsche, *Humain trop humain*, aphorisme 54, in *Œuvres philosophiques complètes*, III, éd. Giorgio Colli et Mazzino Montinari, trad. Robert Rovini revue par Marc B. de Launay, Gallimard, 1988, p. 74-75.

Le mensonge est enfantin, et ce jeu polymorphe avec le sens laisse entrevoir un monde disponible qui n'aurait pas encore été écrasé sous le poids du devoir et de la culpabilité. Ce moment où les enfants jouent des rôles et peuvent échanger leur statut de gendarmes ou de voleurs dessine une existence joyeuse et théâtrale. Assurément le philosophe qui s'est délivré du spectre de la vérité métaphysique et qui ne croit plus aux arrière-mondes peut assumer sans déploration la mascarade du monde. Resterait toutefois à distinguer entre les mensonges car tous ne s'équivalent pas, nous y reviendrons. Et précisément le plus gros des mensonges, pour Nietzsche, tient à faire croire en une réalité supranaturelle préférable à la vie présente. Dans son aphorisme la figure de l'enfant permet de mettre en valeur un *gai mentir*. Et comme d'autres textes sur l'enfantin en témoignent, ce moment se situe à la fois avant l'âge de raison – ce sont les enfants que nous avons été – et après lui, puisque l'ultime métamorphose espérée par Nietzsche atteint cette liberté innocente du joueur de masques. L'enfant premier ment pour cacher ses bêtises, pour éviter le châtiment, il suit instinctivement son intérêt immédiat et s'enferre dans ses allégations fantaisistes. L'enfant à venir, lui, ment sans intérêt parce qu'il est allé au-delà du bien et du mal, parce qu'il a défait la vérité de sa charge métaphysique et morale. Les deux enfants se rejoignent pour mentir en totale innocence, dénués de profondeur.

Une telle pratique du mensonge suppose d'avoir oublié sa signification morale et assuré-ment elle ne saurait être érigée en maxime universelle. Si elle n'offre pas un guide à suivre, elle nous ouvre toutefois les oreilles sur des airs singuliers – pas seulement ceux de la calomnie – liés à de multiples discours mensongers. Encore une fois, il s'agit moins de « types » de mensonges, identifiés selon leur contenu ou leur finalité, que d'activités, de manières de « mentir à loisir ». Le grand contempteur du mensonge, Rousseau, a donc entrevu, dans ses introspections infinies, ce que Nietzsche soulignera un siècle plus tard avec malice : le plaisir de mentir. Dans sa quatrième promenade des *Rêveries*, Rousseau ouvre la boîte aux mensonges et perçoit leur complexité. Il n'y a plus « le » mensonge, odieux et condamnable, mais « des » mensonges différents. Certains semblent même mineurs, au point qu'on peut les diviser.

La dénonciation du mensonge cède la place à une *casuistique du mentir*. Il existe ainsi des « demi-mensonges », prononcés sans intention de nuire et n'entraînant pas de graves conséquences. Méticuleux, le promeneur solitaire dissèque les situations ambiguës quant à l'intention mensongère : ainsi, ne pas dire la vérité alors qu'on n'est pas obligé de la dire ne relève pas du mensonge, selon lui. Et même lorsqu'on dit le contraire de la vérité, on ne ment pas si la vérité n'est pas exigée. Dès lors, il devient concevable de « tromper innocemment[13] », ose penser Rousseau, avec précaution certes, mais en rejetant les moralisateurs intransigeants. S'ensuit une discussion complexe sur le devoir de vérité : lorsque la vérité n'est pas utile, qu'elle n'implique

---

13. Jean-Jacques Rousseau, *Rêveries du promeneur solitaire*, in *Œuvres complètes*, t. I, *op. cit.*, p. 1026.

Le génie du mensonge

pas la justice, et qu'elle ne concerne que des faits peu importants, ne touchant pas à l'universel, alors on peut la taire ou la travestir sans mentir ! Ce mensonge « innocent », par définition, est juste celui qui ne nuit pas, et l'innocence n'engage pas une philosophie du jeu et de l'enfantin comme celle que Nietzsche promouvra. Toutefois l'innocence de celui qui lutte pour contrer ses accusateurs, qui se croit inconsciemment coupable, est une valeur morale et existentielle. Rousseau tente ainsi de faire accepter qu'il ait pu mentir sans mentir, qu'il ait menti en restant innocent.

Si un mensonge devient acceptable du moment que l'intention n'est pas mauvaise, la morale de la vérité se trouve alors soumise aux situations les plus oiseuses. Le sujet qui ment se voit ainsi autorisé à tromper s'il a de bonnes raisons. Mais qui peut s'assurer, par-devers soi, de la validité de ses raisons ? Si la maxime universelle s'efface au profit d'un jugement particulier, d'une évaluation personnelle de ce qui est bon ou mauvais, la frontière entre vérité et mensonge demeure floue. Rousseau fait de nombreuses concessions morales qui l'éloignent de l'austère et glorieuse attitude qui présidait à son pathos de la vérité. Non seulement il accepte la possibilité de tromper à partir d'une bonne intention, mais il envisage aussi qu'une volonté de tromper ne soit pas si grave si celui à qui l'on a menti n'en souffre pas. Dire des boniments, faire croire à une réalité qui n'existe pas... cela ne constitue pas une faute en soi, seul compte le résultat. Rousseau devient en cet instant conséquentialiste : il évalue la moralité d'une action à partir de ses effets. L'argument passe comme un éclair et n'est pas suivi, toutefois il étonne le lecteur habitué aux déclarations de bonne foi sur la vérité.

L'argumentation philosophique et morale touchant à la recherche de la vérité et au devoir de la dire prend une nouvelle inclinaison si nous la référons à ses mobiles psychiques et à ses tournures discursives. Rousseau en offre de nouveau un bel exemple car il investit à l'excès sa parole déclarative et il se débat furieusement avec ses contradictions. L'énergie qu'il y dépense est à la mesure d'un immense déni qui ne cesse de gonfler et d'agiter les formes qu'il invente. Les contorsions morales qui surgissent dans les *Rêveries* se repèrent d'autant plus nettement si nous les comparons à une réflexion quasi contemporaine sur le mensonge, celle de Kant dans les *Fondements de la métaphysique des mœurs*, et à la discussion qu'elle a suscitée. L'austère et radicale conception du devoir de vérité qui s'y affirme montre d'autant mieux les écarts et les virevoltes de Rousseau.

Au nom d'un principe intangible, Kant affirme l'impossibilité de justifier le mensonge, quelles que soient les circonstances, les intentions ou les conséquences. L'autonomie de la volonté suppose un impératif catégorique : je dois m'interdire de mentir, non par peur d'encourir l'opprobre car « je ne dois pas mentir, alors même que le mensonge ne me ferait pas encourir la moindre honte[14] ». Et si je me trouvais

---

14. Emmanuel Kant, *Fondements de la métaphysique des mœurs*, in *Œuvres philosophiques*, trad. Victor Delbos revue par Ferdinand Alquié, Gallimard, « Bibliothèque de la Pléiade », 1985, p. 310.

en situation de danger extrême, et que je ne pouvais m'en sortir qu'en mentant, le mensonge demeurerait toujours une faute morale. Benjamin Constant s'opposa à cette position absolue qui dédaignait toute expérience ou situation particulières. Il observa qu'un devoir de dire la vérité en toutes circonstances supposait abusivement pour chacun un droit à la vérité : selon ce droit excessif, un sujet devrait dire la vérité pour respecter le droit des autres à y avoir accès. Or *toute vérité n'est pas bonne à dire*, surtout lorsqu'elle peut nuire à celui qui la reçoit ou à d'autres qu'elle concerne. Par exemple, une personne atteinte d'une maladie incurable n'a pas toujours envie de le savoir. Devrait-on, pour autant, lui imposer cette vérité ? Devrait-on aussi en avertir la compagnie d'assurances qui lui garantit un prêt financier à long terme ? De multiples cas témoignent ainsi de la complexité des situations et conduisent à douter de leur réduction à un seul principe général. Et, surtout, le devoir de dire la vérité obéit à des mobiles rarement aussi clairs qu'un impératif moral.

Au plan politique, la révélation des vérités, même lorsqu'elle s'exerce au nom de la vertu, dépend des situations où elle s'exerce. Elle s'inscrit dans des stratégies de gestion de l'information auxquelles n'échappent pas les informateurs – notamment ceux qu'on nomme aujourd'hui les « lanceurs d'alerte » –, même les mieux intentionnés. À quoi et à qui sert telle ou telle vérité, à qui nuit-elle ? De telles questions ne peuvent être reléguées à des conséquences secondaires au regard du devoir de

Le pathos de la vérité

dire le vrai. Le droit à connaître la vérité détient sans aucun doute sa légitimité, cependant cette vérité n'est jamais proférée hors de tout contexte. Elle existe à la fois absolument et en situation. Rompre un secret d'État, comme révéler des activités d'espionnage, peut sembler de prime abord un devoir éthique et démocratique pour mettre à la disposition de tous une information politique. Toutefois l'idéal de la transparence, nous l'étudierons bientôt, ne peut ignorer le contexte et les conséquences d'une diffusion incontrôlée de l'information, surtout lorsqu'elle met en jeu la vie des individus. Cette critique du devoir de vérité, telle que Benjamin Constant l'a formulée, vient donc légitimer des principes secondaires sous le principe premier de la vérité à tout prix. Le bon sens conduit Constant à observer que l'usage absolu du principe conduirait la société à sa perte.

Si tout le monde disait la vérité à tout le monde, la guerre se propagerait aussitôt. Il faut donc soumettre le beau principe rationnel à ses conditions d'exercice. Kant fut courroucé par cette objection et par les exemples qui le ridiculisaient comme cette fiction pratique : imaginons des assassins recherchant un homme pour le tuer alors qu'un ami l'a caché, ce dernier devrait dire où il se trouve si on le lui demandait. Même aux assassins on ne doit pas mentir, la conséquence fût-elle un assassinat ! Kant écrivit alors, en 1797, un petit texte, intitulé *Sur un prétendu droit de mentir par humanité*, dans lequel il rappela que si un sujet ment, il se nuit d'abord à lui-même et à travers lui à l'humanité en général. Tout menteur sape ainsi les fondements du droit et du langage. La vérité demeurant la base de tout contrat, lui être fidèle relève d'un commandement sacré. Cette proscription du mensonge garantit aussi la foi élémentaire dans le dialogue et plus généralement dans le lien entre les mots et la réalité. Si chacun doutait de la parole des autres, la méfiance s'installerait fatalement parmi les hommes. Le moindre mensonge met l'humanité en péril ! Dire la vérité est donc un impératif absolu et aucune circonstance ne saurait justifier qu'on se dérobât à un tel devoir. Derrida, qui considérait ce petit texte de Kant comme « l'une des plus radicales tentatives pour penser le mensonge[15] », pointe l'exemple qui sert à réaffirmer l'impératif : le mensonge du plaisir feint lors des relations sexuelles. Il observe que ce motif revient plusieurs fois dans le livre comme un sous-texte, rejoignant le vaste dossier du mensonge féminin et des discours misogynes. Et il ironise sur cette interdiction inconditionnelle d'une simulation de l'orgasme, même si, ou parce qu'elle trompe autrui pour son bien supposé. Par cette lecture irrévérencieuse, Derrida suggère qu'un autre mobile que celui de la raison pratique innerve le texte de Kant. De fait, le discours moral masque les mobiles psychiques des grandes argumentations philosophiques.

L'incohérence entre une parole et une pensée, entre une théorie et des actes – incohérence désignée par

---

15. Jacques Derrida, *Histoire du mensonge. Prolégomènes*, Galilée, 2012, p. 42.

Le pathos de la vérité

le mot de mensonge – obéit à des ressorts beaucoup plus complexes que ceux d'une rouerie consciente et intentionnelle. Face à tout discours général sur le mensonge et la vérité, nous devrions toujours questionner la prétention d'un auteur à incarner le vrai. Ce doute nous mène à soupçonner des relations obscures avec certains mensonges, comme celui que pointe Derrida chez Kant, à interroger aussi l'illusion d'un affirmateur lorsqu'il assure avec certitude délimiter la frontière entre la vérité et le mensonge. Ne faut-il pas, précisément, une singulière expérience du mensonge pour en décrire les figures avec tant de précision ? La position d'énonciation du héraut de la vérité ne garantit pas que l'énonciateur ne soit pas victime de ses propres mensonges. Ne pas reconnaître que nous pouvons nous mentir à nous-mêmes, au moment où nous sommes si sûrs des vérités que nous énonçons, témoigne d'un aveuglement aux mobiles qui nous conduisent à affirmer une thèse sous l'autorité du vrai.

Les théories du mensonge exposées par nombre de philosophes ne viennent pas seulement d'une observation mais aussi d'une pratique. Sous l'argumentation rationnelle agissent des forces qui échappent à la morale et au droit. Ces motivations ne remettent pas en cause la loi mais laissent soupçonner que la loi elle-même sert de paravent, qu'elle cache les causes qui conduisent à *dire* la vérité ou un mensonge. Lorsque Rousseau clame son amour de l'homme vrai acceptant toutes les conséquences de la vérité, même à son désavantage, il semble proche de la morale intransigeante que formule Kant quelques années après lui. Mais sa déclaration ne repose pas entièrement sur un argument rationnel et c'est au fond de sa conscience individuelle qu'il éprouve à la fois la nécessité du vrai et les pièges de la mauvaise foi. Sa profession de véracité est animée et perturbée par les non-dits, voire les mensonges qui sous-tendent ses réflexions.

Est-ce le propre de Rousseau de tenir un discours sur la généralité alors qu'il pense à des cas particuliers et personnels ? Certainement pas, d'autant que telle est souvent la fonction de la généralité : masquer des vécus intimes et leur trouver des résolutions grâce à un langage abstrait qui les légitime. Le cas de Rousseau nous intéresse pour son caractère spectaculaire et sa belle inventivité, pour son inquiétude aussi qui le rend si passionnant. Rousseau n'est pas un sujet tranquille et ses théories sur la vérité ou sur le mensonge témoignent d'une grande pression psychique. Elles mettent à nu et entrelacent des questions sur lesquelles n'ont cessé de se heurter les philosophes. Les dissonances de la quatrième promenade des *Rêveries* sont audibles dans les arguments pragmatiques de Benjamin Constant, mais en amont elles dialoguent avec les penseurs du mensonge. Rousseau puise chez Grotius et Pufendorf, Helvétius et Fontenelle qui lui permettent de légitimer son instinct moral autant que son raisonnement[16].

Le compromis s'énonce ainsi : *la vérité générale et abstraite est le bien le plus précieux, on la doit*

16. Voir Jean Starobinski, *Accuser et séduire*, Gallimard, 2012, p. 185-194.

Le pathos de la vérité

inconditionnellement ; en revanche *la vérité particulière* est indécise, voire perverse, et le devoir de la dire n'est ni universel ni inconditionnel. Ainsi devient-il acceptable de mentir pour de petites choses sans engager l'éthique de la vérité. Cette distinction résout le conflit, mais nous l'entendons différemment, d'un point de vue psychique : plus la vérité particulière est vécue dans la culpabilité, plus l'allégation de la vérité abstraite est hyperbolique. Il est impossible de masquer les guerres intimes de la conscience dans le beau discours de la raison. Nous écoutons alors les grandes déclarations sur la véracité et la vérité comme des signaux de la difficulté à les assumer pour le sujet qui les énonce.

L'opacité des raisons qui nous font agir conduit à interroger le devoir de vérité non seulement à l'égard d'autrui mais aussi à l'égard de soi. Comment ne pas se mentir à soi-même ? Connaissons-nous les mobiles qui poussent à nier ou cacher la vérité ? L'enquête menée dans ce livre tourne autour de ces problèmes, moins pour y répondre ou y remédier que pour montrer à la fois la duperie et l'inventivité des sujets qui se mentent. À lire les philosophes, ce mensonge commis à l'encontre de soi est le pire de tous et il faut lutter sans merci pour l'éviter. Il leur fait horreur comme si le diable entrait dans leur conscience. Il les divise à leur insu et sape l'autorité de leur parole dont la véracité devient douteuse. Le degré de lucidité ou de tromperie à l'égard de soi n'est jamais clair ni assuré. Ainsi de Rousseau qui finit par égrener différents types de mensonges alors qu'il vilipendait jusqu'alors LE mensonge, comme le contraire de la vérité ou l'offense suprême. Il entrevoit leurs causes obscures tout en exposant des confessions censées garantir sa transparence. Parmi les menteries citées, quelques-unes font entrevoir des nœuds psychiques étonnants, liés aux fonctions de la parole. Elles soulignent l'investissement passionnel des mensonges que nous ne pouvons réduire à la seule intention de tromper.

Et si nous mentions pour être démasqués ? Le plaisir de mentir ne s'exerce pas seulement aux dépens de celui que nous trompons. Il vient aussi de certaines situations qui l'encouragent, de la parole elle-même ou encore de sentiments mêlés où se conjuguent la honte et la cruauté. Rousseau connaît ces raisons ambiguës et retorses, quoiqu'il professe une belle rigueur morale. Revenons une dernière fois sur la quatrième promenade : s'il a confessé des mensonges héroïques et altruistes destinés à protéger des petits camarades, il évoque d'autres mensonges à la fois purs et pervers – l'aveu des mensonges valeureux lui assurait une rétribution morale, son portrait en homme généreux. Ces autres-là obéissent à une sorte de mécanique du mensonge qui s'emballe et suit un cours incontrôlé, associé à la contrainte et au plaisir. Je n'ai jamais menti par intérêt personnel, affirme-t-il, mais parfois par nécessité de parler, de débiter des fables pour converser. Le silence serait souvent préférable, mais dans certaines situations, il faut *parler pour ne rien dire*, alors nous inventons. Ce péril de la conversation sera aussi une hantise de Kant qui donnera des règles pour ordonner les discussions sans queue ni tête lors des dîners. De fait nous parlons souvent plus vite que nous ne pensons et du coup la conversation entraîne les parleurs sur la pente de la fable, du boniment... du mensonge. Le jugement est à la traîne, la bouche prend les commandes et débite n'importe quoi.

Moins prestigieuse que l'invention romanesque, la conversation ordinaire ne produit que des fables à usage limité, mais elle offre un repaire aux mensonges et aux plaisirs pervers. Rousseau en expose un exemple frappant qui le confronte à une interlocutrice sadique. Anodine au départ, la scène mêle douleur et plaisir et découvre un statut et une pratique inédite du mensonge, impensable dans les termes de la morale. Jean-Jacques dîne avec quelques amis dont une jeune femme enceinte, une figure qui lui rappelle sans doute sa mère, morte en couches, et Thérèse, cinq fois « grosse » de ses œuvres. La femme lui demande alors, droit dans les yeux, s'il a déjà eu des enfants. Jean-Jacques répond par la négative. Il ment donc. Il rougit. Mais le plus intéressant vient du fait que cette jeune femme, ainsi que les convives du repas, connaissent déjà la vérité. Et Jean-Jacques sait qu'ils savent. Sur l'instant, il n'arrive pas à tenir un discours franc et il choisit le mensonge, sans gain possible puisque rien ne lui sert de cacher son forfait. La bouche a parlé trop vite, et la spontanéité, censée favoriser la transparente vérité, l'a conduit à mentir ! S'il avait eu plus de temps, écrit-il, il aurait renvoyé la jeune femme à son impertinence et à sa malignité. Il se serait défendu, non par une justification de son comportement, mais par une joute verbale. Jean-Jacques a finalement renoncé, pour toujours, à dire la vérité, faute d'espérer être compris.

Quels sentiments animent cette scène de faux dupes ? Rousseau semble à la fois subir et jouir d'une humiliation liée à la pratique du mensonge. Il n'aurait pas échappé à la honte en avouant publiquement son forfait, mais il la redouble par une autre faute, le déni. Il dit la vérité sous la forme d'une négation, et surtout, il se rend à la méchanceté de celle qui le tyrannise. Il éprouve la soumission à une volonté toute-puissante qui sait son crime et l'humilie en observant sa lâcheté. « Je n'ai menti que par timidité[17] », clame-t-il, toutefois son masochisme affleure sous l'argument de la faiblesse. Il accepte sa maltraitance, il s'avilit dans le mensonge concédé à celle qui en jouit sadiquement. Sans aucune symétrie et dans le partage inégal d'une cruauté consentie, Jean-Jacques et la jeune fille jouent à mentir. Se dessine ici une pratique consentie et perverse du mensonge qui déroute sa définition traditionnelle : il ne cache pas la vérité, il ne trompe personne. Selon un accord tacite entre les interlocuteurs, animés de bonnes et de mauvaises intentions, un menteur peut ainsi déguiser la vérité pour se livrer à des passions obscures. Rousseau, le chantre de la vérité, aura connu les méandres d'un déni princeps qui se compose autant de passions que de raisons. Ses réflexions ultimes sur le mensonge en disent long, rétrospectivement, sur ses hymnes à la vérité.

Des circonlocutions de Rousseau, nous pourrions tirer une leçon de moraliste, au sens des psychologues

---

17. Jean-Jacques Rousseau, *Rêveries du promeneur solitaire*, *op. cit.*, p. 1035.

de l'âge classique : un penseur discourant sur le mensonge parle de ses propres menteries. Il transporte ses mensonges dans un raisonnement général pour justifier ses infractions, pour les rendre acceptables au regard de la raison et de la morale. Il peut aussi inventer une théorie de la vérité qui est le mensonge même, défendant une thèse qui aura pour fonction de dire le contraire de ce qu'il pratique, qui jouera un rôle de paravent vertueux ou philosophique afin de mieux masquer des mensonges insupportables. Si cette leçon semble trop sévère et systématique, elle n'en suggère pas moins de rester vigilants à l'écoute des grands discours sur la vérité. La beauté cristalline d'une théorie du vrai ou d'une profession de sincérité ne peut faire oublier l'art du tailleur de cristal. La pureté des intentions... est une fable, et celui qui revendique la transparence est sans doute le plus opaque : dupe à l'égard des autres et en premier lieu envers lui-même.

Être attentif aux modes de déclaration de la vérité suppose donc une approche à la fois discursive et psychologique qui ne prend pas les grandes affirmations pour argent comptant. Les figures, les situations, les affects qui investissent l'expression du vrai se donnent à lire et à entendre comme les signaux d'un travail psychique, fait d'énergie et de torsions par lesquelles un affirmateur à la fois dit et cache quelque chose. Dire le vrai ne peut jamais, malgré les professions de foi, s'exercer dans l'authenticité d'une énonciation. Les protocoles de l'expression, les destinataires de la parole ou du texte, l'opacité des intentions... tous ces éléments brisent la naïveté d'une lecture au premier degré qui s'en tiendrait au contenu de la vérité énoncée, fût-elle une confession assortie des plus belles garanties de sincérité. Le mot de vérité lui-même, malgré sa force conceptuelle, relève de définitions perméables et dont les différences de sens sont masquées par l'aura philosophique et morale du concept.

Le prestige de la vérité, idéal de pensée et de conduite – vivre dans la vérité, quoi de plus noble ? –, occulte les déplacements de signification et les investissements psychiques à l'œuvre dans ce mot. Un philosophe particulièrement à l'écoute des discours, Michel Foucault, a étudié la notion de vérité selon les protocoles de la *véridiction*. Pour deux raisons au moins sa réflexion offre ici une référence majeure. D'une part, à cause de la valorisation des vies philosophiques, Foucault analysant les penseurs antiques à partir de leur conduite, de leur style de vie, opérant ainsi un écart avec « l'histoire de la philosophie » qui ne s'intéresse qu'aux doctrines. D'autre part, en raison de ses subtiles analyses sur les pratiques discursives et plus précisément sur les formes de véridiction et les situations institutionnelles où l'on doit dire la vérité, aveu judiciaire ou confession religieuse. Cependant nous traiterons moins cette référence à Foucault comme un modèle d'analyse que pour son usage personnel du mot de vérité. En effet le dernier séminaire qu'il a tenu à l'université de Berkeley puis au Collège de France s'intitule *Le Courage de la vérité*. S'il fait suite à une série d'études sur le gouvernement de soi, il marque toutefois un écart dans la réflexion du philosophe historien. Son contexte existentiel lui donne un statut à part puisque ce séminaire a été prononcé alors que Foucault était en train de mourir du sida. Le succès qu'il a rencontré, au-delà de son public universitaire, témoigne aussi d'un décalage dans l'emploi du mot de vérité, soudain paré d'un prestige moral, peu conforme au positionnement intellectuel de Foucault. Paradoxalement, l'analyste des procédures de véridiction n'a pu éviter d'être pris au piège de la vérité et d'y investir un mensonge ultime.

### Le courage du mensonge : Foucault

S'il existe des scènes de vérité qui ont fait la gloire de l'histoire philosophique, la plus célèbre offre une pédagogie fameuse : la leçon donnée juste avant la mort. *L'Apologie de Socrate* a ainsi fourni le modèle d'une attitude philosophique exemplaire, voire de « la » philosophie comme discours et spectacle s'achevant l'un l'autre, pour une performance qui expose et *réalise* la vérité même. Cette scène hante et dramatise toute réflexion sur la mort lorsqu'il s'agit, au moment de quitter la vie, de trouver un discours à la mesure d'une existence suspendue à sa disparition. L'instant de la mort convoque la vérité, appelle une parole qui subsume la facticité du monde. Selon Schopenhauer le discours philosophique y trouve sa source : « La mort est le véritable génie inspirateur, ou le musagète, de la philosophie[18]. » Freud reprit ce commentaire,

_____

18. Arthur Schopenhauer, *Le Monde comme volonté et représentation*, II, trad. Christian Sommer, Vincent Stanek et Marianne Dautrey, Gallimard, « Folio essais » (n° 523), 2009, p. 1875.

soulignant une angoisse et une jouissance de la pensée : le désir de philosophie vise à conjurer la peur de mourir grâce à la toute-puissance de l'esprit[19]. De manière un peu agressive, mais en essayant d'interroger la fonction psychique de ce discours, le psychanalyste rapprocha le discours philosophique de l'animisme. Exorciser le non-savoir, arraisonner l'impensable, vouloir donner un sens à toutes choses... ces attitudes viennent, selon lui, de l'idée de la mort qui suscite tant de représentations des âmes. Le sublime discours de Socrate, dans *Le Phédon*, prenant à témoin ses disciples pour leur proposer une ultime leçon sur le caractère inessentiel du corps et la libération de l'âme, peut être entendu à l'aune de cette vérité conjuratoire.

Au regard de la *vérité juste avant la mort* et de la convocation au discours philosophique, le dernier séminaire de Foucault intéresse à plus d'un titre, car il produit l'analyse et la pratique de ce concept en lui associant une vertu, « le courage », et des affects partageables par ses auditeurs et lecteurs. L'évocation du courage appelle l'enthousiasme, l'admiration, le respect, l'imitation. L'audience du séminaire est sollicitée au-delà du sujet d'études – les styles de vie incarnés par les philosophes antiques. Cependant qui est invité au courage ? Ceux qui affrontent une épreuve difficile, sans aucun doute. L'exhortation serait-elle adressée par l'orateur à lui-même ? Mais de quelle vérité s'agit-il alors ? Une enquête attentive

---

19. Sigmund Freud, *Totem et tabou*, in *Œuvres complètes*, vol. XI, P.U.F., 1998, p. 297.

Le pathos de la vérité

aux tensions du discours, sous l'évidence de l'exposé conceptuel, s'avère nécessaire. Elle doit traquer les usages du mot de vérité, sa proféation, son investissement, ses contournements.

Lorsque Foucault s'est mis à travailler sur la notion de vérité, Deleuze s'est inquiété : comment son ami pouvait-il reprendre un mot aussi périmé, une « vieille lune ». Assurément les derniers séminaires de Foucault au Collège de France ont pris un tournant au début des années 1980 et ce mot de vérité a résonné d'étrange manière pour une génération de philosophes qui s'étaient retrouvés autour de Nietzsche afin de poursuivre la dénonciation ou la déconstruction de la métaphysique. La philosophie française a connu alors un grand moment nietzschéen, dont le colloque de Cerisy en 1972, réunissant entre autres Derrida, Deleuze, Lyotard, Kofman, Nancy, fut la cristallisation. Foucault lui-même s'est inscrit dans un mouvement de relecture de Nietzsche en reprenant sa notion de généalogie. L'inquiétude de Deleuze était sans doute injustifiée car Foucault n'avait pas, de prime abord, cherché à réhabiliter une quelconque vérité métaphysique ni le moindre dualisme platonicien. Il s'était intéressé au dire de la vérité, aux procédures de « véridiction » par lesquelles un pouvoir exerce son contrôle.

Toutefois la signification du mot de vérité et l'affectation de valeurs morales à ce mot ont changé au cours des séminaires. Foucault est passé d'une analyse biopolitique du gouvernement des autres à une approche éthique du gouvernement de soi. Son dernier séminaire, au printemps 1984, quelques mois avant sa mort, témoigne d'une inflexion considérable. *Le Courage de la vérité* détient un statut à part, non seulement parce qu'il correspond à la dernière parole publique du philosophe mais aussi parce qu'il introduit une forme de *pathos* dans le cours de l'expression : un *pathos de la vérité* qui suppose une adhésion peu commune, inhabituelle chez le philosophe historien, lequel adoptait jusqu'alors un style froid et impeccable et comparait ses analyses de la folie ou de la prison à des autopsies.

Le succès de ces réflexions désormais publiées vient en partie d'une valorisation des figures philoso-phiques qui ont assumé courageusement le *dire-vrai* face à la société et aux pouvoirs tyranniques. Et plus souterrainement, ce séminaire construit un petit théâtre où Foucault joue, à plusieurs degrés, la mort de Socrate. Une autre lecture que celle de l'exégèse, plus exactement une autre « écoute », consistant à dissocier la thèse du séminaire et le rôle qui la sous-tend ou la recouvre nous permet d'entendre une voix à double effet. Foucault parle des autres, morts, mais il se parle aussi à travers ces autres parce qu'il craint que sa mort ne soit proche.

La réplique du courage de la vérité, tel que Socrate l'a incarné, nécessite un réaménagement, une nouvelle mise en scène. Foucault ne peut rejouer la leçon socratique dans l'amphithéâtre du Collège de France – on l'imagine peu exposant son corps à l'agonie pour montrer au public l'assomption de son âme vers le ciel des idées pures ! Il n'y croit pas et cette vérité-là ne peut

Le pathos de la vérité

relever que de la parodie. À moins que – telle est notre hypothèse – la référence à la vérité et au courage ne provienne d'une tension entre le dire-vrai et l'impossibilité de dire, entre un protocole verbal et un refoulement psychique. Et si Foucault cherchait à dire quelque chose qu'il ne peut se résoudre à dire car il ne peut le formuler dans les termes de l'aveu ou de la confession dont il connaît trop les standards et les impostures ? Il sait qu'il est malade et il redoute qu'il ne lui reste que peu de temps à vivre. Il ne veut pas parler du sida. Et même cette association entre homosexualité et sida lui semble un piège monstrueux et caricatural, au point qu'il en rit lorsqu'on évoque à l'époque une maladie qui toucherait seulement les homosexuels, « un cancer gay ».

Une analyse de la voix du dernier séminaire fait entendre cette tension entre un déni et un panégyrique de la vérité. Foucault est entré dans une stratégie du secret, cherchant à cacher sa maladie, et en même temps il déploie un beau et puissant discours sur le courage de la vérité. Contradiction, faiblesse, détresse... ne sont que des explications circonstancielles et nous voudrions déceler dans cette torsion un trait plus fondamental du discours théorique : l'une des fonctions psychiques du langage philosophique vise à faire écran au vécu du sujet, voire à exposer et à affirmer le contraire de ce qui est vécu par l'énonciateur. Il ne s'agit aucunement dans notre propos de dénoncer un mensonge moral, mais d'observer la production féconde d'un « mensonge spéculatif ».

Dans *Le Courage de la vérité*, deux tempo-ralités se superposent. L'une, historiographique, déroule la vie de penseurs antiques, l'autre, énonciative, réfléchit la vie présente de Foucault dans celle des premiers, en miroir, en écran, en paravent. Rien d'extraordinaire à cela tant le commentaire d'un philosophe sur d'autres philosophes procède souvent d'appropriations et de transferts. Cependant, la vie présente de Foucault va à contresens de la thèse qu'il énonce. Le philosophe ne semble pas avoir eu le courage de la vérité. Ce constat va au-delà d'un jugement moral et présente un paradoxe : Foucault dit la vérité sous la forme d'un mensonge. Car ce mensonge est une métamorphose de la vérité qui se donne à entendre à travers une hyperbole conceptuelle.

Distinguons l'énoncé d'abord, avant l'énonciation : Foucault annonce que son sujet repose sur le « dire-vrai », ou le « franc-parler ». Il croise une longue tradition philosophique qui s'est interrogée sur la sincérité, l'authenticité, la transparence, mais il reste fidèle à son analyse des procédures de véridiction, des protocoles par lesquels un individu est amené à dire le vrai. « Le sujet, disant la vérité, se manifeste, et par là je veux dire : se représente à lui-même et est reconnu par les autres comme disant la vérité[20]. » Foucault analyse ainsi la production d'une vérité et l'acte performatif par lequel elle se réalise en étant adressée à des auditeurs. Il justifie alors sa méthode, expliquant son parcours. Il déclare s'intéresser non seulement à la vérité déclarée sur un sujet (tel que le fou, le délinquant) mais aussi à la vérité que le sujet lui-même formule (par l'aveu,

---

20. Michel Foucault, *Le Courage de la vérité*, Gallimard/Éditions du Seuil, « Hautes Études », 2009, p. 4.

Le pathos de la vérité

la confession, l'examen de conscience). D'emblée l'auditeur du séminaire retrouve la démarche que le philosophe historien avait déjà expérimentée en étudiant l'institutionnalisation de la confession religieuse et de l'aveu judiciaire.

Cependant le mot de « courage » infléchit singuliè-rement l'entreprise. Il est employé ici d'une manière déclarative qui dispense Foucault d'une analyse philosophique. Sa définition peu interrogée laisse libre cours à l'admiration. Mais le courage est-il une vertu, un trait de caractère, une qualité naturelle ? Une affaire de conscience rationnelle ou de passion et d'affect ? Quelle volonté ou quelle situation le déclenchent ? Tous les individus sont-ils égaux devant le courage ? Est-on libre d'avoir du courage, responsable d'en faire preuve ou non ? Foucault ne traite pas ces questions et préfère montrer des exemples de philosophes courageux, tel le stoïcien devant le tyran, pour analyser le courage que représente leur attitude face au pouvoir. Nous sommes alors en droit de nous demander si celui qui parle ainsi du courage est lui-même courageux.

La vérité se trouve incarnée ici par des individus qui prennent le devant de la scène antique et que le philosophe historien présente favorablement à son auditoire. Foucault singularise son approche du dire-vrai pour mettre en valeur non plus seulement des discours mais des personnalités, Socrate au premier chef. Il explique avoir d'abord parlé de la *parrêsia*, ce courage de dire la vérité, en tant que discours politique, pour peu à peu se rapprocher du discours sur soi. Et il distingue plusieurs acteurs du dire-vrai : le prophète, le sage, le professeur, le technicien, selon qu'ils parlent pour eux ou pour un principe qui les dépasse. Puis il évalue leur degré de « courage » selon le danger qu'ils encourent. Sur cette échelle, le technicien paraît le moins vertueux puisqu'il ne prend aucun risque en disant la vérité de son savoir.

Parmi les techniciens, Foucault range la figure du médecin, loin d'être anodine, à la fois parce qu'elle fait venir celle de son père, de son frère et celle des médecins qu'il côtoie, nous y reviendrons. Au premier abord cette référence n'est citée que pour mettre en relief, par contraste, le *parrèsiaste* qui, lui, prend le risque de se couper de ses interlocuteurs en assumant la vérité, parfois jusqu'à la mort, tel Socrate qui conjugue toutes les fonctions du dire-vrai : il fait de la mort une expérience et une exposition de la vérité. Foucault est en même temps conscient que le courage de dire la vérité n'a pas la même valeur dans une société gouvernée par un tyran où la parole est censurée et dans une démocratie où tout est dicible. Cependant il suggère, sous forme de paradoxe, que la *parrêsia* est la plus difficile à pratiquer dans une démocratie, précisément parce qu'elle confronte le sujet à lui-même, dans l'indifférence des autres. Foucault évolue ainsi dans sa définition de la *parrêsia* pour la penser comme l'accomplissement d'un *ethos* et d'une *psyché* individuelle.

Le choix de privilégier Socrate contre les médecins du corps, pour surprenant qu'il paraisse, venant d'un lecteur de Nietzsche et du *Crépuscule des idoles*, signale combien Foucault assume enfin une tradition

Le pathos de la vérité

philosophique : il se déclare désormais philosophe alors qu'il tenait jusqu'alors ce terme à distance. Et surtout il reprend une dramaturgie exemplaire, la mort de Socrate, symbole d'une vérité qui se heurte à la démocratie, à l'ignorance et à l'injustice d'une loi fondée sur le nombre. La « vérité » est ainsi le nom par lequel Foucault définit son identité ultime et s'inscrit dans une tradition dont il avait jusqu'à présent dressé la généalogie. Il ne traite plus ici de politique, il s'intéresse à la vertu et à la façon dont un homme se conduit en *parrèsiaste*, choisissant sa mort et refusant les subterfuges. Et Foucault rejoue sans doute cette figure socratique dans la liberté qu'il revendique lui-même face au médecin : celui-ci, au nom de son savoir technique, peut lui imposer la vérité (« Je serai franc, vous allez mourir dans quelques mois. ») mais le courage ne repose pas sur cette franchise de dire la vérité aux autres, il tient plutôt dans la manière de l'assumer soi-même, de l'exposer d'autant plus vaillamment qu'elle engage la vie et la mort.

Afin d'évaluer les écarts entre la parole et le vécu, il est nécessaire de montrer d'autres figures que celles proposées par l'orateur qui se réfléchit dans les glorieux exemples de la philosophie. Nous en produirons plusieurs dont le premier est un ami de Foucault, un témoin autant narrateur que délateur. Hervé Guibert a rapporté dans plusieurs textes, dont le plus célèbre est *À l'ami qui ne m'a pas sauvé la vie*, ces moments dramatiques où la vérité prend les dehors du mensonge. Le statut de « témoignage » demeure toutefois ambigu pour un tel livre, tant son auteur est un écrivain, non un historien, et qu'il est impliqué au premier chef dans cette histoire, ayant contracté le sida, et considérant l'agonie de son ami philosophe comme une répétition de ce qu'il va vivre ensuite. La position d'énonciation qu'incarne Hervé Guibert est celle d'un témoin qui témoigne à la fois pour la mémoire de Foucault et pour lui-même voué à mourir de cette maladie. Malgré ces réserves de méthode, il est révélateur de voir combien la parole de Guibert sur son sida est à l'opposé de celle qu'adopta Foucault : six ans après la mort du philosophe, Guibert a exposé sa propre maladie dans ses livres, dans son œuvre visuelle et dans les médias. Il importe certes de rappeler le contexte social et médical des années 1980, lorsque le sida n'était pas une maladie clairement identifiée et que toutes sortes de conjectures circulaient. Les premiers cas sont apparus en 1981 et le rétrovirus a été isolé en 1983. Le souci du secret manifesté par Foucault n'avait rien d'exceptionnel, et la question qu'un tel déni soulève vient surtout de sa concomitance avec un séminaire sur le courage de la vérité.

Disciple à la fois fidèle et infidèle, Hervé Guibert adopte une posture en miroir inversé : par fidélité à la philosophie du dire-vrai, il révèle sa maladie et celle de son maître, du coup il est fidèle par infidélité à Foucault qui vantait le courage de la vérité mais cachait ce qu'il vivait. Il rompt avec l'omerta des amis et disciples, il déballe la vérité qui devient révélation, au corps défendant du mort. Depuis cette publication, les proches du philosophe ont justifié leur silence, d'aucuns pour affirmer qu'en dépit de ses problèmes de santé, Foucault n'avait pas idée qu'il pourrait mourir bientôt ni que l'interruption de ses cours en mars serait définitive. Une lettre à Maurice Pinguet en janvier 1984 permet d'alléguer cette hypothèse : « J'ai cru que j'avais le sida mais un traitement énergique m'a remis sur pied. »

Mais Foucault parlait-il alors le « dire-vrai » ? L'homme qui allait mourir six mois plus tard mentait peut-être à son ami, voire à lui-même, alors qu'il était très malade et ne pouvait commencer ses cours. Selon son compagnon, Daniel Defert, la préoccupation de Foucault était de savoir combien de temps il lui restait à vivre. Hervé Guibert, proche de la mort, n'eut pas de scrupules à « balancer » des vérités tant sur la sexualité de Foucault – son sac rempli de fouets, cagoules de cuir, laisses, mors et menottes – que sur son agonie cachée. Guibert dit écrire « au plus près de la mort » et foula aux pieds la pudeur « bourgeoise » de ses amis. Ses lecteurs ont reconnu Foucault sous le nom du personnage Muzil dont l'attitude se révèle l'exact opposé de ce que le philosophe professait au Collège de France.

À l'inverse de la leçon philosophique exposée, le courage ne consiste plus à dire la vérité mais au contraire à la cacher : « Comme Muzil, j'aurais aimé avoir la force, l'orgueil insensé, la générosité aussi, de ne l'avouer à personne, pour laisser vivre les amitiés libres comme l'air et insouciantes et éternelles[21] », écrit Guibert. L'éthique kantienne

---

21. Hervé Guibert, *À l'ami qui ne m'a pas sauvé la vie*, Gallimard, « Folio » (n° 2366), 1990, p. 15.

se trouve ici renversée, car le respect des proches diffère du respect d'une loi morale universelle. Il faut préserver les autres d'une vérité qui gâcherait leur vie et surtout qui les priverait d'une relation authentique au détenteur de la vérité. Leur imposer la connaissance de la maladie les conduirait, au nom de l'amitié, à adopter des attitudes consolatrices à l'égard du malade, alors qu'ils ne peuvent partager l'insupportable vérité. Ne pas obliger les autres, ne pas les mettre dans une position impossible, ne pas les placer dans des alternatives morales douloureuses... de tels soucis relèvent d'une générosité qui passe par le secret et le déni. Le mot de mensonge semble alors peu adéquat : conserver des secrets n'est pas mentir mais garder non dites certaines vérités. Comme l'a observé Benjamin Constant, l'obligation de tout dire supposerait un droit abusif des autres à tout savoir. Contre l'injonction à se confesser, à avouer, il faut revendiquer le droit au secret ! Toutefois la remarque de Guibert suggère aussi un plaisir pervers du secret, proche de celui qu'évoquait Rousseau à propos du mensonge partagé dans la honte, associant sadisme et masochisme. L'individu contagieux suspend la vérité au goût de l'infamie, au partage d'une maladie honteuse, sue par les seuls contaminés qui gardent la liberté de le dire ou non à leurs amants.

Un secret de cette nature, mélange de vérité cachée, de rouerie et de honte, est érigé en éthique inversée : il propose un modèle contraire à celui qu'incarnaient Sartre et Beauvoir, laquelle, dans *La Cérémonie des adieux*, avait décrit, quatre ans avant le livre de Guibert, l'agonie de Sartre avec un luxe de détails peu ragoûtants sur sa déchéance physique. Au lieu d'un idéal de transparence, proposé à tous, la vérité vécue et suggérée par Guibert, dans l'ombre de Foucault, devient au contraire une jouissance exclusive, partagée dans le secret de quelques-uns. Elle dessine une relation d'amitié fondée sur une vérité réservée, recluse, non exposée. La vérité n'a plus rien d'universel : particulière, elle se partage non pour obéir à un devoir de sincérité mais pour élargir le cercle privilégié des gens avertis. La communauté du secret a la beauté d'une société des maudits : « J'ai l'impression de n'avoir plus de rapports intéressants qu'avec les gens qui savent[22] », avoue Guibert.

Secrets, dénis, mensonges s'opposent à l'éthique du dire-vrai. Foucault a dit à Guibert qu'il savait le danger du sida, devenu le sujet obsédant des conversations dans les saunas. En même temps qu'il professait la vérité, le philosophe organisait méticuleusement son secret : le patron de la clinique où il était soigné a eu rapidement les moyens de diagnostiquer sa maladie et il a mis en place, selon les vœux du malade, les moyens de préserver son anonymat par camouflages et censures. Foucault laissera ce mensonge en héritage, au point que ses amis continueront à garder le secret et que la cause de la mort sera effacée du formulaire de l'hôpital. Il aura fallu du « courage », c'est-à-dire du cœur, pour garder le secret, quitte à mentir au public, à dénoncer la rumeur, à diffuser des contre-vérités. On peut ainsi

---

22. *Ibid.*, p. 16.

mentir par devoir, par fidélité au mensonge du maître, ce qui conduit à une autre version de la loyauté. Mais ce courage n'a rien de moral, il repose sur de l'amour, celui des amis ou des amants. Celer la vérité devient une manière de l'honorer. À moins qu'il ne s'agisse de barrer l'accès au savoir pour mieux se l'approprier, *post mortem*. Le possesseur du secret a la position de l'élu, il sait, il a le droit et le devoir de mentir. Légataire du savoir, le disciple vertueux est le plus fidèle menteur.

Ce scénario du legs mensonger rejoint la longue histoire des secrets de famille, gardés de génération en génération jusqu'au jour où un héritier interprète la fidélité autrement et la tord selon ses désirs et ses traumas. Guibert trahit tout en dévoilant la vérité. Il nous force à penser un nouveau réglage entre la vie du philosophe et sa parole. Il nous fournit les mots et les images pour soupeser les hésitations de celui qui veut décider du bon moment pour dire le vrai. Guibert rapporte ainsi sa conversation avec Foucault sur la vérité qui circule entre le patient et le médecin. Le philosophe lui explique que le médecin devrait offrir les moyens et la liberté de connaître ou pas la vérité. Selon Guibert, Foucault n'ignore rien mais se ménage la possibilité de cacher et de mentir face à une demande de transparence. Il sait qu'il va mourir du sida prochainement et il est tenté d'aller mourir au bout du monde, avec une association humanitaire. Suprême franchise ou trahison ultime, Hervé Guibert écrit : « Je savais que Muzil aurait eu tant de peine s'il avait su que je rapportais tout cela comme un espion… dans mon journal qui était peut-être destiné à lui survivre,

Le pathos de la vérité

et à témoigner d'une vérité qu'il aurait souhaité effacer sur le pourtour de sa vie pour n'en laisser que les arêtes bien polies, autour du diamant noir, luisant et impénétrable, bien clos sur ses secrets, qui risquait de devenir sa biographie, un vrai casse-tête d'ores et déjà truffé d'inexactitudes[23]. »

Les révélations de Guibert, sans fournir pour autant une vérité définitive, dessinent un nouveau spectre pour écouter le dernier séminaire de Foucault, avec d'autres oreilles que celles des exégètes. Les circonstances de son discours prennent de l'importance : dès la première séance, Foucault commence par s'excuser et rectifier une rumeur, il veut dénoncer un mensonge ! Il n'a pas commencé son cours à temps car il était malade, avoue-t-il, et non pour se débarrasser d'une partie de son auditoire. Il expose son corps fatigué, il évoque une maladie, sans toutefois la révéler. Il s'affiche pour mieux se masquer, comme la lettre volée, présente devant le regardeur mais invisible. « "J'ai été" malade », confie-t-il, et l'auditoire peut supposer qu'il est désormais guéri. « C'est vrai », doit-il dire pour qu'on le croie, avant de commencer son séminaire sur le franc-parler.

Certaines séances auront été plus longues que d'autres, particulièrement celle où Foucaultconclut sur le courage devant la mort, s'ex-cusant alors d'avoir trop retenu les auditeurs. À la fin du séminaire, il déclare : « Voilà, écoutez, j'avais des choses à vous dire sur le cadre général de ces analyses. Mais enfin, il est trop

---

23. *Ibid.*, p. 103.

tard. Alors merci[24]. » Et parmi les notes auxquelles il fait allusion pour préciser ce qu'il n'aura pas eu le temps de dire, de montrer, la *parrêsia* est définie comme « le courage de manifester envers et contre tout la vérité de soi-même, de se montrer tel qu'on est[25] ». Philosophe jusqu'au dernier instant, certes Foucault l'aura été en assumant un discours sur la mort avant la mort. Et qui pourrait lui faire la leçon sur la juste manière de parler ou non du sida, de « son » sida ? Il n'empêche que son dernier séminaire peut être entendu, compris autrement qu'au premier degré, en le réintégrant dans une pratique, d'autant plus qu'elle joue une scène classique de l'histoire philosophique.

La parole de vérité qui est proférée avant de mourir, pour être entendue dans sa force et sa complexité, doit être considérée avec toutes les affres du discours, ses détours et ses faux-semblants, ses mensonges si actifs. Il est naïf de prendre cette parole comme sincère et vraie, alors que le parleur qui va mourir recourt au langage pour des mobiles qu'il ne connaît pas lui-même. Cette parole dite de vérité joue de multiples fonctions, non sues et non maîtrisées. Afin de mesurer ce qu'elle peut comporter de pièges et de leurres, la comparaison du séminaire de Foucault avec une version grand public du « dernier discours » avant la mort peut éclairer cette intrication de la vérité et du mensonge. La conférence *ante mortem* d'un universitaire américain offre un deuxième miroir au *Courage de la vérité*.

---

24. Michel Foucault, *Le Courage de la vérité, op. cit.*, p. 309.
25. *Ibid.*, p. 310.

Le pathos de la vérité

Quel sens donner à un discours lorsqu'il s'expose comme « le dernier » ? L'université américaine Carnegie Mellon organise régulièrement des conférences qu'elle nomme *last lectures*, prononcées à la manière d'un discours ultime, donnant la quintessence d'un savoir ou d'une pensée. Au moment où elle invita Randy Pausch, ce professeur apprit qu'il était atteint d'un cancer du pancréas et destiné à mourir quelques mois plus tard. Il assuma alors pleinement cette invitation, il l'incarna d'autant plus qu'elle fut réellement le dernier grand discours de sa vie. Sa conférence, donnée en 2007, attira des centaines de personnes et elle a été visionnée depuis par des millions d'internautes. Le voyeurisme morbide qu'elle a pu attirer ne nous empêche pas d'interroger cette posture philosophique d'une leçon donnée la veille de la mort, selon la tradition de celle de Socrate, dans le *Phédon*, qui offrit à ses amis une dernière pensée *in vivo* sur l'immortalité de l'âme.

Randy Pausch, plus informaticien que métaphysicien, n'en livra pas moins une réflexion sur le sens de la vie et intitula son propos « Réaliser vraiment vos rêves d'enfants ». Méthodique et structurée, la conférence suivit le cérémonial universitaire, schémas et illustrations à l'appui, avec le souci américain de tenir l'attention de l'auditoire pendant soixante-quinze minutes grâce à des rebondissements et des blagues. Quand Socrate en appelait au *logos* pour dépasser l'émotion, le conférencier recourut ici à l'humour et à une complicité bien sensible pour accompagner son départ. Il retraça le parcours de sa vie, ses espoirs, les obstacles rencontrés, les leçons à tirer. La morale du *be positive* conjure le sort et confirme que la vie reste digne d'être vécue, que les rêves soient ou non réalisés.

La mort de Socrate donnait à réfléchir au statut inessentiel de la vie et du corps, simple enveloppe à mépriser, sans aucune empathie. Ne pleurez pas ma disparition demandait le philosophe, ne vous fiez pas à cette dernière crispation sur mon visage qui ne révélera que la sortie de mon âme vers le ciel des idées. La prison du corps (*soma*) fait déjà signe (*sema*) vers l'au-delà. Avec Randy Pausch, la mort n'est plus la délivrance de l'âme. Qu'est-elle alors ? L'informaticien ne saurait le dire. Faute d'approcher la question, sa leçon *ante mortem* tourne au spectacle médiatique. L'humour sur sa mort imminente provoque le rire et les larmes des spectateurs. Le père, la mère, les étudiants et les collègues sont convoqués sur scène pour le défilé des souvenirs racontables, puis l'épouse pour un *happy birthday*. La leçon universelle sur la mort s'est transformée en exposition d'une vie à la fois singulière et ordinaire, à la façon d'un *reality show*. Certes nous sommes placés devant une situation pétrie d'affects, qui impose un respect minimal de la douleur vécue, quel que soit son mode d'expression. Toutefois il ne s'agit pas ici de juger des personnes mais d'analyser des protocoles de discours. Randy Pausch aurait pu parler du rêve d'être immortel, mais il préféra partager quelques bonnes vérités sur le bonheur d'une vie américaine. Il joua le jeu sans réserve et « réalisa » cette *last lecture* au pied de la lettre, inscrivant sa fin de vie dans le standard d'une parole magistrale. Il suivit brillamment le protocole en bon universitaire et en animateur télégénique.

Le pathos de la vérité

La leçon de Randy Pausch nous met face à la comédie de l'adieu. Le professeur a joué un *Socrates goes to Hollywood*. D'autres rôles hantaient la performance, comme celui du télévangéliste laïc, tant *The last lecture* résonne aussi avec le dernier discours de Jésus, *The last supper*. Faut-il pour autant moquer le rituel des autres ? Chacun s'arrange avec ses angoisses et ses petites ou grandes solutions pour conjurer l'impensable. Le soleil et la mort ne se peuvent regarder en face, prévenait La Rochefoucauld. Que s'est-il passé lors des derniers instants de cet homme, comme de tout homme, au moment de la mort ? Personne ne peut le dire et cette intimité échappe au spectacle et au dicible. Demeure cependant le constat que la dernière parole s'autorise de la vérité alors qu'elle œuvre avec les mensonges de la vie sociale, ceux qu'un discoureur formule à l'égard des autres et de lui-même pour ne pas penser l'impossible. Aucun penseur n'est sans doute à l'abri des fictions de vérité auxquelles il recourt avant la mort. Et la tension entre sa parole et sa vie, en ces moments si peu contrôlables, produit quantité de figures, d'arguments et de concepts. Une leçon philosophique peut être transmise et commentée dans l'ignorance de ces affects, mais ce sont eux qui travaillent les formes langagières et les constructions théoriques. En les prenant en compte, lecteurs et auditeurs accèdent à cette intrication de l'universel et du singulier où vérité et mensonge deviennent inséparables.

Le discours choisi avant la mort, lorsque celle-ci est proche, ne peut être entendu avec la même oreille que celle qui écoute rationnellement des propositions théoriques dégagées de leur contexte personnel. Le recours à la philosophie dévoile alors sa motivation psychique. Il peut assumer plusieurs fonctions – maîtrise, illusion, intoxication, ataraxie, soulagement... Au VIᵉ siècle de notre ère, Boèce, sénateur torturé et mis à mort sur l'ordre d'un roi ostrogoth, écrivit avant de mourir *La Consolation de Philosophie*. Il y rapporte une rencontre déterminante pour son apaisement. Alors que les Muses le séduisaient avec leurs discours poétiques, la Philosophie vient dialoguer avec lui et le convainc qu'il est malade parce qu'il a cessé de savoir qui il est. Il se plaint de subir l'injustice, d'avoir été dépossédé de ses biens mais il a oublié le véritable sens de la vie. La Philosophie lui indique alors le chemin de la sagesse et le dépassement de la mort : « Nous tenons pour le meilleur stimulant de ton salut la vérité de ce que tu penses sur le gouvernement du monde parce que tu crois qu'il est soumis non aux accidents du hasard mais à la raison divine. Ne crains donc rien : désormais, de cette toute petite étincelle, ta chaleur vitale va se ranimer[26]. » Le vrai, le bien et l'Un sont les concepts qui permettent au condamné de vaincre son angoisse en restaurant la santé de son esprit. Le dialogue socratique, imaginé par Boèce dans sa prison, peut être lu à la fois comme une réflexion sur la sagesse, distinguant l'essence et l'illusion, et un recours à des expédients abstraits destinés à convertir l'infortune en un mal secondaire. Le spectre de la mort

---

26. Boèce, *La Consolation de Philosophie*, trad. Jean-Yves Tilliette, Le Livre de Poche, « Lettres gothiques », 2005, p. 81.

Le pathos de la vérité

modifie ainsi le sens du discours philosophique et son énonciation résonne des affres psychiques d'un sujet qui affirme d'autant plus sa confiance dans la vérité qu'il doute du sens de son existence.

Entendre une conférence philosophique en sachant que son auteur attend sa mort prochaine modifie le sens de son discours. Ainsi des dernières prises de parole de Jacques Derrida : dès 2003, nombre de ses proches surent qu'il était atteint d'un cancer du pancréas et, pour ceux-là, ses diverses réflexions prirent une signification spectrale, qu'il parlât de généalogie, d'héritage ou d'avenir. La tonalité mélancolique qui caractérisait déjà sa pensée s'imprégna d'une intensité tragique, comme s'il « réalisait » lui aussi le discours d'adieu qu'il avait proféré tant de fois auparavant pour d'autres. De sa conférence sur les archives d'Hélène Cixous[27], lors de laquelle il parla des rêves évadés parmi les manuscrits laissés par un auteur, jusqu'à son entretien quasi testamentaire intitulé *Apprendre à vivre enfin*[28], chaque intervention pouvait être entendue comme une *last lecture*, en miroir vertigineux des nombreux hommages funèbres qu'il avait déjà écrits pour ses amis disparus.

Dans ce spectre funèbre, la vérité s'entend comme l'effort désespéré de tenir une voix, de conjurer le cri de la folie. Afin de gagner cette assurance artificielle, elle doit se raconter quantité d'histoires et suivre des

27. Jacques Derrida, *Genèses, généalogie, genres et le génie. Le secret de l'archive*, Galilée, 2003.
28. *Id.*, *Apprendre à vivre enfin. Entretiens avec Jean Birnbaum*, Galilée, 2005.

partitions bien repérables, audibles dans le langage de la signification. Certains penseurs ont plus de talents que d'autres pour déjouer la musique funèbre des derniers discours. Toutefois la vérité tient moins dans un contenu qu'elle ne vibre dans une voix au plus près de la mort, même lorsqu'elle prend le ton assuré de la leçon. Encore faut-il entendre l'air du mensonge pour percevoir le timbre fêlé du parleur et ne pas se laisser assourdir par le tapage de l'affirmation. Surtout, en de telles circonstances, la parole doctorale, s'autorisant d'une distance à soi, s'entend comme *le mensonge de la vérité*. Les plus grands efforts de maîtrise n'empêchent pas le spectre du doute de rôder sur les adieux les plus formels : la voix et le sens ne vont plus à la même allure. La vérité n'est plus qu'un mot qui s'effrite dans les chuchotements, les soupirs et les silences de l'affirmateur.

Poursuivant l'histoire disharmonieuse des « derniers discours avant la mort », l'ultime séminaire de Foucault ne se résume donc pas à l'achèvement d'une réflexion philosophique sur la vérité. Il s'inscrit aussi dans un standard énonciatif qui transforme cette parole magistrale en interprétation – au sens dramaturgique – d'une scène exemplaire de la philosophie. Ces deux niveaux de discours se contrarient, se perturbent, au lieu de ménager de sages contrepoints. La scénographie imaginaire provoque des fracas dans l'argumentation philosophique, rehaussant un personnage tel que Socrate, jusqu'alors tenu à l'écart. Sous les auspices de Nietzsche, Foucault était en effet peu enclin à valoriser le tenant des arrière-mondes et de la vérité derrière les apparences. La critique nietzschéenne s'était attaquée frontalement aux soubassements d'une dramaturgie philosophique dont Socrate fut le premier comédien en Occident. Par une sorte de contre-apologie, Nietzsche fit de Socrate le promoteur d'une philosophie pauvre et pratique où la vie est dirigée par la morale. Dans le *Crépuscule des idoles*, il démythifia ainsi la trop fameuse mort de Socrate : selon Nietzsche, ce dernier avait toujours su qu'il serait condamné par le tribunal de la Cité, et il n'a pas préparé sa défense. Il pensait que le moment était venu pour lui de mourir, content de partir car il considérait son existence comme une maladie. Ce ressentiment à l'égard de la vie s'est manifesté par sa philosophie, ce *mensonge à portée universelle*, qui impose l'idée d'une « cure » nécessaire en persuadant les humains qu'ils sont malades. Nietzsche, dans *Le Gai Savoir*, reconnut cependant une certaine grandeur à la mort de Socrate mais il aurait aimé qu'il arrêtât de parler au moment de mourir ! Il aurait alors appartenu à un ordre d'esprits plus élevés.

De façon inattendue, Foucault réactualise le scénario Socrate, contre Nietzsche, mais sans le dire. Il valorise l'idée de la *guérison* et accrédite la version platonicienne de la dernière leçon sur la mort. Il se focalise sur le sacrifice d'un coq à Esculape, dieu de la médecine, que Socrate recommanda à ses disciples. Au lieu d'y voir une suprême ironie à l'égard du soin des corps, Foucault défend l'hypothèse de la « cure » comme guérison d'un mal spirituel : le philosophe y signifie, selon lui, la lutte contre les idées fausses, la nécessité de guérir les hommes de l'ignorance et des fausses croyances. En reprenant cette interprétation classique, Foucault qui a consacré sa vie à décrypter la construction des figures du malade, du fou, du délinquant pour démasquer la logique sociale du redressement et du contrôle des populations, le même Foucault légitime désormais la représentation de la cure, fondée sur l'idée socratique d'une existence malade. Il a besoin d'une fable et Nietzsche ne lui fournit plus le bon récit.

La guérison, la cure résonnent dans le langage de la pathologie et même s'il s'agit d'une médecine des âmes, Foucault ne peut oublier le sens proprement médical de ces mots, alors qu'il est sous traitement à l'hôpital. Sa réflexion de longue date sur la clinique se double ici d'une histoire biographique. Issu d'une famille de médecins, fils d'un chirurgien pour qui les discours sont vains, superflus, il connaît les enjeux épistémologiques du langage médical dont il a voulu se démarquer. Dans *Le Beau Danger*, Foucault cible les paroles brèves du diagnostic et de la thérapie prescrite par le médecin qui « ne parle que pour dire d'un mot la vérité et prescrire l'ordonnance », tandis que lui discourt sans cesse sur les défunts. Analysant le rapport étroit entre l'écriture et la mort, il confie : « Je parle en quelque sorte sur le cadavre des autres[29]. » En historien, il pratique des sortes d'autopsies pour « découvrir à la fois la vérité de leur vie et de leur mort, le secret maladif qui explique le passage de leur vie à leur mort ». À la lumière d'un discours réfléchissant, Foucault, dans son dernier séminaire, devient son propre anatomiste,

---

29. Michel Foucault, *Le Beau Danger*, éd. EHESS, 2011, p. 38.

Le pathos de la vérité

malgré lui. Et les figures antiques passant sous son scalpel sont autant de figures substitutives de son corps mis à nu.

La nudité et l'exposition des corps jusqu'au scandale, comme pédagogie de la vérité, consti-tuent le cœur de la lecture des cyniques par Foucault. Il leur consacre une partie de son séminaire et disserte sur leur style de vie. Il les constitue alors en modèle de courage possible, enviable. Foucault ne peut soutenir lui-même une telle vérité, faire preuve d'une pareille audace, mais il y découvre une potentialité d'ignominie, celle de la vie nue de l'animal, proche de la condition de l'homme vulnérable et malade. Les cyniques se présentent en médecins de la vérité qui orientent le « connais-toi toi-même » vers la vie, le *bios*, vers une esthétique de l'existence. Diogène se masturbant sur la place publique argue qu'il mange aussi en public et qu'il s'agit toujours de fonctions naturelles montrables aux yeux de tous. Foucault décrit l'attitude de ces hommes sales, à moitié nus, hirsutes et vociférant, infligeant leur « vérité animale ». Il accrédite ainsi le cliché selon lequel l'animal serait un être de vérité parce qu'il ne saurait pas mentir, ne ressentirait pas de honte, ne pourrait faire de mimiques. Sans interroger ces présupposés, Foucault relie cette exhibition de la nature « nue » à l'exposition de la vérité.

Alors qu'il témoigne d'une grande discrétion quant à son propre corps et à sa maladie, Foucault met en valeur ces penseurs chiens qui imposent aux autres leurs quatre vérités. En les décrivant, il joue sur un *pathos* de la vérité, présent chez nombre de philosophes antiques. Freud avait repéré dans ce *logos* pathétique un symptôme des systèmes philosophiques. Selon le psychanalyste, la fonction spéculaire de l'esprit s'autoalimente à la production et à l'exposition de vérités dans lesquelles cet esprit admire sa propre puissance. Au cours de sa conférence « Sur une *Weltanschauung* », Freud identifiait la mise en scène d'une vérité à une activité narcissique d'autant plus jouissive pour le sujet qui l'énonce qu'il en ignore les véritables motivations. La vérité produit de la jouissance à la mesure de ses effets imaginaires et supposés sur les autres et sur le monde. Le philosophe cynique jouit de choquer son public car il est persuadé de la vertu heuristique et pédagogique de son exposition. La vérité qu'il exhibe n'a pas besoin d'être discutée ni nuancée, elle se nourrit de sa monstration. Elle fonctionne comme un fétiche langagier, venant d'une surestimation de la magie des concepts. Le culot des exhibitionnistes de la vérité renvoie donc à une illusion narcissique sur le pouvoir d'impressionner les autres grâce au langage.

Le prestige du mot « courage » vient peut-être moins de son intention morale que des effets qu'il produit. « Courage ! » est l'injonction destinée à donner de la force à ceux qui en manquent. Faut-il toutefois du courage pour dire la vérité ? Si cette vérité vaut pour tous et révèle le sens des choses, il suffit de la prononcer, sans effort. Son autorité s'impose sans difficulté. « Il faut dire la vérité » prétend le maître d'école, ou le prêtre. En revanche, si la vérité concerne singulièrement celui qui l'énonce, alors elle rencontre l'opacité du dire, moins transparent que le franc-parler des vérités universelles. Celle-là ne peut simplement se déclarer sous l'injonction de la morale car ses mobiles sont obscurs. « Le seul *courage* serait de s'avouer le mensonge », suggérait Nietzsche dans *Par-delà le bien et le mal*. Dès lors que le mensonge est admis comme tel et sort de l'opposition binaire avec la vérité,le vrai et le non-vrai tiennent ensemble.

Le courage de la vérité ne s'entend plus alors comme l'attitude exemplaire de penseurs antiques. Il ne constitue pas non plus l'horizon éthique d'un style de vie. Il est une expression suspendue à l'impossibilité de dire le vrai une fois pour toutes et aux tours mensongers que le parleur exerce pour les autres et pour lui-même. Que le séminaire de Foucault sur le courage de la vérité repose sur une tension entre un secret méthodiquement entretenu et un discours d'adhésion au dire-vrai, ce ressort contradictoire n'enlève rien ni à la puissance spéculative de cette réflexion ni à la beauté de son élaboration langagière. Il « encourage » plutôt, au corps défendant de son auteur, à s'écarter d'une lecture didactique pour observer le fonctionnement psychique du discours philosophique. L'énonciation singulière de son dernier séminaire a porté Foucault vers un théâtre où il a rejoué la scène originaire de la philosophie. Cette apologie détournée offre la Vérité en spectacle. Ni trahison ni parodie, elle montre, au cœur d'un discours magistral, l'invention pathétique d'un mentir-vrai.

À l'écoute de ce séminaire singulier sur le courage de la vérité, la possibilité de tenir un discours vrai avant de mourir fait surgir autant de scénarios que de « leçons » philosophiques. Faute d'une vérité possible sur la mort, le philosophe construit une vérité imaginaire, transie d'affects à son insu. Elle ne définit plus de monde supraterrestre mais subsume l'absurdité de l'existence pour dépasser les doutes et les incohérences, pour tirer une dernière révérence et inventer la signature d'un soi courageux, malgré ce qui le déstabilise et le destitue, malgré la peur et l'ignorance de ce qui vient. L'apparente atemporalité des discours sur la mort ou sur le savoir mourir s'efface à ce moment où la proximité de la fin rend plus intense la nécessité d'en trouver une raison. La vérité fait partie de ces raisons fabuleuses qui deviennent des concepts, qui définissent un au-delà suprasensible ou un style de vie. Et la foi – cœur et courage – en cette vérité fournit l'affect qui enchante les fables.

Après avoir écouté d'une oreille psychologique le discours de l'affirmation et sa dominante, la Vérité, nous devrions toujours douter d'un individu qui commence par dire : « sincèrement… », « franchement… », « je vais être franc avec vous… » Tout discours prononcé ou écrit avec l'assurance, l'amplitude sonore, textuelle ou rhétorique, de celui qui parle vrai recèle une inquiétude. Pourquoi une vérité aurait-elle besoin d'être soutenue par son nom ? Le besoin de soutènement indique une fragilité qui doit nous rendre suspicieux et nous déprendre de la parole toute-puissante. Ce soupçon nous conduit à mettre en suspens le sens d'un énoncé, à penser l'investissement psychique des concepts, à entendre la voix qui sous-tend l'affirmation d'une idée et l'affirmation de soi dans cette idée. Le besoin de dire, le recours à la grande phrase, à l'autorité de l'universel, laissent percevoir des tensions, des forçages et des échappées.

En conjurant le pathos affirmatif du franc-parler, nous découvrons aussi les ruses et la puissance spéculative du mensonge qui prend les dehors de la vérité. Ce mensonge ne saurait être réduit à l'erreur ni à la fausseté qui sont les négatifs du vrai. En revanche, le déni, le secret, l'affabulation ouvrent à des inventions prodigieuses. Le terme de fable excède le domaine littéraire : la littérature n'a pas l'exclusive du mentir-vrai, et la philosophie lui dispute ce privilège, mais selon un autre régime. Le concept a ses propres façons de masquer ses imaginaires constitutifs et les affects qui l'animent. La tension entre le secret et le dire-vrai convoque de multiples voix qui se recouvrent, s'entre-mêlent et se heurtent. Il est temps d'analyser des œuvres affabulatrices, de belles et puissantes machines théoriques, argumentées, discutées, commentées dans la lumière de la raison alors qu'elles proviennent d'un mensonge obscur, qu'elles théorisent le contraire de ce que vit le théoricien, qu'elles ont précisément cette fonction de penser et d'affirmer l'inverse du vécu.

# LA THÉORIE À L'INVERSE DE LA VIE

Un penseur fait l'éloge du mariage alors qu'il n'a jamais pu se marier, un autre connu pour son orgueil écrit un traité sur l'humilité, un philosophe de l'altruisme a concentré sa vie sur lui-même, un dénonciateur du capitalisme a thésaurisé sans relâche, un thuriféraire du voyage a été un sédentaire invétéré. Présentés ainsi, les écarts entre le discours et la vie étonnent et choquent, tant la réaction morale y décèle de l'hypocrisie. Mais ces « contradictions » peuvent être vues autrement qu'une attitude insincère ou qu'un démenti de la pensée. Une approche a-morale du mensonge permet d'y découvrir une articulation complexe entre ce qui est dit et ce qui est vécu. L'investissement du soi dans la théorie passe par des compensations, des trucages, des combinaisons grâce auxquelles un sujet s'imagine, essaye plusieurs personnalités.

## La vie rêvée des philosophes : Hadot

La focalisation sur les arguments d'un théoricien nous détourne de la fabrique de ses concepts. De ce fait, les biographies des penseurs restent souvent tributaires d'une version idéaliste où la continuité repose sur l'évolution de leur pensée, comme si elle était un organisme vivant, se développant par elle-même selon ses âges et ses maturités. Toute autre considération est ramenée à une vulgaire curiosité pour l'anecdote. Le mépris affiché par Heidegger, réduisant la vie d'Aristote à un lapidaire « il est né, il a travaillé, il est mort » pour mieux se concentrer sur sa philosophie, témoigne d'une résistance à lier le vécu et la pensée. Il prend toutefois l'allure d'un refoulement dont Heidegger lui-même fut accusé, au point que la lecture de ses propres textes souffre de ses compromissions avec le régime nazi.

La faiblesse du regard biographique tient certes à sa vision d'une « vie » référée aux événements ordinaires censés la composer. Rapporter l'existence de penseurs à celle de tout un chacun offre peu d'intérêt. Savoir quelles nourritures appréciait Hegel ou quels étaient les goûts sexuels de Wittgenstein n'ajoute pas grand-chose à la connaissance de leur œuvre. Et si quelques écrivains se sont amusés à dresser des portraits surprenants de la vie des philosophes, tel Thomas de Quincey décrivant l'existence routinière de Kant, l'usage de ces informations relève de l'amusement, voire de la moquerie. Ces détails saugrenus visent à faire descendre les grandes idoles de leur piédestal et à les ramener à la vie banale du commun. Malgré leur superbe ils sont « comme nous », et parfois ridicules, se disent les lecteurs en croyant entrer ainsi dans la vie intime des grandes âmes. Ces « vérités » révélées sur la « vie » des penseurs se présentent comme des faits objectifs : elles opposent une vie dite ordinaire, avec ses réalités platement humaines, à la vie spirituelle et éthérée. Mais de telles « vies » n'existent pas et ces vérités appartiennent à des représentations surfaites.

Toutefois une autre démarche, plus productive, consiste à trouver les liens entre une pensée et ses conditions de production, pas seulement socio-historiques mais aussi psychiques. Le biographe peut alors observer d'éventuelles contradictions entre la vie et la théorie d'un penseur. Celles-ci n'invalident pas les prétentions de la pensée, elles offrent une autre clef de lecture, une autre intelligence de la théorie. À cette condition la connaissance de certaines « vérités » de la vie entre dans la fabrication de la pensée et donne accès aux nœuds complexes – imaginaires, affects, opportunités – qui se manifestent au sein des apparentes distorsions. Savoir que Sartre devenait incontinent et tachait ses vêtements à la fin de sa vie n'apporte rien à la compréhension de son œuvre ni même de son existence. En revanche, découvrir qu'il avait des crises de mélancolie, à l'encontre de l'image officielle du penseur engagé, suggère d'autres lectures de ses textes sur le rêve, l'imagination, la littérature. Que cet hyperactif, intervenant sur tous les fronts de la politique internationale, se soit réservé quotidiennement des heures pour jouer Chopin permet d'accéder à une idée de la passivité, certes repoussée mais lancinante au cœur de sa pensée. Le secret, le non-dit, les activités clandestines ouvrent la porte sur des processus psychiques à l'œuvre dans

La théorie à l'inverse de la vie

les constructions théoriques, au lieu d'encourager le voyeurisme sur l'intimité supposée d'un penseur.

Mener une vie contraire à ce qu'on professe, ou construire une théorie qui vante l'inverse de ce qu'on vit, de tels comportements provoquent la pensée, pas seulement la morale. La fréquence de tels écarts suggère différentes postures du soi, par écart et revers. Une approche anthropologique et « psychologique » donne accès à cette intelligence paradoxale qui ne tient pas seulement d'une contradiction circonstancielle ou accidentelle. Cependant, pour engager de nouveau ce mot de psychologie, il est nécessaire d'en préciser les termes, d'autant que philosophes et littéraires partagent un même dédain pour le « psychologisme ». De fait, la psychologie telle qu'elle a été transmise au xixe siècle, avec ses différentes thèses sur les caractères personnels, présupposait un moi individuel qui « s'exprimait » dans ses productions intellectuelles. La déconstruction des notions d'homme et d'auteur, dans les années 1970, a permis de penser autrement la production des textes et des discours, à partir de structures qui traversent les sujets pensants et parlants. Le retour, aujourd'hui, à une notion telle que le *soi* ne peut oublier ce démontage théorique de la dualité entre vie et œuvre qui supposait une harmonie entre l'une et l'autre. La fameuse « fin de l'auteur », que Barthes et les penseurs de la Nouvelle Critique ont déclarée, a été en effet le moyen de libérer la critique des vieilles lunes psychologiques sur la motivation biographique des œuvres. En revanche, ce *coup théorique* n'a pas éliminé définitivement l'interrogation sur le sujet qui écrit, sur ses projections, ses divisions, ses transformations au cœur de l'écriture.

La psychologie, en ce sens, conserve sa légitimité lorsqu'elle s'inspire des moralistes du XVIIᵉ siècle ou de Nietzsche qui réclamait qu'on la considérât comme la reine des sciences, celle qui mène aux problèmes fondamentaux. Celle-là ne se laisse pas aveugler par la fiction d'un moi tout-puissant et traque sans cesse les faux-semblants pour tenter de suivre les métamorphoses d'un soi insaisissable. Lorsque Nietzsche écrit que « toute grande philosophie a été jusqu'à ce jour la confession de son auteur[30] », il n'entend assurément pas cette substance biographique de la pensée, à la manière de Sainte-Beuve qui voyait dans les œuvres le reflet de la vie de leurs auteurs. Précisément, il ne croit pas au « moi », ni même au « soi », ni au « je » – des mots qu'il analyse comme des effets de la grammaire. Une phrase telle que « je pense » suppose certes un sujet grammatical mais n'implique pas un sujet pensant, maître de ses idées. Plusieurs âmes ou plusieurs consciences traversent un « je » qui dit « je suis », « je veux », « je décide ». Quelque chose pense, préfère dire Nietzsche, et encore ce « quelque chose » représente-t-il trop et falsifie le processus de la pensée qui vient de forces multiples. Ces auteurs, ces « je » tout-puissants, qui affirment de grands principes, assènent des vérités éternelles, expliquent les premières causes du monde, ceux-là sont des menteurs jouant la comédie. Nietzsche ne se situe pas pour autant du côté de la lucidité absolue

---

30. Friedrich Nietzsche, *Par-delà le bien et le mal*, trad. Geneviève Bianquis, U.G.E. « 10/18 », 1973, § 6, p. 33.

La théorie à l'inverse de la vie

qui lui permettrait de dénoncer les mensonges des grands théoriciens. Il pointe plutôt les malices et les mascarades déployées par les philosophes, souvent à leur insu.

Les arguments d'autorité et l'arsenal théorique des penseurs empêchent le lecteur d'accéder aux ressorts psychiques de leur pensée. La critique la plus décisive de Nietzsche tient sans doute à sa généalogie des philosophes et de leurs systèmes. Refusant de croire à une construction purement rationnelle, il détecte les intérêts, les affects, les imaginaires à l'œuvre dans la production conceptuelle. Les philosophes « font tous comme s'ils avaient découvert et conquis leurs opinions propres par l'exercice spontané d'une dialectique pure, froide et divinement impassible [...], alors que le plus souvent c'est une affirmation arbitraire, une lubie, une "intuition", et plus souvent encore un vœu très cher mais quintessencié et soigneusement passé au tamis, qu'ils défendent par des raisons inventées après coup. Tous sont, quoi qu'ils en aient, les avocats et souvent même les astucieux défenseurs de leurs préjugés, baptisés par eux "vérités" ; ils sont très loin de cet héroïsme de la conscience qui s'avoue à elle-même son propre mensonge[31] ». Nietzsche n'a eu de cesse de pratiquer cette psychologie belliqueuse à l'encontre des grandes idoles de la philosophie. Il a légitimé ainsi des lectures « biographiques » sans toutefois recourir aux illusions d'un moi des penseurs, celui qu'ils affichent ou celui que présupposent leurs commentateurs.

---

31. *Ibid.*, p. 32.

Si les provocantes suggestions de Nietzsche ont reçu peu d'écho à son époque, l'intérêt pour la biographie des philosophes connaît depuis quelques décennies un renouveau, à la fois médiatique et académique. Cependant, cet intérêt comporte beaucoup d'ambiguïtés quant à l'emploi du mot vie. Du côté du succès public rencontré par la philosophie dans certains milieux sociaux, l'idée d'une vie philosophique correspond à une version pédagogique de la pensée : les contenus présentés sous le nom de philosophie sont supposés fournir des recettes pour bien vivre, pour encourager la sagesse individuelle ou pour alimenter le dialogue mondain. L'intérêt porté à la vie des philosophes et à leurs thèses, généralement résumées à quelques concepts ou théories homogènes, expose des blocs de contenus. Platon, les stoïciens, Descartes ou Sartre... fournissent des dossiers cohérents qui nourrissent les débats contemporains pour des lecteurs qu'on dit « en quête de sens ». Dessins, photographies ou statues des penseurs sont associés à des phrases au style profond. La vie se résume alors à des standards biographiques, aux récits convenus de l'hagiographie scolaire, accompagnés d'anecdotes et de citations – Diogène avec sa lampe, Descartes dans son poêle, Sartre sur son tonneau... Agrémentée de ce qui est supposé constituer une biographie, elle égaye la connaissance des idées, elle confirme le statut patrimonial d'auteurs dont les œuvres difficiles semblent dès lors accessibles.

Le devenir culturel des figures de philosophes consonne, de manière ambivalente, avec un regain théorique pour les « vies philosophiques », dont les penseurs de l'Antiquité constituent des exemples. Ce renouveau académique s'est en partie fondé sur les études de Pierre Hadot et de Michel Foucault qui ont réinséré de grandes figures telles que Socrate dans les pratiques sociales des mondes grec et romain. Le travail de Pierre Hadot, qui a fait école, représente un tournant dans la réhabilitation de la « vie philosophique ». Nul psychologisme ne caractérise cette approche qui traite la philosophie comme une manière de vivre et aborde les personnalités antiques en tant qu'incarnations d'une pensée. Pour mesurer l'apport de Hadot mais aussi ses ambiguïtés, il importe de souligner d'abord sa dimension critique : la mise en valeur des « vies philoso-phiques » vise à contester le privilège de la théorie dite pure que l'enseignement universitaire a longtemps soutenu, du moins dans sa version « continentale ».

Hadot stigmatise l'opposition entre la philosophie comme discours et la philosophie comme mode de vie. Il conteste l'hypertrophie du verbe qui vient, selon lui, du plaisir de parler chez les philosophes et de leur tendance à l'autosatisfaction langagière. La beauté rhétorique et démonstrative les comble au point qu'ils oublient qu'à son fondement la philosophie est d'abord un exercice de vie. « C'est toute la philosophie qui est exercice, aussi bien le discours d'enseignement que le discours intérieur qui oriente notre action[32]. » Contre l'oubli ou la dévalorisation de la vie philosophique, Hadot observe que le « premier » des philosophes n'a ni enseigné ni

---

32. Pierre Hadot, *La Philosophie comme manière de vivre*, Le Livre de Poche, 2001, p. 145.

écrit. Socrate considérait en effet le discours comme une pratique et non comme un texte. Et en Grèce antique, le langage spéculatif avait toujours une visée existentielle. Le renversement proposé par Hadot consiste à voir l'exercice philosophique non plus comme l'application d'un discours abstrait mais comme sa constitution. Grand connaisseur des penseurs antiques, il rappelle que même l'abstraction était une « pratique » et qu'Aristote, lorsqu'il traitait de physique, pensait le mouvement des choses pour mieux concevoir la place de chacun dans un Tout. La théorie de la nature impliquait aussi une réflexion sur le soi, son devenir, son orientation morale. Ainsi la « recherche de la vérité », cette marque de la philosophie, relèverait d'un exercice spirituel, et les doctrines philosophiques auraient toujours eu pour but d'éduquer l'esprit et le corps.

La vie des philosophes retrouve ainsi un statut qui dépasse l'anecdote biographique, si tant est qu'elle corresponde à une « vie philosophique ». Encore faudrait-il une définition de cette qualification car la pratique des exercices spirituels n'est pas l'exclusive de la philosophie et concerne aussi les religions. Hadot inclut parmi les philosophes antiques des personnalités, tels Dion de Syracuse ou Caton, qui se sont contentées de vivre selon un certain style de vie menant à la paix de l'âme. Sans doute une vision aussi large a-t-elle sa légitimité, rapprochant sous le nom de philosophie des pratiques comme la maîtrise de soi, la concentration sur le présent, l'émerveillement devant ce qui est… Toutefois ces exemples pris dans des situations disparates du monde antique sont difficilement identifiables par-delà leur contexte historique, malgré leur écho dans la vie d'aujourd'hui. Quantité de notions antiques, ou rétrospectivement appliquées à l'Antiquité, nous semblent proches, voire séminales, du monde contemporain alors qu'elles procèdent de mentalités hétérogènes et de contextes culturels distincts. Quelles figures de philosophes pourraient aujourd'hui leur correspondre ? Certains jouent le rôle de théoricien, d'autres de sage, de professeur, de prophète, d'intellectuel ou de conseiller. Leurs fonctions – apprendre, éclairer, questionner, donner en exemple, inquiéter, engager – demeurent soumises à l'esprit du temps, et la référence aux modèles antiques leur sert de légitimation rétrospective.

La principale ambiguïté qui touche la réhabilitation de la vie sous l'expression de « vie philosophique » tient à l'exemplarité des existences de philosophe. Précisément « l'exemple » se donne sous la forme d'un récit de vie, au point qu'il est devenu un genre rhétorique. Il présente un modèle de comportement au travers d'un parcours unifié et signifiant. La « vie » se tient dans ce trajet cohérent qui fonde l'identité et le sens d'une personne ayant vécu dans la vérité de son existence, théorie et pratiques conjuguées, discours et actions en harmonie. Mais l'exemplarité de cette vie vient surtout de son récit. Elle obtient son unification grâce à la structure linéaire d'une narration.

Après tout, dira-t-on pour justifier une telle conception des vies philosophiques, peu importe l'existence ordinaire avec ses banalités, ses accidents, ses bassesses, l'essentiel réside dans l'adéquation d'un discours et d'une pratique. Cependant, ce récit d'une vie philosophique repose sur nombre de présupposés : la volonté, l'unité et la continuité du moi. La conséquence d'une telle approche unificatrice est fâcheuse, car elle s'interdit d'interroger les motivations psychiques du discours philosophique et la distorsion possible entre discours et vie, sous l'apparence trompeuse de l'exemplarité. Foucault, tout à la fois prudent et audacieux, préféra parler de subjectivation à travers le choix d'un comportement. Plutôt qu'un moi intérieur, unifié ou réunifié grâce à des exercices spirituels, il analysa les manières dont un être pensant manifeste un « souci de soi » et s'engage dans une subjectivité.

Réhabiliter la notion de vie dans l'étude des textes philosophiques, en considérant le discours théorique ou abstrait comme une de ses « expressions » ou conséquences, est donc une proposition décisive et renversante, mais qui nécessite de ne pas représenter la vie comme un moi unifié. Le récit biographique et exemplaire donne une image trompeuse du lien entre le soi et ses discours qu'il faut articuler ou désarticuler à nouveaux frais. Que savons-nous des mobiles qui poussaient les stoïciens à affirmer l'empire de la raison et à vanter la maîtrise de soi ? Sous la glorieuse attitude du sage s'opposant à la violence du tyran ou manifestant son dédain face à l'imminence de la mort, quelles raisons non rationnelles – peurs, intérêts, amour-propre, fanatisme – agissent à l'insu des philosophes ? Le sceptique Sextus Empiricus, dans *Contre les professeurs*, soupçonnait déjà les choix théoriques d'être issus de passions personnelles, d'un orgueil démesuré ou de goûts singuliers, masqués sous de hautes vertus et raisons. Il faudrait ainsi interroger systématiquement les mobiles, les intérêts à l'œuvre dans la pratique de tel exercice spirituel, et même dans le choix de tel discours philosophique.

L'histoire de la critique des textes et discours témoigne que la déconstruction du moi de l'auteur s'est exercée davantage en littérature qu'en philosophie. Le *Contre Sainte-Beuve* de Proust a marqué cette rupture avec la psychologie moniste dans la critique littéraire, enjoignant de distinguer les différents *moi* d'un auteur. En revanche, les historiens de la philosophie, souvent pris dans une conception instrumentale du langage théorique, interrogent moins volontiers le sujet pensant ou l'inventeur de concepts. Il conviendrait pourtant de demander, dans la texture même de l'écriture philosophique, qui parle, quel est ce nous, ou cet impersonnel qui, sous le nom de l'universel, engage telle ou telle vérité. L'étude des enjeux discursifs de la prose philosophique, souvent considérée comme mineure ou « littéraire », met en lumière des énonciateurs multiples qui jouent avec des protocoles langagiers. L'autorité de la parole philosophique procède d'une inscription du sujet écrivant selon des formes verbales – traités, essais, dialogues… – qui sont autant de rôles identifiant un auteur philosophe. Qui se tient derrière ou dans ses rôles ? Le privilège accordé à la pensée autonome, maîtresse d'elle-même, fait oublier les divers *moi*, voire les forces anonymes qui nourrissent la production des idées.

Plutôt que chercher l'harmonie entre une vie unifiée et des discours cohérents, il est plus fructueux, pour comprendre tant le processus de la pensée que l'engagement d'un sujet dans une œuvre conceptuelle, d'analyser les manières dont un soi se construit, se transforme, se joue la comédie, se sauve et s'invente en concevant des thèses, en écrivant des traités, en tenant une parole publique. Les œuvres littéraires, parce qu'elles recourent souvent à l'imagination, sont le lieu d'une recomposition du soi, l'écrivain se forgeant des scènes fantasmatiques et expérimentant des possibles qu'il vit par procuration. Mais les textes philosophiques donnent aussi l'occasion de telles reconfigurations, certes de manière différente et autrement complexe. La fonction unificatrice de l'écriture ou de la construction d'une pensée ne doit pas faire oublier que cette unification est un choix, volontaire ou non, une projection du soi qui se constitue comme sujet pensant. L'identification d'un penseur à ses thèses relève d'une autoprésentation, d'autant plus puissante qu'elle procède par affirmation, par recours à l'argument de la vérité et par un langage universel. Le passage à l'anonymat que suppose l'emploi de ce langage occulte l'investissement personnel du sujet devenu abstrait, producteur d'idées impersonnelles.

Le masque de la généralité dissuade le lecteur d'interroger la relation existentielle de l'auteur à son discours. Cependant, philosopher est aussi une façon de se définir, de se transformer, ainsi que l'ont assumé des penseurs tels que Montaigne, Nietzsche, Kierkegaard, Sartre ou Foucault. En intitulant un de ses textes *Ecce Homo*, Nietzsche a placé le choix de ses pensées sur le terrain psychique et physiologique, évoquant ses

La théorie à l'inverse de la vie

illuminations et ses révolutions intérieures. Pour autant les confessions ne valent pas comme des preuves de transparence, loin de là. Elles reconnaissent au moins que l'activité philosophique engage une construction de soi, et pas seulement une volonté pure d'accéder au vrai.

Une fois admise la dimension psychique et autoconstitutive de la philosophie, il devient légitime d'impliquer le sujet pensant dans ses discours et d'interroger sa division. Les écarts entre sa vie et ses théories ne seront plus jugés alors comme des contradictions, des faiblesses ou de négligeables anecdotes. Ils donneront accès à la fabrique intime du soi dans la représentation langagière et sociale qu'implique la publicité – écriture ou profération – d'une pensée dite philosophique. Le mot de mensonge, malgré sa connotation morale et péjorative, désigne la variété des postures, solutions et tensions qui nouent un comportement et un discours qui lui est en apparence contraire. La théorie ne vient pas toujours exprimer le vécu, en amont, ni guider l'existence, en aval. Elle peut aussi organiser au cœur de la pensée un travail de négation, de répression d'une vérité vécue qu'elle dénie et transforme.

Le mensonge, analysé comme une combinaison psychique, ne pointera donc plus l'hypocrisie d'un discours qui ne coïncide pas avec la vie. Il désignera, dans cette nouvelle approche, le nouage entre des vécus – identifiés par des moments, des affects, des tendances – et des productions verbales. Le discours ne sera pas qualifié d'emblée de « mensonger », car nous pourrions aussi bien dire que parfois c'est la vie qui ment tandis que le discours propose une vérité tangible. Cette vie, sous l'éclairage du standard biographique et social, peut ne correspondre à aucune authenticité, sa cohérence et sa signification peuvent être factices, réunies sous l'identité d'un moi illusoire. Les vies sont trouées, constituées de contretemps, de temps faibles et indicibles, voire irreprésentables. Une archéologie des œuvres philosophiques ne se laisse pas hypnotiser par l'unité argumentative de thèses abstraites et elle prête attention à tout ce qui les traverse : des affinités, des amitiés, des opportunités qui décident, plus qu'une détermination conceptuelle, de l'orientation prise par un philosophe. Ces accords et désaccords, souvent imperceptibles, jouent leur rôle, tout comme les épreuves intimes vécues par un sujet friable. Les absences, les dépressions, les syncopes, les rêveries sans images sont aussi constitutives de l'existence divisée et peuvent jouer un rôle productif pour la pensée, autant que les temps forts mis en valeur par les biographies.

Il nous faut désormais analyser concrètement de tels nouages pour comprendre le rôle de la théorie lorsqu'elle vient d'une division forte entre un comportement et un discours. L'hypothèse d'un mensonge qui alimente l'énergie portée par la passion de l'affirmation doit être soutenue par des preuves et nous choisirons d'abord deux cas de théorie élaborée en apparente contrariété avec l'existence menée : la théorie de l'éducation proposée par Rousseau puis celle de l'engagement prônée par Sartre.

La théorie à l'inverse de la vie

## Le mensonge produit un chef-d'œuvre : *L'Émile*

Nul n'a été plus sincère que lui, nul n'a autant cherché la vérité, pourtant, le monde s'est constitué en tribunal pour l'accuser ! Nous avons déjà entendu les déclarations de Rousseau et ses efforts désespérés pour taire ou pour expliquer son forfait, l'abandon de ses enfants. Le pathos de la vérité est un symptôme du mensonge, commis à l'égard des autres et de soi-même. Cependant la dépense d'énergie consacrée à produire une image exemplaire de soi peut aussi nourrir une construction théorique. Telle apparaît la puissance du mensonge. Avec Rousseau, le fruit d'une telle tension entre le sentiment de culpabilité et le plaidoyer *pro domo* donne un livre à la fois limpide et incongru : *L'Émile*. Sa limpidité vient de son inscription dans l'histoire de la philosophie et de la pédagogie. Les analyses et propositions de Rousseau sont encore discutées aujourd'hui et identifient des positions théoriques dans le domaine de l'éducation. Son incongruité tient en revanche d'une écriture peu homogène et d'une composition chaotique. Rousseau semble avoir hésité entre plusieurs styles, plusieurs genres, et il fournit au bout de son entreprise un très volumineux traité qui contient des forces divergentes. Le plus intéressant repose sur une généreuse théorie de l'éducation élaborée par un auteur qui n'a pas souhaité éduquer ses propres enfants. La dénonciation d'une telle attitude passerait à côté de l'essentiel, car il y va d'une démultiplication des *moi* de Rousseau dans ce texte plus complexe qu'il n'y paraît derrière les thèses explicites.

L'affaire de *L'Émile* pourrait se résumer ainsi : Rousseau a écrit un traité sur l'éducation bien qu'il ait abandonné ses enfants. Mais nous devrions suggérer une autre formulation : Rousseau a écrit un traité sur l'éducation *parce qu'*il a abandonné ses enfants. « Les *quoique* sont toujours des *parce que* méconnus[33] », écrivait Proust. Encore faut-il conjurer d'emblée l'hypothèse, un peu simpliste, d'une compensation, comme si l'homme Rousseau avait voulu se racheter en contribuant, par un texte, au bien des enfants à éduquer. La causalité ne devient intéressante que si elle met en œuvre une stratégie mensongère, consciente ou non. L'élaboration d'une théorie correspond à la force du déni qu'exerce le théoricien. Plus il affirme des vérités éducatives, plus il masque son défaut d'éducation. Et l'énergie folle qu'il consacre à écrire son traité, aboutissant à une démonstration hyperbolique et interminable, vient du désir de cacher la vérité sur l'abandon. Nous avons observé cette hypertrophie du discours qui dénote une tension interne et un mensonge patent. Le déni ne se limite pas ici à la ruse d'un écolier qui voudrait cacher une faute, il témoigne d'une mobilisation totale de l'esprit au profit d'une fausse vérité qui devient le moteur des productions intellectuelles. Le recours à la philosophie sert alors à articuler le mensonge à un langage universel et à le déployer dans une rhétorique sans fin. La prose théorique est le lieu, la scène, la matière de ce trucage

---

33. Marcel Proust, *À l'ombre des jeunes filles en fleurs*, in *À la Recherche du temps perdu*, Gallimard, « Bibliothèque de la Pléiade », t. I, 1987, p. 430.

La théorie à l'inverse de la vie

grâce auquel l'auteur peut s'affirmer innocent, bon, sans remords, transparent alors qu'il cache une faute irréparable.

La construction d'une œuvre théorique en contradiction avec la vie menée par son auteur laisse des traces de cette tension dans son écriture. Elles forment des cicatrices qu'un lecteur attentif peut déceler à même le texte en y repérant soit des bizarreries, soit une perfection suspecte. Le mensonge procède par coutures qui témoignent d'un raccord difficile entre vérités et contre-vérités. Parfois ces reprises, cousues dans le tissu du texte, sont invisibles tant le gommage de la plaie a été bien réalisé, l'éclatante affirmation recouvrant le mensonge et son activité. Le lecteur psychologue doit alors interroger toutes les ruses employées au cœur du langage : la suprématie aveuglante d'un concept, l'enflure d'une démonstration, les répétitions ou les ellipses, la longueur excessive d'une phrase, la complexification outrancière d'une thèse, l'inachèvement ou la poursuite interminable d'un argument. Les types d'énonciation par lesquels l'auteur essaye plusieurs « je » offrent aussi des pistes pour traquer les masques d'un sujet qui use de pronoms personnels divers, « je », « nous », « vous » et recourt à l'impersonnel ou au fictionnel. Les exemples, les notes de bas de page, les illustrations, tout ce matériel secondaire fait partie des traces à questionner. Ce sont quantité de figures, souvent négligées car elles s'effacent devant le sens explicite, qui présentent les stigmates du mensonge.

Le traité d'éducation écrit par Rousseau contient nombre de ces stigmates, plus encore, c'est l'écriture même qui constitue la cicatrice par laquelle l'auteur tente de recouvrir une plaie ouverte à jamais. Le texte se produit comme mensonge, ce qui n'enlève rien à sa pertinence théorique : les idées sont valides, car le mensonge se distingue d'une erreur. Il est certes difficile d'imaginer qu'un mensonge permette d'obtenir des vérités, mais le vrai est ici d'un autre ordre. Il peut reposer sur une intention insincère et dans le même temps conduire à énoncer des thèses valables pour la raison. Reste alors à admettre cette idée si contraire à la morale commune : une vérité peut venir d'une intention mensongère ! L'adéquation entre un soi et ses paroles doit être reléguée aux mythologies de l'unité.

Qui parle, qui dit « je », qui pense, qui produit des vérités ? La réponse n'est jamais claire tant l'engagement d'un affirmateur dans ses dires demeure problématique. Rousseau est conscient du statut ambigu de son traité d'éducation. Il précise à son éditeur qu'il ne s'agit pas d'un manuel de recettes pour éduquer les enfants mais d'un ouvrage proprement philosophique, réfléchissant aussi bien à la nature de l'homme qu'à son inscription dans la Cité. *L'Émile* est présenté dans la continuité des précédents *Discours* et se distingue des œuvres de fiction. Pourtant Rousseau a rencontré des difficultés de plusieurs ordres en l'écrivant, à cause d'une accumulation de notes qui a débordé son projet initial limité à un mémoire de quelques pages. Au bout de quatre ans de travail, le traité est devenu un texte énorme, impossible à achever. De fait, le résultat est disparate au point de mêler des pensées sur l'éducation à des considérations débridées sur les voyages, à une critique de l'institution ecclésiastique, à une ébauche de roman sentimental. Le quatrième livre du traité contient un texte qui fonctionne de manière quasi autonome, la « Profession de foi du vicaire savoyard », devenue fameuse car elle a entraîné une cabale contre Rousseau de la part de différentes églises. Le cinquième livre relate la rencontre d'Émile et de Sophie, leur vie amoureuse. Cette tentation romanesque a conduit Rousseau à écrire une suite à son traité, sous forme d'un roman épistolaire inachevé, narrant les déboires d'Émile : trompé par Sophie, il part à Naples, puis est capturé par des corsaires et continue son périple en Afrique du Nord. Rousseau lui-même semble avoir été embarqué vers des aventures qu'il ne contrôlait pas et qui ont dépassé son intention première. Aussi a-t-il beaucoup hésité à publier l'ouvrage, reconnaissant qu'il avait prévu de cerner un autre objet que ceux qui l'ont emporté. Le lecteur de *L'Émile* peut donc légitimement se poser la question : quel est vraiment l'objet de ce traité sur l'éducation ?

La longueur du traité et son hétérogénéité laissent deviner une formidable tension dans son écriture. Loin d'un papillonnage qui conduirait l'auteur à divaguer selon son humeur, la trame théorique opère le refoulement constant d'une vérité que Rousseau travaille en la contenant et en la transformant. Cette vérité émerge de temps en temps au sein d'un discours océanique qui recouvre des bas-fonds. Le bouillonnement qui découle de ses courants internes oblige l'écrivain à déguiser, à reconnaître de temps à autre la présence d'une cause personnelle. Au détour d'une démonstration, il cite des exemples similaires à sa situation, notamment une femme de Sparte qui avait cinq enfants. Le moment le plus vif de cette écume de vérité est un aveu déguisé de Rousseau, en forme de paradoxe : « Celui qui ne peut remplir les devoirs de père n'a point le droit de le devenir. Il n'y a ni pauvreté, ni travaux, ni respect humain, qui le dispensent de nourrir ses enfants et de les élever lui-même. Lecteurs, vous pouvez m'en croire. Je prédis à quiconque a des entrailles et néglige de si saints devoirs, qu'il versera longtemps sur sa faute des larmes amères, et n'en sera jamais consolé[34]. » Qui s'adresse ici aux lecteurs ? Rousseau, le philosophe des *Discours*, ou Jean-Jacques, l'homme privé ? À cet instant l'auteur semble confesser son crime et suggérer sa repentance infinie. La culpabilité surgit comme une clef de cette demi-confession et du texte entier.

Toutefois, un traité, même écrit avec des larmes, se construit avec des concepts, des arguments universels, et Rousseau a pris la position de celui qui peut dispenser des idées fortes sur l'éducation alors qu'il a déserté son devoir de père. Cet aveu, à la dérobée d'un long discours, se trouve en effet contrarié par un déni farouche. Rousseau parle comme celui qui sait ce qu'est un enfant et comment il convient de l'éduquer. Il a pris la position du savoir, de la maîtrise, et tente de substituer la figure de l'éducateur à celle du père. Son assurance n'a d'égal que sa démission. Elle s'affirme

---

34. Jean-Jacques Rousseau, *Émile ou De l'éducation*, in *Œuvres complètes*, t. IV, Gallimard, « Bibliothèque de la Pléiade », 1969, p. 262.

La théorie à l'inverse de la vie

d'autant plus qu'il doit faire oublier le manquement à ses devoirs, à la mission qu'il exige de tous les pères. Le plus remarquable survient quand il relit son traité une fois terminé : dans *Les Confessions*, Rousseau dit éprouver des remords lorsqu'il découvre les thèses de *L'Émile*, comme s'il n'en était pas l'auteur et que ce texte s'adressait à lui par accident. Et les raisons captieuses arrivent aussitôt : le « presque aveu public[35] » contenu dans son traité devrait décourager tout lecteur de lui reprocher quoi que ce soit.

Pour preuve de son rachat, Rousseau déclare cesser tout rapport sexuel avec Thérèse. L'abstinence est présentée comme un acte moral, alors qu'il s'accompagne d'explications plus ordinaires telles que le déclin du désir chez sa compagne ou ses propres troubles de santé. L'homme Rousseau ne suivra pas cette résolution maquillée en pose morale et trouvera d'autres justifications à sa faute qu'il assimile à une erreur. Malheureusement pour lui, ses ennemis, et même certains amis, n'oublieront pas. En 1764, Voltaire publie *Le Sentiment des citoyens* dans lequel il dénonce ce tartufe de Rousseau, mauvais père et mauvais mari qui « traîne avec lui de village en village, et de montagne en montagne, la malheureuse dont il fit mourir la mère, et dont il a exposé les enfants à la porte d'un hôpital[36] ». Face à une telle persécution, Rousseau multiplie les actes de repentance pour quantité d'autres fautes qui devraient masquer la plus grande. Dans les *Dialogues*,

---

35. *Id.*, *Les Confessions*, *op. cit.*, p. 594.
36. Voltaire, *Le Sentiment des citoyens*, in *Mélanges*, Gallimard, « Bibliothèque de la Pléiade », 1961, p. 717.

Le génie du mensonge

il évite le sujet le plus cuisant et pratique l'autocritique sur un mode hystérique, gardant le contrôle des signes, volant la critique aux autres. Confesser excessivement ses péchés est un moyen de priver les autres de vous faire des reproches.

La tension entre le déni et l'aveu trouve cependant une résolution créatrice par l'alliance de la raison et de l'imagination. Rousseau, pour exposer sa théorie de l'éducation, invente un élève imaginaire et peut ainsi mêler la fiction à l'argumentation, sous couvert d'appliquer ses thèses. *Émile ou De l'éducation* est le titre de son traité, proposant ainsi une équivoque : le livre porte sur un personnage qui porte l'emblème d'une théorie. Le personnage d'Émile est-il l'illustration de l'éducation parfaite ou l'éducation est-elle à l'image de cet enfant ? Donner un nom de personnage à un traité ne va pas de soi et Rousseau inscrit ainsi son œuvre théorique dans la continuité du roman épistolaire qu'il a écrit juste avant, *Julie ou la Nouvelle Héloïse*. La mise en valeur de l'enfant implique un statut singulier du traité qui oscille entre la démonstration et la construction romanesque. De fait, Rousseau, pour élaborer une théorie de l'éducation, consacre son écriture à imaginer cet enfant et les étapes de son évolution[37]. Certes il s'agit de lier la théorie à la pratique, toutefois la personnalité qu'il décrit oriente le texte vers l'imagination d'une vie et de relations qui auraient pu exister entre un enfant et un adulte. La méthode

---

37. Dans une lettre à Malesherbes, il décrit sa joie d'imaginer et de peupler la nature avec des hommes dignes d'y habiter (*Fragments autobiographiques*, in *Œuvres complètes*, t. I, *op. cit.*, p. 1140).

La théorie à l'inverse de la vie

choisie pourrait se résumer ainsi : Rousseau s'invente un élève pour s'inventer lui-même en éducateur. Mais les coulisses d'une telle démonstration suggèrent une autre formulation : Rousseau s'invente un fils pour s'inventer en père.

Le mensonge va au-delà du déni et acquiert alors une puissance créatrice en devenant une affirmation par laquelle le menteur se compose une nouvelle identité. Rousseau devient un maître éducateur, tirant son savoir d'une pratique qu'il n'a jamais eue. Un exégète de l'*Émile* pourrait certes observer que Rousseau, précepteur, a éduqué d'autres enfants que les siens. Mais le texte dément cette séparation entre éducateur et géniteur, entre professeur et père. Constamment Rousseau présente l'éducation d'un enfant comme un devoir échu à son procréateur. Et il fournit un luxe de détails dignes de la puériculture pour montrer l'attention nécessaire dès les premiers jours du nouveau-né. Prenant parti dans les débats de l'époque à propos de la contention des enfants, il s'élève contre la pratique de l'emmaillotement. Puis il déconseille l'emploi d'une nourrice, cet usage « dénaturé » qui donne à des femmes mercenaires le droit de maltraiter les enfants en les emmaillotant pour ne pas avoir à les surveiller. Un nourrisson a besoin des mamelles et des soins d'une vraie mère, tempête Rousseau.

Si la pensée d'une éducation proche de la nature fait l'objet du traité, l'enjeu de l'écriture se tient ailleurs, dans la construction d'une parenté imaginaire qui masque et remplace le défaut du père. Rousseau navigue dans les courants de la contradiction, projetant sa propre histoire dans les thèses éducatives. Une bizarrerie surgit en effet dans l'argumentation mêlée à la narration : le lecteur apprend qu'Émile est orphelin et a donc besoin d'une nourrice. L'enfant imaginaire de Rousseau n'a pas eu de parents car ils sont morts, alors que ses enfants réels, eux, ont été abandonnés par leurs parents. L'opération de substitution vise à dédouaner le géniteur, et même à le réincarner en généreux éducateur. Émile, assurément, ressemble à ce qu'aurait pu être un petit Rousseau. Et son père imaginaire semble dresser un portrait méticuleux de ses soins. Soucieux de bien nourrir l'enfant, il a étudié la qualité du lait des nourrices selon leurs origines géographiques. Rousseau souhaite des campagnardes dont le lait sera sain, comme celui que fournissent les femelles herbivores. Pas de bouillie mais des fruits secs, recommande encore le père de substitution qui suit le régime de sa pseudo-progéniture avec le souci d'un diététicien.

L'auteur qui propose une théorie de l'éducation, dans *L'Émile*, est un moi fictif de Rousseau, le contraire d'un autre moi dont nous ne connaissons pas forcément mieux l'identité mais dont nous savons au moins qu'il a abandonné ses enfants. Ce « je » qui parle sous le nom de Rousseau, même s'il relève d'un sujet s'autorisant du langage de la vérité générale, est une fiction. Les sujets qui énoncent des thèses philoso-phiques ne sont pas plus authentiques que les auteurs ou les narrateurs qui écrivent des romans. Dans le cas de *L'Émile*, le « je » s'expose en parfait éducateur et construit un mensonge destiné à masquer la responsabilité d'un autre « je », le père manquant. Au

La théorie à l'inverse de la vie

travers de ce « je » qui parle dans *L'Émile* passent de nombreux affects contradictoires tels que la honte et l'orgueil, le sentiment de perte ou de toute-puissance. L'auteur est perdu mais il s'arroge la position de celui qui sait et affirme. Sa détresse est perceptible lorsqu'il s'adresse à un « tu » qui ne vise plus le lecteur mais tente d'atteindre l'enfant imaginé. Ce dernier a pris corps et Rousseau le décrit comme s'il avait réellement existé : « Je le vois», écrit-il, […] je le contemple enfant et il me plaît ; je l'imagine homme et il me plaît davantage ; son sang ardent semble réchauffer le mien ; je crois vivre de sa vie, et sa vivacité me rajeunit[38]. » Le « je » écrivant espère renaître en accompagnant sa créature philosophique et romanesque. Et cette dérive du statut du personnage devient manifeste lorsque Rousseau l'appelle, lui assurant le meilleur des précepteurs : « Ô toi qui n'as rien de pareil à craindre, toi pour qui nul temps de la vie n'est un temps de gêne et d'ennui […] *viens*. Il arrive, et je sens à son approche un mouvement de joie que je lui vois partager […]. Nous ne sommes avec personne aussi bien qu'ensemble[39]. » Le style se rapproche parfois d'une prosopopée comme s'il s'agissait d'un mort, l'enfant perdu, que l'auteur fait revivre et parler. L'essai philosophique sur l'éducation se transforme ainsi en un théâtre intérieur où l'auteur se confronte à ses propres spectres.

Qui parle lorsqu'un philosophe parle ? Cette question incongrue porte le doute sur les mobiles d'une écriture

---

38. Jean-Jacques Rousseau, *Émile ou De l'éducation, op. cit.*, p. 419.
39. *Id., Ibid.*

spéculative. Plusieurs personnages courent sur la scène de la théorie, ceux qu'incarne l'auteur d'une thèse, ceux à qui il s'adresse, et tous ceux qui hantent les coulisses de sa pensée. Si le philosophe occupe d'emblée, par son choix d'une forme écrite instituée, la place d'un sujet universel, il n'en expérimente pas moins des rôles qui circulent clandestinement dans ses concepts. *L'Émile* est un traité que peuplent de nombreuses figures et dans lesquelles le sujet écrivant se réinvente, s'éprouve et se transforme. « Nul de nous n'est assez philosophe pour savoir se mettre à la place d'un enfant[40] », écrit Rousseau et sa phrase résonne de multiples significations. Elle convoque une question forte, bien que minorée en philosophie : le statut de l'enfant que les penseurs ont toujours eu tendance à considérer comme un adulte en devenir, comme un humain à construire. L'infantilisation de l'enfant nie la spécificité de l'enfantin et Rousseau apporte un éclairage neuf en focalisant sa réflexion sur l'enfance elle-même, ses plaisirs et ses imaginaires. Certes il s'agit toujours de l'éduquer mais à partir de ce qu'il est, de sa nature singulière. Il ne se réduit plus à de la matière malléable et façonnable pour la société des hommes.

La philosophie qui saurait accéder à l'enfantin atteindrait alors un niveau supérieur en assumant le monde de l'enfance. Cependant la phrase de Rousseau sonne curieusement par l'emploi du « nous » qui inclut l'auteur dans cette difficulté à se mettre à la place d'un enfant. Et celui qui a abandonné les siens

---

40. *Ibid.*, p. 355.

La théorie à l'inverse de la vie

avoue implicitement la contradiction de son entreprise théorique : il suit en détail l'évolution de l'enfant, œuvrant à cette nouvelle philosophie, mais il reconnaît rester à la frontière de son monde. Et plus encore, l'expression « se mettre à la place » demeure ambiguë : parler à la place de quelqu'un d'autre, c'est lui donner une parole qu'on lui refuse habituellement ; cependant, c'est aussi prendre sa place. Rousseau adopte ici la position de l'enfant, par empathie et par projection. Nous avons suggéré qu'il inventait un enfant pour s'imaginer père, et l'hypothèse complémentaire serait qu'il inventât l'enfant que lui-même aurait pu être.

L'invention d'un enfant à éduquer, pour le besoin d'une théorie de l'éducation, pourrait bien être celle de l'auteur qui refait son enfance. Émile est l'enfant perdu que Rousseau voudrait retrouver sous les auspices d'une parenté substitutive. Père et fils tout à la fois, inversant les rôles, il se dédouble constamment dans le miroir de la théorie. Par un emboîtement narratif, Rousseau imagine son enfance dans l'enfant qu'il aurait pu élever. Ne dit-il pas qu'il faut chercher « l'enfant dans l'enfant[41] » ? Certes, il conteste ici la pédagogie qui vise à trouver l'adulte dans l'enfant, mais il fut bien, à l'instar d'Émile, privé d'une mère et délaissé par son père. Rousseau se donne, à travers son personnage, une enfance et une éducation qu'il n'a pas eues, conduites par un protecteur paternel. Il s'invente un enfant qui n'est autre que lui-même grâce à l'écriture du traité. Ne conseille-t-il pas au précepteur de jouer avec cet enfant,

---

41. *Ibid.*, p. 242.

Le génie du mensonge

de partager ses amusements comme s'il était son petit compagnon ? Par contrariété l'éducation d'une fille ne permettait pas cette projection : Rousseau, dans le cinquième livre, imagine la jeune Sophie mais la destine aux « travaux de son sexe », la couture surtout, réservant son éducation à son futur mari. Il voue la femme à la procréation et au service de l'homme, comme il le demande à Thérèse, qu'il veut simple et docile. Rousseau compose ainsi les rôles familiaux et, dans une adresse à ses lecteurs, exprime le vœu rétrospectif d'avoir eu des parents aimants qui se consacrent ainsi à leur enfant : « Sitôt qu'il naît, emparez-vous de lui, et ne le quittez plus qu'il ne soit homme : vous ne réussirez jamais sans cela. Comme la véritable nourrice est la mère, le véritable précepteur est le père[42]. » La supplique s'entend comme une requête à des parents imaginaires de la part d'un vieil enfant qui voudrait revenir au départ de sa vie, dans le vain espoir d'une renaissance.

La construction philosophique trouve ici une fonction surprenante en laissant place à une recomposition généalogique du sujet écrivant. Le personnage conceptuel, nommé Émile, destiné à exposer pratiquement une théorie de l'éducation, fait l'objet d'une adoption par son inventeur. Il réincarne l'enfant abandonné par Rousseau qui l'appelle, le fait vivre, lui parle. La projection incontrôlée de l'auteur dans sa créature philosophique l'amène à constituer un double dans lequel il se réinvente une enfance. Par le biais de cet élève et fils de substitution, il conçoit

---

42. *Ibid.*, p. 261.

La théorie à l'inverse de la vie

sa propre éducation, répondant à un désir de nouvel enfantement, ce que confirment d'autres glissements généalogiques, non seulement la fameuse appellation de maman donnée à Mme de Warens, mais aussi la désignation de Thérèse, la mère de ses enfants, comme sa tante ou sa propre sœur. Quelle que soit la pertinence de telle ou telle interprétation psychanalytique, nous observons ici que le langage théorique est investi, dans son intention et sa construction, par une diffraction du sujet écrivant confronté à ses démons.

Une telle fantasmagorie à l'œuvre dans une écriture philosophique des plus sérieuses ne laisse pas d'interroger la relation entre la vie et le discours, entre le mensonge personnel et la vérité universelle. Le lecteur de *L'Émile* peut choisir de distinguer radicalement l'auteur et son texte, solution généralement retenue et qui permet de commenter et de discuter cette contribution majeure à la pensée de l'éducation. Toutefois, les arguments théoriques ne sont pas indemnes des contradictions inhérentes à la psyché de l'auteur. Et nous nous priverions de les comprendre en occultant les conflits internes aux différents *moi* qui innervent le sujet écrivant. Nous n'en prendrons qu'un exemple concernant une thèse de Rousseau sur le rapport entre une éducation proche de la nature et son utilité pour former de bons citoyens. Le mensonge y soutient la démonstration. Rousseau condamne les parents défaillants au double prétexte qu'ils détruisent la vie de l'enfant et ne favorisent pas son souci du bien public. « Les enfants éloignés, dispersés dans des pensions, dans des couvents, dans des collèges, porteront ailleurs l'amour de la maison paternelle, ou, pour mieux dire, ils y rapporteront l'habitude de n'être attachés à rien[43]. » Peut-être Rousseau a-t-il en mémoire les pages d'Aristote dans la *Politique*, lorsqu'il affirme la nécessité de relier les enfants à leurs parents qui doivent les prendre en charge. La nature, notamment par les ressemblances physiques, affecte la progéniture aux géniteurs. Et, du point de vue politique, il importe que les adultes assument la responsabilité de l'éducation des enfants. Or ce sont les parents qui éprouvent ce devoir alors qu'un éducateur anonyme n'aura jamais le sentiment d'un lien aussi naturel.

Aristote argumentait ainsi contre Platon et son utopie d'une cité sans liens familiaux où les enfants seraient éduqués uniquement par la Cité. Rousseau, lorsqu'il écrit *L'Émile*, est aristotélicien. « La nature a fait les enfants pour être aimés et secourus », écrit-il sans vergogne. Lorsque l'enfant est élevé par ses parents, il resserre leur lien conjugal, affirme-t-il, car la nature suppose que les maris et les femmes deviennent des pères et des mères. La fin du traité conclut en ce sens que le but existentiel d'Émile est de devenir père et d'éduquer son enfant à son tour. L'enfant éduqué par ses parents acquiert ainsi le sens de la responsabilité à l'égard des autres et le souci du lien social. Le bon père forme un bon citoyen, car c'est « par la petite patrie, qui est la famille, que le cœur s'attache à la grande[44] ! » Les liens naturels forment la garantie des

---

43. *Ibid.*, p. 262.
44. *Ibid.*, p. 700.

La théorie à l'inverse de la vie

liens conventionnels. Mais il est un autre Rousseau qui théorise sur l'éducation et qui doit justifier, à l'inverse, l'abandon des enfants par leurs parents. Il l'a expliqué à Mme de Francueil avant l'écriture de *L'Émile* puis il a repris l'argument dans *Les Confessions*. Cette fois il s'autorise de Platon en affirmant suivre la pédagogie présentée dans *La République* : les enfants sont beaucoup mieux élevés par l'institution publique. Et il l'adapte à sa situation : faute d'une famille convenable, les enfants deviennent de meilleurs citoyens en ignorant totalement leurs liens familiaux. La thèse de *L'Émile* vient donc à contresens d'une telle justification. Rousseau se contredit et construit sa théorie à l'envers de ce qu'il vit, de ce qu'il dit aussi.

Parfois, dire c'est faire, mais dire c'est aussi ne pas faire. Éducateur virtuel, père théorique, Rousseau remplace l'action par l'écriture. « Je ne mettrai point la main à l'œuvre mais à la plume ; et au lieu de faire ce qu'il faut, je m'efforcerai de le dire[45] », concède-t-il. Mais l'énergie men-songère fonctionne autrement : l'écriture ne remplace rien, ne se substitue pas à la pratique, elle invente une personnalité qui puise son éclat dans l'inversion d'une autre. Elle se forge par déni et contrariété. L'investissement extrême de Rousseau dans la théorie et la description d'une éducation idéale, l'image de père surprotecteur, ne signifie pas qu'il aurait voulu assumer une telle responsabilité. Il prit soin de son chien, de sa chatte, soucieux de les placer en sécurité lorsqu'il dut voyager et de les reprendre lors de ses retours.

---

45. *Ibid.*, p. 264.

Mais il ne chercha pas vraiment à retrouver ses enfants. Tardivement, il demanda à la duchesse de Luxembourg de lancer une enquête sur sa première fille, pour le bien de Thérèse, mais en redoutant une éventuelle confrontation avec cette enfant. Croit-il même que son imposant traité puisse équivaloir à une éducation réelle ? Dans ce même ouvrage il moque paradoxalement le peu d'intérêt des livres face à une éducation proche de la nature. L'énergie qu'il déploie dans son écriture n'est donc pas compensatoire, elle procède de l'écrasement de la vie vécue. Plus l'auteur affirme, plus il ment, et plus il s'invente un soi en stature de philosophe.

La construction d'une théorie joue ainsi un rôle psychique déterminant pour Rousseau qui va peu à peu s'identifier à ce livre. La puissance de déni et de transformation mise en œuvre l'amène à penser son traité comme l'achèvement de sa pensée, de sa personnalité, de son existence. La publication de *L'Émile* a pris du temps, et les tracas causés par les lieux d'impression et les trahisons qu'il subodore sont vécus dans sa chair, comme si la santé de son corps était liée à ce livre. « Tandis que mon état empirait, l'impression de *L'Émile* se ralentissait, et fut tout à fait suspendue[46]. » Rousseau est terrorisé à l'idée de ne pas laisser ce traité à la postérité, car il doit le faire triompher contre tous les complots. Il affirme même qu'il attend cette publication pour prendre sa retraite. Et s'il écrira ensuite de grandes œuvres, il voudra toujours être jugé à l'aune de celle-là. *Les Confessions* exposent sa vie

---

46. Jean-Jacques Rousseau, *Les Confessions, op. cit.*, p. 565.

La théorie à l'inverse de la vie

intime à tous les regards, mais *L'Émile* demeure son autoportrait théorique le plus investi.

La fonction psychique d'une écriture philosophique est rarement pensée comme la construction d'une image de soi, et pourtant elle joue ce rôle à l'instar d'une œuvre littéraire. Certes le matériau verbal employé par les philosophes diffère de celui des écrivains de romans ou de théâtre. Mais la circulation des *moi* qui s'y produisent ne ménage pas moins de scènes, de miroirs où le sujet écrivant se constitue, se donne à lire et à voir par ses lecteurs. De tels autoportraits relèvent à la fois de la pensée rationnelle et de choix existentiels, conscients ou non. Ils s'élaborent au gré des circonstances, des opportunités qui permettent de se transformer, de se refaire une personnalité, de récupérer la charge du passé pour la réaménager. Le mensonge, entendu comme un discord entre le vécu et le discours, peut y avoir une part décisive sans obérer la pertinence théorique. Une œuvre philosophique est aussi un « roman vrai ». Sans doute les penseurs qui recourent à des écritures tant littéraires que philosophiques donnent-ils plus de prise à cette lecture. Cependant une attention fine à la composition des œuvres théoriques permet de deviner, même dans les écritures les plus « abstraites », ce lien entre le spéculatif et le spéculaire.

## Être ce qu'on n'est pas : l'engagement de Sartre

Se prendre pour un martyr de la vérité, se regarder comme un héros stoïque, s'imaginer l'inventeur solitaire d'une théorie foudroyante, sont des rôles qu'offre le théâtre conceptuel. Cette mise en scène de soi dans une écriture théorique peut sembler contrarier l'authenticité d'un penseur au seul service des idées. Elle relève d'une imposture s'il ne s'agit que d'exposer un moi puissant au regard des autres. Toutefois l'investissement psychique des idées s'exerce entre soi et soi, sans que le sujet ne soit toujours conscient de son auto-représentation. Parfois l'auteur soupçonne la présence de l'amour-propre dans l'élaboration de ses thèses, ou d'un génie mauvais, sinon malin, qui le pousse dans telle ou telle direction. Sartre fut sans aucun doute l'un des philosophes les plus avertis contre ce genre de tromperie ou de mensonge à soi-même. Il n'eut de cesse de traquer l'inauthenticité rampante au cœur de ses écrits et actions. Sa pratique de l'introspection se lit dans les carnets qu'il a écrits alors qu'il était soldat pendant la « drôle de guerre ». Exerçant une autocritique sans relâche, il soupçonne chacune de ses attitudes morales ou de ses positions philosophiques d'être des ruses pour donner une belle image de lui-même.

Expert en autocritique, Sartre connaît son orgueil, jusque dans son humilité ou sa maîtrise de lui. Il analyse tout, il ne veut pas être dupe, la réalité est filtrée par son intelligence et sa rhétorique. Alors qu'il est soudain mobilisé en 1940 pour devenir un simple troufion, il tente d'adopter une totale indifférence à l'égard de ce qu'il subit, se réfugiant une fois de plus dans les mots. Avec distance, il considère que l'Histoire lui est tombée dessus, qu'il n'y peut rien car on n'assume de responsabilité qu'à l'égard de ce qui dépend de soi. Sans être naïf quant à ce choix d'être détaché, il intitule ironiquement le récit de ses pensées « les tribulations d'un stoïque » et décortique la moindre de ses motivations morales avec une impitoyable lucidité.

Cette suspicion systématique à l'encontre de soi, si elle peut avoir des vertus spéculatives, telle que Descartes l'a pratiquée, n'est pas sans risque lorsqu'elle ne mène pas à une certitude minimale et qu'elle menace l'unité du sujet pensant. L'autocritique devient alors une sorte d'activité sans noyau, son auteur étant l'objet de sa propre destruction. De fait Sartre déstabilise ses thèses morales à mesure qu'il les construit, perdant toute assurance et toute confiance dans son moi. Je suis à la fois le même et un autre, observe-t-il, je suis à chaque fois d'autres possibilités selon les circonstances, ce qu'il appelle la « situation ». Cette réflexion sur les transformations de ses idées et de son rapport à l'existence en temps de guerre réactive le doute qu'il a toujours éprouvé quant à la réalité de son moi. Dans un carnet intime, il écrivait, à 18 ans déjà : « J'ai cherché mon moi ; je l'ai vu se manifester dans les rapports avec mes amis, avec la nature, avec les femmes que j'ai aimées. J'ai trouvé en moi une âme collective, une âme du groupe, une âme de la terre, une âme des livres. Mais mon moi proprement dit, hors des hommes et des choses, mon vrai moi, inconditionné, je ne l'ai pas trouvé[47]. » Certes un exégète de Sartre observerait que

---

47. Jean-Paul Sartre, « Carnet Midy », in *Écrits de jeunesse*, Gallimard, « Blanche », 1990, p. 471-472.

Le génie du mensonge

le philosophe élabore, sur le deuil du vieux moi, une théorie de la conscience libre qui n'est jamais ce qu'elle est, n'est plus ce qu'elle a été, et pas encore ce qu'elle sera. Mais Sartre confie, sous sa thèse d'une conscience toujours en projet, qu'il ne s'est jamais senti solidaire de lui-même.

Ceux qui gardent de Sartre l'image d'un auteur sûr de lui, donneur de leçons politiques, seraient surpris de le découvrir si incertain et même si léger. Pourtant de nombreux écrits témoignent de ses doutes, de son souci d'assumer l'existence malgré l'impossibilité d'y adhérer et de s'y reconnaître. « Il faut être fait d'argile et je le suis de vent[48] », regrette-t-il, tout en voulant chausser des semelles de plomb. Sartre est un homme qui flotte alors même qu'il se sent coupable d'une telle inconsistance. De fait, la question de la responsabilité, corollaire d'une théorie de la liberté qui oblige les hommes à se définir seuls par leurs choix, constitue l'obsession morale des textes de Sartre. Et s'il n'est pas sujet à la paranoïa comme Rousseau qui soupçonne le monde entier de l'accuser, il n'en met pas moins en scène un tribunal permanent dans ses pièces de théâtre. Des *Mouches* aux *Séquestrés d'Altona*, ses personnages principaux sont soumis aux jugements des autres et rendent des comptes pour les actes qu'ils ont commis ou, plus souvent, qu'ils auraient dû accomplir. Sa pièce la plus fameuse, *Huis clos*, présente comme une torture la délibération infinie entre trois personnages qui tentent de justifier leurs actions et

---

48. Jean-Paul Sartre, *Carnets de la drôle de guerre*, Gallimard, 1995, p. 539.

La théorie à l'inverse de la vie

leur inaction. Qu'une telle œuvre ait été écrite à la fin de la guerre et que le personnage masculin y incarne un lâche, empêtré dans ses mensonges, oriente l'écoute non seulement vers les thèses de Sartre sur autrui mais aussi vers l'auteur et sa situation en 1944.

Il faut dire la vérité, finissent par concéder les personnages de *Huis clos*, après avoir menti et crié à l'erreur judiciaire qui les a conduits en enfer. Mais quelle vérité exactement ? Celle des faits ne suffit pas, et Sartre suggère que la vérité ne peut être établie définitivement car elle reste toujours suspendue à la conscience et au temps : elle doit être vécue comme telle par celui qui la profère et elle suppose un regard rétrospectif du présent sur le passé. Sartre veut fonder la vérité et le mensonge sur un rapport à soi, plus que sur une assertion qui serait objectivement vraie ou fausse. À l'instar de Rousseau, il ne cesse de travailler ces notions et de puiser au fond de lui les motivations du parler vrai ou mensonger. C'est dans son ouvrage de philosophie, *L'Être et le Néant*, publié en 1943, alors que Sartre enseigne à Paris sous occupation allemande, qu'il écrit sur le mensonge. Il propose de distinguer le mensonge intentionnel – exercice de tromperie par celui qui sait la vérité – du mensonge à soi qu'il nomme « mauvaise foi ». Cette thèse, devenue célèbre, vise à cerner une conduite de la conscience qui abdique sa liberté pour exister sur le mode des choses. L'individu de mauvaise foi se persuade qu'il ne pouvait agir autrement qu'il l'a fait, à cause des circonstances ou de sa supposée nature. Dupe de lui-même, il use d'une semi-persuasion qui lui permet de fuir ses responsabilités. La mauvaise foi est donc l'attitude d'une conscience qui demeure tourmentée par une liberté qu'elle fuit. Mais si Sartre la condamne, il ne lui oppose pas la « bonne foi » ou la sincérité, comme y prétendait Rousseau, car il sait qu'elles relèvent tout autant de la mystification.

Les exemples que Sartre propose pour illustrer le mensonge à l'égard de soi sont devenus des figures célèbres, notamment celle du garçon de café qui joue à être garçon de café en accentuant par trop les gestes supposés de sa fonction. Il adhère à lui-même, il colle à sa représentation. Dans ce petit théâtre philosophique, le serveur voisine avec une coquette qui se laisse toucher la main en gardant son air de sainte-nitouche, ou encore avec un homosexuel sommé de s'avouer pédéraste par les champions de la vérité. Sartre prend ses exemples dans la « vie quotidienne » et intègre à ses thèses philoso-phiques très complexes des personnages ordinaires. Il écrit au café et il observe autour de lui des garçons de café et des histoires de mœurs… en l'année 1942. Au détour d'une démonstration surgit toutefois un doute qui sonne plus historique : « Je ne puis tenter de me saisir comme *n'étant pas lâche,* alors que je le "suis" […]⁴⁹ » Le pronom « je » vaut ici comme sujet d'école, certes, mais nous pouvons y deviner la personne du philosophe qui se met dans la peau d'un lâche. Même si Sartre jubile en créant des concepts, comme il l'exprime dans une lettre à Beauvoir, son essai philosophique est hanté, en sous-texte, par l'examen de conscience et la perspective

---

49. Jean-Paul Sartre, *L'Être et le Néant,* Gallimard, 1943, p. 107.

La théorie à l'inverse de la vie

du jugement que déploient les grands chapitres sur le regard d'autrui. Au point qu'il se demande, comme s'il s'adressait à lui-même : « Comment peut-on croire de mauvaise foi aux concepts qu'on forge tout exprès pour se persuader[50] ? »

Lâche ou courageux, menteur ou sincère... qu'a vraiment fait le déserteur de *Huis clos* ? Que n'a pas fait Sartre ? L'affaire n'est jamais classée car nous pouvons toujours la revisiter, lui donner un nouveau sens, observe le philosophe des vérités en devenir. Les actes passés ne prennent une valeur qu'à partir des actes présents, de leur reprise dans un nouveau projet d'existence. La désertion peut être vue comme une lâcheté si elle n'a consisté qu'à préserver une vie indemne de tout risque, mais elle devient une attitude courageuse si elle s'inscrit dans un projet de contestation et d'engagement pour changer le monde. Un individu ne peut donc être jugé sur ses actes qu'une fois mort, lorsqu'il ne peut plus récupérer sa vie antérieure pour l'orienter dans une perspective nouvelle.

La vérité est toujours en instance de jugement. Sartre a élaboré cette réflexion à la fois ontologique et morale pendant la guerre, alors que son existence a été bouleversée. Mobilisé, puis fait prisonnier, il est revenu à Paris, puis il a pris un poste d'enseignant, et il a beaucoup écrit : un journal, des lettres, des romans, des pièces de théâtre, des essais philosophiques, des scénarios pour le cinéma. Écrire sous l'Occupation donne un sens fort aux textes, pris dans une situation

---

50. *Ibid.*, p. 108.

historique exceptionnelle pendant laquelle chaque mot résonne politiquement. Sartre incitera lui-même à ce type de lecture en pointant, après guerre, la « responsabilité de l'écrivain », qu'il écrive ou non sur son temps. Le non-engagement est encore un engagement dont chacun est comptable, affirmera-t-il. Relire les nombreux textes de Sartre à la lumière de ses propres « engagements » semble donc légitime, même si leur portée excède le contexte. Il y va d'une analyse de sa production intellectuelle, plus que d'une réduction historiciste : c'est le moteur de la réflexion conceptuelle, que d'aucuns appelleraient sa « généalogie », qu'il importe de dégager.

La théorie de la mauvaise foi importe avec elle quantité de notions – vérité, sincérité, authenticité – que Sartre reprend avec une acuité d'autant plus vive qu'il les travaille surtout en 1942, 1943 et 1944, années pendant lesquelles le philosophe écrivain s'est concentré sur son écriture après avoir abandonné son projet d'entrer dans un réseau de résistance. Il avait déjà écrit un texte sur la vérité, à l'âge de 25 ans, plutôt inspiré par Nietzsche dans sa remise en cause d'une vérité éternelle et universelle. Dans *La Légende de la vérité*, en 1930, Sartre contestait à la fois la science et la philosophie rationnelle dans leur prétention à mettre au jour des vérités préétablies alors qu'elles sont construites et procèdent d'une histoire. Toutefois, il n'abdiquait pas l'idée de vérité, malgré sa dénonciation au titre de légende, et il l'ancrait plutôt dans une pratique, celle de la vérification. Fort d'une telle démythification, Sartre peut réinvestir cette critique et théoriser, en période de guerre, l'idée d'une vérité sans cesse dépassée, au double sens de finie et de doublée. Une vérité produite à une époque peut acquérir une autre signification plus tard. Sartre y reviendra en 1948, dans *Vérité et existence*, discutant le texte de Heidegger sur *L'Essence de la vérité*. Il rappellera que le vrai n'est pas de l'ordre de la contemplation passive ni de l'éclaircie, mais qu'il est actif, historialisé par les humains. « Toute vérité est vécue comme danger, effort, risque[51]. » Indécidable, la vérité est une épreuve, fût-elle un mensonge à soi-même.

Il est difficile de lire ces incessantes réflexions sur la vérité « éprouvée » sans penser à leur auteur et à la manière dont il a vécu la vérité de son temps. Le choix de l'ignorance, écrit Sartre, est le refus d'être libre, le refus d'assumer ses responsabilités. Le carnivore distingué qui ne veut rien savoir des abattoirs, remarque-il, est typiquement de mauvaise foi. S'il acceptait de voir comment on abat les bœufs, le chateau-briand qu'il déguste deviendrait la chair morte d'un animal et non plus cette matière anonyme qu'on appelle la viande. Nous sommes tentés de demander à Sartre ce qu'il voulait savoir de la vie sous l'Occupation lorsqu'il prenait son café au Flore, lorsqu'il enseignait au lycée Condorcet, lorsqu'il faisait répéter ses pièces au théâtre Sarah Bernhardt, rebaptisé théâtre de la Cité... Mais pouvait-on « choisir » de ne pas voir les coulisses ? Le nettoyage ethnique était partout. Ainsi de l'étoile jaune : Sartre se demande s'il faut la regarder

---

51. Jean-Paul Sartre, *Vérité et existence*, Gallimard, 1989, p. 27.

ou l'ignorer. Témoigner de son soutien à celui qui la porte, c'est faire le jeu des Allemands qui stigmatisent une catégorie de la population. Mais l'ignorer, c'est risquer l'indifférence et agir comme si tout se passait normalement dans la France occupée.

En écrivant sur le mensonge et les raisons spécieuses qu'un sujet se donne pour ne pas voir, ne pas assumer, ne pas agir, Sartre mène son propre examen de conscience, comme en témoignent déjà les *Carnets* où il traque continûment ses alibis et ses fausses justifications. Comment se représente-t-il sa situation dans le Paris de l'Occupation après l'échec de Socialisme et liberté, le groupe de résistance qu'il a créé à son retour du stalag ? En diffusant des tracts, il prenait d'énormes risques pour des résultats quasi nuls, il n'avait pas la corpulence physique d'un combattant du maquis, il ne connaissait pas les bons réseaux comme Jean Cavaillès... Il rendait plus service à la Résistance en écrivant des livres dont les messages traverseraient la censure. Quels que soient les mobiles, seul l'avenir donnera sens à son comportement. Et l'inaction passée pourra toujours être dé-passée par une suractivité en cours qui ré-enroulera le trajet moral et politique. De fait, lorsque les adversaires de Sartre lui reprochent d'avoir commis des erreurs de jugement sur telle ou telle situation historique, il leur répond que « les vérités sont devenues[52] », et que seul compte le chemin accompli. La formule résonne d'un certain hégélianisme mais elle correspond surtout à la

---

52. Jean-Paul Sartre, *Situations, X*, Gallimard, 1976, p. 183.

La théorie à l'inverse de la vie

représentation que Sartre se donne de son implication subjective dans l'Histoire et de sa rencontre avec des déterminations collectives qui lui échappaient où moment de l'action ou de l'inaction.

Contempteur de ses propres mensonges, Sartre divorce régulièrement avec lui-même. Il délivre par étapes l'autoportrait paradoxal d'un homme qui *n'adhère pas à ce qu'il est*, sans cesse transporté au-delà de lui à cause du mouvement de sa conscience et à cause du cours historique. Ballotté mais engagé, il court après la vérité, il reconnaît ses erreurs et les insère dans un continuum de sens. Au moment où il s'arrête pour regarder en arrière, il découpe sa vie, il décortique son passé. À la fois objet et sujet, il en dresse une autocritique, puis il redistribue ces strates antérieures dans un parcours intellectuel, en périodes à chaque fois différentes. La mise en scène philosophique de ses révolutions vise à récupérer le passé, à lui donner une nouvelle vérité. Cette représentation rétrospective de soi est une *autofiction théorique*.

L'autocritique, devenue une méthode et un système, relève d'une maîtrise paradoxale de la vérité : elle vole en effet aux autres le droit d'exercer une critique en la devançant. Voudriez-vous objecter à Sartre que sa philosophie de la liberté ne prenait pas en compte la réalité collective, l'auteur a lui-même dénoncé cette fausse idée d'une liberté par indépendance et il a déjà répondu à ces objections par une nouvelle théorie. Philosophe protéiforme, Sartre digère les références et les contradictions qui ne sauraient le retenir dans un passé. Il marche avec Husserl, Heidegger, Marx puis les double et court ailleurs, laissant leurs exégètes crier à la trahison. Insaisissable, Sartre leur laisse la carte de ses déplacements. Il n'adhère pas à lui-même et s'invente des identités théoriques par dépassements et transmutations.

Le moment de la guerre est celui que Sartre dramatise le plus, marquant la coupure majeure de sa vie en deux. Il y a un avant et un après qui permettent à l'écrivain philosophe de répartir ses œuvres et de les interpréter à la lumière de cette transformation, de l'individualisme au socialisme. Il en dressera le tableau rétrospectif lors d'entretiens à la fin de sa vie, mais au moment même où il vit ce changement, où il se sent devenir un autre, il écrit déjà une suite romanesque à caractère biographique. *Les Chemins de la liberté* montrent en effet l'itinéraire d'un individu qui se croit libre parce qu'il refuse toute forme d'engagement et qui se rend compte de son échec. Mathieu Delarue, clone du Sartre d'avant guerre, sera dépassé et remplacé par d'autres personnages, dans le troisième tome, à l'issue d'un parcours dialectique montrant une liberté engagée dans l'histoire. En même temps qu'il vit ses changements intimes, Sartre les théorise, les périodise, les met en scène comme s'il s'agissait d'écrire l'Histoire. Cependant cette découpe épisté-mologique vise à détacher le passé de son existence personnelle. Alors qu'il est mobilisé, engagé malgré lui dans la guerre, Sartre écrit : « Les moments les plus forts ou les plus hauts de ma vie passée ne m'intéressent plus, dès lors qu'ils sont passés. Ma tendance naturelle sera toujours de les rabaisser, puisque j'estime valoir mieux que celui que je fus. Cette solidarité avec soi, si touchante chez Stendhal, qui le détourne de peindre ses meilleurs moments parce qu'il les déprécierait pour lui en en parlant, me fait entièrement défaut. C'est en partie la raison de la publicité de ma vie. Tout se détache de moi et je donne tout à tous, parce que je suis déjà détaché de tout[53]. »

Ce schisme entre la vie et sa représentation publique – romanesque et théorique – relève autant d'une extrême lucidité que d'une inquiétante instabilité psychique de celui qui ne se reconnaît plus, et croit se débarrasser de son passé en le léguant aux autres. Il souligne en tout cas le rôle de l'autofiction théorique : la périodisation d'un parcours intellectuel et la dramatisation de ses temps forts ne viennent pas dans l'après-coup du vécu, elles exercent un forçage qui modifie au présent le sens du passé. La théorie construit la période plus qu'elle ne l'exprime. Elle permet à Sartre de s'inventer une continuité factice, avec laquelle il ne fait pas corps, et de la séquencer avec de spectaculaires ruptures. Le philosophe devient à lui-même son personnage conceptuel qu'il manipule sur la scène de la vérité.

Nous savons que cette représentation à la fois théorique et fictive relève, dans une certaine mesure, du mensonge, moins par tromperie que par nécessité de trouver une solution psychique. Plus tard, lorsqu'il tentera la biographie totale de Flaubert, son double antithétique, Sartre proposera des « solutions de continuité » entre un individu et son époque. Mais

---

53. Jean-Paul Sartre, *Carnets de la drôle de guerre*, op. cit., p. 127.

il voudra toujours les inscrire dans une relation dialectique permettant de donner un sens à chaque menu fait et attitude, enveloppés dans une totalisation. Ces solutions théoriques masquent le vécu indicible et pourtant agissant, celui des temps faibles, celui des pas de côté, des tangentes et des syncopes : les rêves, la mélancolie, la dépression, les aventures sentimentales, la musique, les voyages... une multitude d'autres rythmes tout aussi essentiels à la vie, que l'hagiographie théorique laisse dans l'ombre. Cette distinction entre temps forts et temps faibles est commode mais peu pertinente, car elle entretient l'illusion d'une vie supérieure, celle de l'existence raisonnée, et d'une vie ordinaire et commune. Même la notion de contradiction ne saurait rendre compte de cette dissociation entre le vécu et sa représentation intellectuelle. Ce sont plutôt des articulations complexes, tissées de fictions – leurres, ruses, mensonges, dénis, inventions – qui agencent les tensions entre la vie et les discours. Sartre a vécu la guerre comme une suite de ruptures qu'il lui faut intégrer dans un scénario. Le plus invraisemblable et le plus fascinant est sans doute celui qu'il construisit à la fin de la guerre – sa théorie de l'engagement – et qu'il s'imposa jusqu'à la fin de son existence, quitte à le trahir clandestinement.

En 1944 la guerre touche à sa fin et Sartre va devoir donner un sens à l'Après. Il a fait jouer *Huis clos* en mai, Paris est libéré en août, il écrit dans les *Lettres françaises*, la revue du Comité national des écrivains. Dans ses articles, il veut penser la coupure temporelle et les nouvelles perspectives pour l'humanité. Un an plus tard, il lancera sa propre revue, *Les Temps modernes*, et deviendra pour longtemps la figure phare de l'intellectuel engagé. Il occupera le terrain politique avec une ardeur jamais démentie, adoptant la cause de tous les opprimés de la terre, et cela dès 1945. L'article le plus flamboyant qui entama cette conversion au politique fut sans doute le texte intitulé « La République du silence », paru le 9 septembre 1944 en une du premier numéro des *Lettres françaises* sorties de la clandestinité. Il commence par une formule aussi fameuse que mal comprise : « Jamais nous n'avons été aussi libres que sous l'occupation allemande. » Le philosophe y promeut sa conception de la liberté, fondée sur le choix. L'oppression a donné plus de poids et d'authenticité aux actions que les uns et les autres ont assumées, risquant la mort en défiant l'occupant. À la différence des choix qui s'offrent en temps de paix et auxquels nous répondons par un « oui mais » ou un « non mais », ceux accomplis pendant l'Occupation engageaient la vie des personnes. Les Français étaient collaborateurs ou résistants, sans demi-mesure possible. Et Sartre de préciser qu'il parle de tous les Français qui ont dit non pendant quatre ans, pas seulement des résistants qui ont mené une lutte armée. Il idéalise cette République du silence et de la nuit où chaque Français, quelle que soit sa condition, a choisi sa liberté et celle de tous en refusant le nazisme.

Le texte de Sartre est lyrique, porté par l'euphorie de la libération de Paris. On commet un contresens en ne retenant que la première phrase qui laisserait penser que Sartre a approuvé la collaboration. Mais on se méprend peut-être aussi en adhérant à sa description d'un monde manichéen. De multiples compor-tements – et ce furent les plus courants pendant l'Occupation – n'ont pas correspondu à cette opposition tranchée entre résistance et collaboration. L'action ou l'inertie, la parole ou le silence pouvaient relever de la complicité objective ou de la résistance passive. Et Sartre lui-même n'eut pas à prendre le risque de mourir dans les activités qu'il mena pendant quatre ans. Pourtant, il parle au nom de tous dans ce texte qui construit déjà le mythe d'une France uniformément résistante. On ne s'étonne pas assez de l'emploi du « nous » dans cette fameuse formule sur la liberté sous occupation allemande. Est-ce le « nous » des résistants, celui des Parisiens, des Français ? Sartre glisse son « je » dans ce « nous » qui revêt les habits du martyr – « on nous déportait en masse, comme travailleurs, comme Juifs, comme prisonniers politiques… » – bien qu'il ne réponde d'aucune de ces catégories. Parler pour les autres, c'est prendre leur place, par générosité ou par abus de langage. Sartre s'invente ici une image de résistant et le texte inaugural de ses engagements à venir relève du mensonge.

Une fois encore, le mot de mensonge doit être précisé dans un sens amoral : l'étonnement devant le texte que Sartre écrivit en 1944 ne vise pas l'hypocrisie d'un résistant de la dernière heure, comme il y en eut beaucoup. Il encourage plutôt à comprendre l'articulation entre un discours et un vécu discordants. Quel rôle joue ce texte dans la représentation que l'individu Sartre se fait

La théorie à l'inverse de la vie

de lui-même et de son passé ? Comment la théorie de l'engagement qui s'ensuivit s'est-elle fondée sur un déni de réalité, sur la reconfiguration de soi sous la forme d'un aveu contourné : Sartre reconnaît s'être fourvoyé avant guerre dans sa pensée de la liberté solitaire et il raconte sa conversion théorique survenue lors de sa captivité en 1940. Il produit alors une version intellectuelle de son cheminement qui justifie, après-coup, son investissement dans la philosophie et l'action politiques. Mais ce récit de soi ne correspond pas au vécu du philosophe tel que nous y accédons à travers d'autres textes ou témoignages.

Le tragique de l'existence que décrit Sartre, la mort qui rôde en permanence dans les rues et les têtes, la conscience d'une responsabilité extrême à l'égard des autres, le non absolu à l'Occupation, la peur panique, la prison, la torture, la déportation... cela ne fut pas son lot, encore moins son destin. Sartre n'a pas été malheureux lorsqu'il était prisonnier en Allemagne et il confie même à Simone de Beauvoir, dans une lettre du 10 décembre 1940, qu'il ne s'est « jamais senti aussi libre ». À Paris, il passe son temps au café et se passionne pour sa nouvelle carrière de dramaturge et de scénariste au cinéma. Il se réjouit de trouver des émissions à la Radiodiffusion nationale installée à Vichy pour Simone de Beauvoir, espère la retrouver hâlée quand elle reviendra des sports d'hiver à la fin de l'année 1943. La correspondance de Sartre durant ces années-là le trouve souvent heureux et gai, malgré les soucis de tout un chacun en temps de guerre.

Sans doute convient-il de déminer un terrain devenu sujet de polémiques malveillantes à propos du comportement de certains écrivains et artistes français sous l'Occupation. Tel n'est pas le sujet ici, encore qu'il soit nécessaire de démentir l'hypothèse d'un Sartre complaisant avec l'occupant. Que Sartre fut, dès le début de l'Occupation, un résistant dans l'âme est une évidence, pour peu qu'on lise ses textes, même ceux qui reçurent l'autorisation de la censure allemande et française. Et tous les témoignages concordent pour confirmer sa volonté de lutter contre le nazisme dès son retour de captivité. Toutefois rejeter cette accusation illégitime ne conduit pas à transformer l'écrivain en héros de la Résistance. Sartre semble avoir adopté une attitude moyenne, celle d'une majorité de la petite bourgeoisie intellectuelle, participant à un relatif essor culturel – au théâtre et au cinéma – pendant l'Occupation, tout en espérant la victoire de la Résistance. Notre propos ne consiste pas à rouvrir ce dossier ni surtout à participer à un quelconque tribunal moral et politique. Nous souhaitons seulement poser une question, sur différents registres : comment peut-on écrire au nom de la Résistance quand on n'a pas soi-même été résistant ? Comment peut-on asseoir une théorie de la liberté sur une situation qu'on sait fausse ? Comment peut-on endosser le rôle d'un imprécateur moral tout en se sachant coupable ?

La tournure de ces questions ne doit pas laisser prise à un jugement moral, sans quoi celui qui les pose usurperait à son tour une position de bonne conscience qui le dédouanerait de rendre des comptes. Plus complexe est de penser de telles « contra-dictions » comme relevant d'une structure psychique et constituant une ressource philosophique. Sartre ne développe pas sa théorie de l'engagement « malgré » son comportement pendant l'Occupation mais « à partir de » lui. La radicalité qu'il prône après guerre trouve paradoxalement sa source dans son passé de demi-mesures et de compromis. De nouveau, à l'instar des paradoxes de Rousseau, la thèse de la compensation semble insuffisante. Elle fut certes proposée par Vladimir Jankélévitch, soucieux d'évaluer les philosophes français à l'aune de leur attitude pendant la guerre. Observant le refoulement de cette question dérangeante posée sur l'attitude des élites intellectuelles et artistiques sous l'Occupation, il analyse les stratégies de reconversion de ceux qui ont traversé sans encombre cette période et ont poursuivi ensuite leur carrière. Loin de considérer Sartre comme un cynique ou un arriviste, Jankélévitch suggère que sa morale de l'engagement a été d'autant plus maximaliste qu'elle répondait à la culpabilité du philosophe, honteux de n'avoir pas été à la hauteur d'une véritable résistance. L'investissement politique de Sartre après la guerre, engagé à soutenir tous les damnés de la terre, viserait le pardon pour ses insuffisances, voire ses lâchetés ou ses compromissions.

La mauvaise conscience peut être un moteur de la théorie, et pas seulement de la morale, mais la seule explication psychologique ne suffit pas à montrer la puissance spéculative et théorique d'un déni ou d'un mensonge. Or l'enjeu psychique et philosophique d'un tel renversement, par lequel un individu théorise l'inverse de ce qu'il a vécu, suppose une métamorphose de soi par le discours. Le recours au langage à vocation universelle, à un discours supposé atteindre la généralité en effaçant le moi qui parle et qui écrit, ce recours procède d'un coup de force et d'une mutation. La mobilisation personnelle et politique dont Sartre s'est fait le héraut doit être pensée à partir de cette conversion pour que soit comprise l'apparente contradiction entre sa vie et sa théorie. Le texte qu'il écrit pour les *Lettres françaises* est bien le départ de cette transformation par laquelle un « je » singulier et incertain, celui de Sartre se posant mille questions sur sa nature, ses changements, sa légèreté, devient un « nous », celui des Français opprimés par l'occupant allemand, celui des victimes du nazisme, celui des résistants torturés. Plus qu'un coup de bluff grâce auquel Sartre prend la main sur le champ intellectuel de l'après-guerre, ce texte inaugure un nouveau moi : Sartre se construit lui-même par ce « nous » qui deviendra le pronom de tous les appels à résister.

La construction rhétorique et philosophique du « mensonge » passe par la transformation du défaut en excès. Et c'est précisément cet excès qui révèle une tension non résolue, l'insistance obsessionnelle à affirmer une thèse ou à afficher un comportement laissant deviner une volonté de masquer. Dans les entretiens où il propose un bilan de sa vie, Sartre n'évoque de culpabilité qu'à l'égard des Républicains espagnols de 1936, pour lesquels il eut de la sympathie mais sans conséquence. En revanche il est peu disert sur sa vie pendant l'Occupation et seule la correspondance donne une idée de son emploi du temps et de ses centres

145

d'intérêt. Un texte toutefois, écrit en décembre 1944, manifeste une gêne en même temps qu'une autojustification. S'adressant aux lecteurs anglais et américains, il ne peut entonner avec trop d'assurance l'air d'une France unanime et résistante. Dans « Paris sous l'Occupation », Sartre allègue le « ressenti » des Français qui ne s'est pas forcément traduit en action. Et il souligne les sentiments mêlés, entre haine et gêne, entre colère et raison, devant l'occupant allemand ou face aux bombardements alliés. À l'inverse du texte destiné aux Français, celui-ci pointe les « ambiguïtés » de la vie sous le joug allemand, tout en défendant l'idée que « l'Occupation fut souvent plus terrible que la guerre ». Les mots et les gestes pouvaient être interprétés en plusieurs sens. Voilà qui tranche avec le ton lyrique adopté par Sartre, au même moment, quand il prenait à témoin le public français : « Chaque parole devenait précieuse comme déclaration de principe, puisque nous étions traqués, chacun de nos gestes avait le poids d'un engagement. » C'est donc en connaissance de cause que Sartre efface les ambiguïtés passées pour affirmer la nécessité absolue de s'engager. Activiste au sens fort, il ira aux extrêmes, comme fasciné par la violence qu'il soutiendra au nom de la contre-violence, adoptant la rhétorique révolutionnaire de l'homme nouveau qui doit naître en détruisant ses oppresseurs. La radicalisation et le maximalisme de Sartre sont devenus une image de marque du philosophe mobilisant son existence au profit des causes révolutionnaires.

Cependant, cette cohérence de la pensée et de l'action relève d'une autoreprésentation de soi et demeure issue d'un déni. La théorie de l'engagement s'est construite sur un défaut d'engagement. Certes, le célèbre manifeste des *Temps modernes* trouve une place parfaite dans la France de l'après-guerre en appelant à la « responsabilité de l'écrivain », il rompt avec l'insouciance désabusée des années 1930, le mépris de l'humanisme bourgeois. Mais à lire les phrases comminatoires de Sartre, écrites en 1945, le lecteur peut s'interroger sur l'exemplarité d'un auteur qui instaure un « tribunal des lettres », sans doute dans la continuité des procès de la Libération, et qu'il étend aux siècles antérieurs. Ainsi de la « Présentation des *Temps modernes* » dans laquelle Sartre tient Flaubert et Goncourt « pour responsables de la répression qui suivit la Commune parce qu'ils n'ont pas écrit une ligne pour l'empêcher [54] ».

L'accusateur Sartre jugerait-il aussi responsable de la rafle du Vél' d'Hiv un écrivain qui, en 1942, n'aurait écrit aucune ligne pour soutenir les Juifs ou pour condamner la participation de l'État français à leur déportation ? Il était pourtant très sensible à leur situation, comme en témoignent ses *Réflexions sur la question juive*. L'aplomb et l'énergie de Sartre dans l'écriture de son manifeste écrasent les doutes sur son propre passé. Le sujet qui écrit en 1945 a pris l'autorité d'un écrivain qui affirme la « vérité » de la littérature et qui incarne le sens de la responsabilité en dénonçant les auteurs irresponsables. La stigmatisation d'un défaut est certes le signe d'une culpabilité inavouée. La dénonciation

---

54. Jean-Paul Sartre, *Situations, II*, Gallimard, 1948, p. 13.

La théorie à l'inverse de la vie

de l'irresponsabilité de Flaubert sonne ici comme une alerte, voire un aveu.

Les renversements de Sartre soulignent la discordance psychique entre une construction philosophique et l'expérience dont elle procède. Les thèses de *L'Être et le Néant* qui définissent la responsabilité, à partir d'une pensée de la liberté située, du choix et de l'action, détiennent une puissance spéculative autonome. Elles s'inspirent cependant du vécu du philosophe qui emploie plusieurs pronoms, le « nous », le « je », l'impliquant subjectivement dans son ambition d'élaborer une pensée universelle et partageable. Ainsi évoque-t-il la notion de responsabilité au regard de la guerre, à la fois subie et choisie. Sartre tente d'expliquer qu'il est – que ses contemporains sont, que tous les hommes en guerre sont – responsables de la guerre en cours même s'ils ne l'ont pas voulue : « Il ne saurait être question de l'envisager comme "quatre ans de vacances" ou de "sursis", comme une "suspension de séance", l'essentiel de mes responsabilités étant ailleurs, dans ma vie conjugale, familiale, professionnelle. Mais dans cette guerre que j'ai choisie, je me choisis au jour le jour et je la fais mienne en me faisant. Si elle doit être quatre années vides, j'en porte la responsabilité[55]. » L'ambiguïté de l'énonciation philosophique permet d'entendre aussi bien une réflexion de Sartre écrivant en 1943 qu'un cas d'école où la temporalité flotte, permettant à tout un chacun de penser la responsabilité même en temps de paix.

---

55. Jean-Paul Sartre, *L'Être et le Néant*, *op. cit.*, p. 640.

Un spécialiste de Sartre observera que ces thèses sur la responsabilité préparent l'attitude morale et politique que le philosophe adoptera après guerre, les textes sur la littérature engagée en étant les prolégomènes. Toutefois cette lecture idéaliste repose sur l'idée que la vie menée suit une décision philosophique : Sartre aurait pensé la responsabilité puis il serait devenu responsable... Or nous devons nous interroger sur le temps de la pensée, sa situation, son écriture, l'expérience qui la nourrit, les transformations qu'elle génère, afin de comprendre l'articulation entre un langage et un vécu. Sartre s'imagine, se rêve, s'invente des identités en rédigeant ses thèses sur la respon-sabilité. En figurant des personnages au cœur des démonstrations de *L'Être et le Néant*, il joue des rôles et s'incarne dans des personnages conceptuels. Il est aussi bien l'homme regardant par le trou d'une serrure que l'homme regardé, le sadique que le masochiste, l'homme de mauvaise foi que l'homme responsable. En écrivant son « essai d'ontologie phénoménologique », Sartre n'est pas seulement un génial successeur de Husserl et Heidegger, il œuvre aussi à sa renaissance par des rôles. Il se projette dans les spéculations philoso-phiques, abstraites ou incarnées, à l'instar de l'enfant qu'il fut, inventant des personnages chevaleresques pour défendre des victimes innocentes.

Au sortir de la guerre, Sartre se fixe une ligne de conduite, celle de l'écrivain responsable et engagé qu'il incarnera jusqu'à la fin de ses jours. Il y croit et donnera son existence à toutes les causes qui le requièrent. Il ne cessera d'asseoir la légitimité philosophique de cette figure intellectuelle, au travers de ses essais théoriques et de ses articles de circonstance. L'individu qui flottait, qui n'adhérait pas à lui-même ni vraiment à son époque, a désormais plongé dans les tourbillons de son temps. « Nous vivons dans l'histoire comme les poissons dans l'eau[56] », peut-il alors déclarer en 1945. Il a récupéré et digéré le sens de son passé pour l'inscrire dans un projet totalisant, son irresponsabilité n'était qu'un moment du trajet vers la responsabilité. L'intellectuel engagé ne peut toutefois empêcher qu'un individu ait ses chemins de fuite, ses escapades inattendues, ses anachronies inavouées. Et surtout, la grande théorie de l'engagement exerce une force de conviction et d'auto-conviction à la mesure du déni dont elle provient : elle a été forgée sur un vécu d'impuissance, d'inaction, de compromis.

Sartre a-t-il menti sur son comportement pendant l'Occupation ? Assurément non, puisqu'il a toujours pratiqué la « transparence » et n'a rien caché par intention de tromper. Il avoue même avoir un peu usurpé sa réputation de résistant lors de ses conversations avec Beauvoir en 1974. Il évoque le mauvais tour d'un ami qui voulut lui décerner la Légion d'honneur contre son gré, à la Libération. Et il cite un prix italien reçu au titre d' « intellectuel résistant », expression que Beauvoir reprend sans fard et que Sartre minimise : « C'était un prix qui était lié à la Résistance. Je l'ai eu ; Dieu sait pourtant que la résistance que j'ai faite… j'étais résistant, je voyais des résistants, mais elle ne

---

56. Jean-Paul Sartre, *Situations, II, op. cit.*, p. 41.

m'a pas coûté grand-chose [...]. Je me considérais non pas tant comme digne, moi, de cette distinction, mais digne en tant que les autres écrivains auraient pu, comme moi, être nommés[57]. » De nouveau Sartre parle moins en son nom qu'en celui des autres, d'où l'emploi de ce « nous » dans lequel il se fond dès ses articles de la fin 1944.

Toutefois le mensonge peut procéder autrement, surtout lorsqu'il se pare des noms de vérité et de sincérité. D'une autre nature que la ruse volontaire, il relève d'une conversion par laquelle un sujet se leurre et transforme l'image qu'il a de lui. L'allégation de transparence n'a donc rien de contradictoire ni d'hypocrite. De fait, celui qui ment à lui-même expose toutes ses raisons, exhibe même ses doutes. Il ne risque pas grand-chose puisque c'est lui qui se met en scène, qui sait tout ce qu'il y a à voir. Se montrer à nu, sans fard, est une vieille antienne de l'autobiographie. Rousseau reprochait déjà à Montaigne, si prompt à exposer ses faiblesses, de n'avoir présenté que d'aimables défauts[58]. Sartre n'a cependant pas cherché l'affection de ses lecteurs et sa morale de la transparence va au-delà d'un gage d'honnêteté. Il l'a édifiée en conduite de vie et en finalité de l'existence humaine. La version la plus connue de cette visibilité concerne sa relation avec Simone de Beauvoir, le couple ayant dénoncé le modèle bourgeois de la vie maritale

---

57. Simone de Beauvoir, *La Cérémonie des adieux* suivi d' *Entretiens avec Jean-Paul Sartre*, Gallimard, « Blanche », 1981, p. 322.
58. « Je mets Montaigne à la tête de ces faux sincères qui veulent tromper en disant vrai. Il se montre avec des défauts, mais il n'en donne que d'aimables [...] Montaigne se peint ressemblant, mais de profil » (Jean-Jacques Rousseau, *Les Confessions, op. cit.*, p. 1150).

et ses mensonges sexuels. En s'autorisant chacun au grand jour des amours dites contingentes, et en restant transparents l'un à l'autre, ils inventèrent une nouvelle fidélité, le partage de la vérité l'emportant sur les souffrances qu'elle peut causer. Ce pacte amoureux, très commenté dans la sphère sentimentale, dépassait de loin le cadre de la conjugalité.

La transparence, dans l'idéal de Sartre et Beauvoir, devait être publique et concerner les moindres aspects de la vie, sociale et intime. Les récits de vie, journaux, correspondances qu'ils ont publiés témoignent de leur souci d'être transparents non seulement entre eux mais aussi pour tout le monde. À la fin de sa vie, Sartre confie encore espérer une société où le mensonge aura disparu : « J'imagine assez bien le jour où deux hommes n'auront plus de secrets l'un pour l'autre parce qu'ils n'en auront pour personne, parce que la vie subjective, aussi bien que la vie objective, sera totalement offerte, donnée[59]. » La transparence se trouve prise dans le projet eschatologique d'une humanité ayant vaincu le Mal et s'étant délivrée du mensonge. Sartre semble conserver une foi presque naïve, démiurgique en tout cas, en la révolution qui permettra cette abolition. Comme Nizan, l'ami de jeunesse et de cœur, qui croyait que l'URSS aurait supprimé la peur de la mort en inscrivant chaque homme dans le grand projet communiste, Sartre imagine ce salut de la vérité sous la forme d'une société diaphane où chacun deviendrait transparent aux autres.

---

59. Jean-Paul Sartre, *Situations, X, op. cit.*, p. 142.

Le génie du mensonge

L'abolition du mensonge appartenant à la cité des fins, le présent reste toutefois opaque et Sartre concède n'avoir pas atteint son idéal de transparence. Il reconnaît non pas avoir menti mais dit des demi-vérités, ou des quarts de vérité. La division du vrai permet d'éviter l'accusation de mensonge. Au fond, Sartre admet cacher certains aspects de sa vie, comme il le déclare à son interlocuteur, Michel Contat, pour son « Autoportrait à soixante-dix ans » : « J'essaye d'être le plus clair et le plus vrai possible, de manière à livrer entièrement, ou à essayer de livrer entièrement, ma subjectivité. En fait, je ne vous la donne pas, je ne la donne à personne, parce qu'il reste des choses qui, même à moi, refusent d'être dites, que je peux me dire à moi mais qui me refusent à moi d'être dites à l'autre. Comme chacun, j'ai un fond sombre qui refuse d'être dit[60]. » S'il ne peut être aussi translucide qu'il le voudrait, ce n'est donc pas tant à cause de la pudeur, notamment sur sa sexualité, qu'en raison d'une impossibilité d'être clair avec lui-même. « Même à moi », des vérités ne peuvent advenir ! Nous sommes ici au cœur de notre enquête : elle vise moins le mensonge par volonté consciente que le mensonge obscur à l'encontre de soi-même, et qui atteint même les plus lucides, ces affirmateurs abstraits que sont les théoriciens et les philosophes.

L'aveu par Sartre d'une opacité irréductible vient nuancer son idéal de transparence et de vérité. Il participe aussi d'une quête de l'authenticité et d'une traque de l'amour-propre. Sartre ne veut pas être dupe

---

60. *Ibid.*, p. 143.

La théorie à l'inverse de la vie

de lui-même et il entreprend de se casser les os de la tête pour avancer, procédant d'un examen de conscience permanent. S'il ne peut être aussi vrai et transparent qu'il le voudrait, du moins expose-t-il son effort pour le devenir. Il continue de croire, malgré les chausse-trapes, à la connaissance de soi. Bien qu'il refuse l'hypothèse freudienne de l'inconscient, il a souhaité entreprendre une analyse. Mais il conçoit cette expérience sur le mode du savoir : il espère que la psychanalyse pourra lui en apprendre sur lui-même, à l'instar des autres savoirs. Il n'y voit qu'une question de méthode et non l'abandon de soi à une parole incontrôlée. J.B. Pontalis, à qui Sartre a demandé de l'accueillir sur son divan, constate le malentendu de celui qui n'a d'autre motivation que la curiosité intellectuelle.

Sartre voudrait conserver les deux positions du savoir sur soi, objet et sujet. Il se laisse observer, il joue le jeu, mais il veut lui-même interpréter ce qui se passe. Tout jeune, il préparait un diplôme d'étude sur l'imagination et voulut expérimenter les phénomènes hallucinatoires. Il se fit donc injecter de la mescaline pour étudier de l'intérieur les hallucinations, comme s'il pouvait, alors même qu'il hallucinait, garder le contrôle sur lui et décrire la déformation des images mentales. Il multipliera cette volonté d'ubiquité en se faisant l'objet de nombreux savoirs, s'analysant grâce à la sociologie, à l'histoire... autant de mises à distance de lui-même sous l'œil absolu d'un sur-moi qui définit le champ de vision. Que pourrait-il rester dans l'ombre sous tant d'éclairages ? Même l'obscur est connu du sujet connaissant. Sartre admet qu'il a mis en place un système et qu'il ne peut – ne veut – y échapper : « Comme c'est moi qui ai fait ce système, il y avait de fortes chances pour que j'y retombe, et par conséquent, cela aurait prouvé que la vérité, pour moi, ne peut pas être conçue en dehors de ce système. Mais cela aurait pu signifier aussi que ce système reste valide, à un certain niveau, même s'il n'atteint pas la vérité profonde[61]. » À l'inverse de cette explication, un analyste entendrait que le système est précisément mis en place pour faire rempart au surgissement d'une vérité. Celle-là ne s'émet qu'une fois tues les raisons alléguées, lorsqu'un sujet arrive à se taire, à ne plus dire ni écrire.

L'écriture cache et dévoile en cachant, par des affirmations surinvesties. Elle révèle une vérité en s'efforçant de la taire. Quelle écriture favorise le plus une telle torsion, la fiction littéraire ou la spéculation philosophique ? Il semble que la littérature, par l'imagination qu'elle requiert et les tours stylistiques qu'elle encourage, soit plus propice à de tels jeux entre vérité et mensonge. La manière dont un écrivain met en scène sa vie avec plus ou moins de masques engendre de multiples trucages qui orientent une image de soi grâce à ces arrangements. Ainsi de l'autobiographie et de son contrat de vérité qui n'engage que les lecteurs crédules. Sartre, dans *Les Mots*, peut décrire sa rupture avec la foi comme une décision soudaine, alors que dans son journal il confie combien le chemin vers l'athéisme fut lent. Malgré ces tours de passe-passe, Sartre suggère que la fiction littéraire

---

61. *Ibid.*, p. 148.

La théorie à l'inverse de la vie

favorise davantage l'expression du vrai. Ses romans, précise-t-il, donnent une image beaucoup plus proche de ses pensées, de ses doutes, de ses affects que les discours universels et abstraits qu'il a pu tenir. Une vérité n'existe pas sans impliquer le sujet qui la profère, elle ne peut l'effacer totalement sous la généralité :

« On peut arriver à des vérités objectives sans penser sa propre vérité, dit Sartre. Mais, s'il s'agit de parler à la fois de l'objectivité qu'on est, et de la subjectivité qui est derrière cette objectivité, et qui fait partie de l'homme au même titre que son objectivité, à ce moment-là, il faut écrire : "Moi, Sartre". Et, comme cela n'est pas possible à l'heure actuelle, parce que nous ne nous connaissons pas suffisamment, le détour par la fiction permet d'approcher mieux cette totalité objectivité-subjectivité[62]. »

La possibilité d'atteindre la vérité, de se connaître soi-même, est repoussée à plus tard. Elle demeure atteignable, mais en l'état du savoir, elle reste inaccessible. L'écriture se cogne donc à l'opacité, au secret, au mensonge. Elle peut choisir le royaume des ombres ou chercher un peu de lumière. Sartre admet qu'il faut parfois des écrans, des miroirs et des leurres pour atteindre des vérités cachées. Il se peint souvent par contrariété, à travers Baudelaire, Genet, Tintoret ou Flaubert, cet homme qu'il détestait et qui pourtant l'amène à comprendre ses propres relations à l'époque. La fiction permet de dire la vérité lorsqu'elle devient un « roman vrai ».

---

62. *Ibid.*, p. 145-146.

La philosophie prétend certes à une autre vérité que celle du moi et de ses réflexions subjectives. Toutefois elle recourt aussi, malgré le démenti de ses auteurs, à des fictions. Ces dernières ne se limitent pas aux exemples pris dans la vie courante pour illustrer des thèses – personnages conceptuels ou cas d'école symbolisant des problèmes dits moraux. Les fictions sont au cœur même du discours dans l'investissement subjectif de l'assertion générale. L'emploi des pronoms, les figures rhétoriques, l'architecture des traités, la périodisation des phrases, la manière d'affirmer, de ratiociner, d'employer le verbe *être*, d'user des substantifs plutôt que des verbes vont au-delà des codes rhétoriques et engagent le sujet écrivant. Si la littérature produit des fictions vraies, la philosophie, elle, présente des « vérités fictives ». La fiction prend ici un autre sens que celui de l'invention littéraire. Elle repose sur quantité de stratégies de discours liés à l'ambition d'atteindre des vérités. Il s'y mêle des investissements psychiques qui autorisent le sujet écrivant à se composer, à transformer la représentation qu'il a de lui, en se produisant au travers d'un langage qui suspend sa charge subjective et lui permet d'autant mieux une reconfiguration fictive.

Un lecteur psychologue se méfiera donc d'une volonté de transparence affichée par un sujet philosophe. Aussi puissantes que soient les réflexions de Sartre sur la liberté, le choix, la responsabilité, elles ne s'inspirent pas moins d'une opération psychique par laquelle un sujet investit le langage abstrait de l'ontologie, de la morale, de la politique pour projeter sa vie dans une autre vie, pour dessiner un horizon d'existence qui l'arrache à ses doutes et faiblesses. L'eschatologie de la transparence est aussi un théâtre où le salut s'obtient par des affirmations vertueuses. La focalisation sur des concepts fait oublier le long cheminement qui mène à leur exhibition. Une fois entrées dans l'histoire intellectuelle et scolaire, ces notions cachent le processus qui les a vu naître et les torsions qu'elles ont subies. Pourquoi tel philosophe s'est-il identifié à tel concept ? La réponse n'est pas assurée et souvent elle surprend, tant elle détonne avec notre idée d'une cohérence entre la vie et la pensée.

# LE FÉTICHISME DU CONCEPT

L'estampille qu'un penseur dépose sur un concept lui assure une place dans l'histoire des idées. Relier un nom d'auteur à un mot ou une formule donne en effet une visibilité, sinon une intelligibilité, à une pensée identifiée, quitte à la résumer à des « arguments ». Les disciples, les interprètes, les pédagogues ont tôt fait de mettre en valeur des « concepts-clés », ces mots qui transforment l'œuvre en un coffre-fort dont ils aiment ouvrir les serrures. Les philosophes, en raison du travail qu'ils effectuent sur une langue abstraite, sont censés forger des notions qu'ils inventent ou réactualisent. Ces emblèmes trouvent une place dans+ le discours contemporain sous forme de concepts, de figures, de segments de phrase ou de composés inédits. D'anciens mots retrouvent une actualité (*conatus, ethos, aura...*), d'autres plus ordinaires deviennent des substantifs proprement philosophiques (l'autre, l'événement, la différence, la communauté...), parfois des préfixes, des prépositions ou des adverbes servent à composer une notion (le post-humain, l'être-avec, le pas-tout...).

Ces marqueurs d'une pensée catalysent l'intérêt des commentateurs, transmetteurs et répétiteurs qui les font circuler dans divers domaines de savoir et d'opinion. De telles extensions tiennent souvent d'un « bricolage » assumé, ce mot ayant perdu sa connotation péjorative avec l'emploi des œuvres de l'esprit comme des boîtes à outils permettant des usages débridés. Les concepts-clés s'affranchissent de leurs auteurs et courent à travers la syntaxe du jour – une tournure empruntée se répétant à l'envi parmi des disciplines distinctes (« cela fait symptôme », « penser à nouveaux frais », « de quoi $x$ est-il le nom »…). Le façonneur d'expressions n'en détient pas le brevet mais devient ainsi le créditeur d'un langage théorique dont il garantit en amont la légitimité, les usagers se référant à sa docte autorité.

## Magie et déni du concept : Freud

Tous les usages philosophiques ne se résument certes pas à des mots et peuvent se caractériser plutôt par une rigueur d'analyse, une attitude critique, une méditation libre ou bien d'autres approches de la réalité, du langage et des idées. Il n'en demeure pas moins que l'indexation des penseurs s'exerce dans l'historiographie intellectuelle par un terme ou une thèse qui sert leur classification au point de devenir une marque de fabrique. Cette survalorisation de certains mots ne relève pas seulement de la publicité nécessaire à la diffusion d'une pensée. Elle appartient aussi à l'investissement psychique des penseurs qui leur accordent une importance hors du commun. Sous les effets de mode qui conduisent à fournir la langue symbolique d'un maître-penseur et ses gloses, la croyance dans le pouvoir des mots caractérise un certain usage de la philosophie. Freud notait avec ironie que les philosophes surestiment la magie des mots et des constructions abstraites. Ils croient « que les processus réels du monde suivent les chemins que notre pensée veut leur assigner[63] ». Toutefois cette défiance du psychanalyste à l'égard des pensées magiques ne doit pas nous dispenser d'analyser le rôle effectif que joue tel ou tel mot pour un sujet qui bâtit non seulement un système spéculatif à partir de lui, mais construit aussi une représentation de lui grâce à un mot-fétiche.

Quel rapport un auteur entretient-il avec une notion sur laquelle il a acquis une « autorité » ? Il y éprouve d'emblée la puissance de sa parole et, même s'il peut redouter le dévoiement de son œuvre, il se reconnaît dans un acte de nomination qui constitue un prolongement de lui-même. Le travail définitionnel lui revient en miroir, parfois aliéné par ses applications incontrôlées mais qui portent, néanmoins, sa performance d'auteur et la poursuit. Malgré l'affirmation d'une universalité et d'un anonymat du concept, son inventeur se définit et se compose à travers lui. Encore faut-il définir cette relation d'un « auteur » à son mot qui ne se résume

---

63. Sigmund Freud, « Sur une Weltanschauung », in *Nouvelles conférences d'introduction à la psychanalyse*, trad. Rose-Marie Zeitling, Gallimard, 1984, p. 221.

Le fétichisme du concept

pas à un signe issu de sa pensée intérieure. La petite mythologie qui raconte l'histoire des « grandes pensées » donne à voir des êtres exceptionnels desquels sont « sorties » des grandes idées, symbolisées par des mots, comme des semences de vérité qu'ils auraient eu le privilège de mettre au jour, de faire sortir de l'humanité ignorante pour l'éclairer. Passeurs d'idées universelles et éternelles, ils « délivrent » des concepts. De fait, tel est leur rôle dans l'histoire intellectuelle, même si l'efficacité de leur pensée se réalise rarement de manière contemporaine et qu'elle s'évalue à partir d'une visée rétrospective.

Cependant, la représentation du penseur comme délivrant des idées, telle que la propose l'hagiographie, masque les ressorts de la fabrication singulière des constructions intellectuelles. Certes, nous pouvons l'ignorer sans dommage et tenir pour négligeables les motifs personnels qui ont conduit tel penseur à proposer un concept, une thèse, un système... La subjectivité s'efface devant ce qu'elle a produit et la personne qui signe une œuvre devient un symbole : Platon est ainsi le prête-nom d'une pensée de la vérité, de la république, de la métaphysique. L'intérêt pour l'investissement subjectif d'un penseur dans les idées et les mots relève d'un tout autre ordre et n'entre pas en concurrence avec l'historiographie de la pensée, qu'elle soit idéaliste en égrenant les grands auteurs « qui comptent » ou qu'elle soit plus structurale en étudiant les contextes mentaux d'une époque. Toutefois l'analyse psychique des productions intellectuelles, bien que poursuivant d'autres objectifs, n'en conteste pas moins la représentation d'une transparence entre un penseur et sa pensée.

La face publique d'un penseur, dont l'effigie scolaire agrémente souvent le portrait, suppose aussi un envers, dans le processus même de ses pensées, de sorte que ce revers est moins son être caché que son double agissant. Cette dualité dispose une zone de tension où la psyché de l'auteur investit l'élaboration d'un concept. La prise en compte d'un tel complexe psychique, à l'œuvre dans la formation des idées, brouille la transparence et l'univocité supposée entre celui qui pense et ce qu'il pense. Une version pauvre de la production intellectuelle présente les concepts comme l'expression pure d'une essence ou d'une existence. Mais « l'expression » peut procéder du trucage, du mensonge, de la duperie plus ou moins volontaire par laquelle un sujet pensant s'invente, se regarde, se transforme grâce à un fétiche théorique. « S'exprimer » ne se résume pas à faire sortir du tréfonds de son for intérieur une pensée qui se manifesterait par le langage. L'expression procède à la fois de conventions langagières et de figures par lesquelles un sujet articule plus ou moins consciemment des pensées, des affects, des images en vue d'une signification adressée.

La valorisation d'un mot qui devient le nœud d'une pensée peut être entendue comme l'usage d'un *fétiche*. Ce terme est chargé d'une longue histoire interprétative et nous ne le reprenons pas au filtre ni de l'ethnologie ni de la psychanalyse, si ce n'est pour en retenir deux traits : *le pouvoir magique* et *le déni*.

Le premier trait souligne combien certains objets se voient parés de vertus qui débordent leur simple fonction. Ainsi du mot-objet, à l'instar d'une figurine dans un rituel religieux, qui va au-delà de sa signification pour catalyser des affects et générer des représentations multiples. Telle est la magie qui entoure quantité d'expressions ou de notions sur lesquelles se sont greffées des valeurs, des émotions qui surgissent dès que le mot est prononcé. Il est peu courant d'évoquer un tel pouvoir des mots lorsqu'il s'agit du langage philosophique, et pourtant un fort degré d'abstraction favorise l'investissement psychique car il escamote d'autant mieux la référence concrète qui la motive. « Loyauté », « fraternité », « esprit », « justice » peuvent ainsi dégager une grande force d'évocation et susciter un enthousiasme puissant qu'on ne songera pas à réduire aux circonstances subjectives ayant amené un individu à les répéter et à les vénérer. Ces mots-fétiches deviennent magiques à la mesure de l'émotion qu'ils provoquent sous le manteau de l'idéal moral. Ils sont drapés d'une légitimité en apparence inconditionnelle et ils portent en doublure des présences cachées, des mondes clandestins. Ils sont inattaquables par principe car ils fondent tous les principes, comme un cœur à partir duquel les artères de la pensée diffusent et rythment les significations. Le mot-fétiche porte en lui une charge d'affects qui le rend partageable malgré les malentendus sur les significations que nous lui donnons. Nous pouvons ainsi lever notre verre à la gloire de la liberté, et peut-être serons-nous enclins à prendre des risques pour la défendre si elle est menacée. Mais il se peut que l'idée chérie tire sa force d'une expérience politique chez l'un, d'un souvenir familial chez l'autre ou encore d'une situation professionnelle chez un troisième. La communion autour d'un mot-fétiche repose sur une multiplicité de représentations et d'émotions auxquelles la raison raisonnante donne une synthèse de surface.

Le plus intéressant dans le fétiche tient sans doute au deuxième trait : le déni dont il est porteur. La psychanalyse en a commenté le caractère sexuel sous la forme d'un attachement excessif à une partie du corps ou à un vêtement qui fonctionne par négation et remplacement. Nous ne suivrons pas la thèse du fétiche comme substitut au phallus maternel et n'en retiendrons que le lien avec la dénégation dont il a déjà été question sur le mensonge exercé envers soi-même. À titre d'exemple d'un déni, Freud citait la vénération fétichiste des Chinois pour le pied féminin, alors même qu'ils le mutilent par le bandage traditionnel dès l'enfance. Et il observait que le fétiche, à la différence du refoulement, ne relève pas d'un aveuglement ni d'un oubli, car il maintient la réalité tout en renversant sa valeur. Le pied a été torturé, empêché de grandir, il est désormais magnifié et adoré. Le mot-fétiche joue une fonction semblable : il dénie le crime commis à l'égard de son référent et lui substitue sa glorification. Plus radicalement, il convient même de dire que le mot-fétiche cache le délit par le retournement de la valeur affectée au référent, passant de l'hostilité à la vénération. Par exemple, un individu peut affirmer haut et fort qu'il vénère la liberté, qu'il est prêt à tout lui sacrifier, alors qu'en fait il redoute constamment d'assumer des choix et qu'il vit le moins librement du monde. La profération du mot, son écriture, sa répétition, son extension s'exercent à la mesure du refus de la réalité qu'il désigne. Le fétiche met en œuvre le déni en produisant un signe illusoire qui protège le sujet contre son angoisse et lui fournit une suppléance rassurante. Il n'a plus peur, il détient un mot avec lequel il peut jouer, il le répète, il l'adore, il se dit libre et articule toutes ses pensées et ses arguments à cette affirmation de la liberté. Il dénoncera même ceux qui n'accordent pas assez de valeur à cette vertu cardinale. Nul souci pour lui de la liberté en acte puisqu'il ne cesse d'en parler, de se convaincre qu'il la sert avec ferveur. Le fétiche construit un rempart qui fonctionne comme un leurre d'autant plus puissant qu'il retourne le secret en affichage grandiloquent. Il garantit paradoxalement ce secret en lui donnant la plus mensongère des publicités. Regardez, je suis un homme libre, dit le velléitaire qui disserte à longueur de temps sur les mérites de l'émancipation. Il n'a plus besoin d'être libre puisqu'il dispose du mot de liberté. Toutefois il lui faut constamment le prononcer, le choyer, le déployer sous peine de faire revenir l'angoissante injonction d'agir librement.

En de nombreuses occasions, l'invention ou l'usage d'un concept constitue l'opérateur d'un nouveau réglage de soi à soi, d'un travail à la fois avec et contre soi. Une idée-mot, fonctionnant parfois comme un concept, un symbole, une image, peut devenir, par sa réplique obsessionnelle, une contrefaçon du moi de l'auteur. Le *visage conceptuel* du philosophe ne saurait donc se résumer à une présentation de sa vérité, il relève davantage d'un masque permettant de cacher, travailler, transformer le soi. Le goût pour l'invention de termes abstraits, de concepts polyfonctionnels, d'expressions sédimentées d'images envahit parfois le désir des penseurs. Deleuze le justifia en caractérisant la philosophie par « l'invention de concepts ». Avec Guattari, il composa de nombreuses notions qui participèrent à son succès, au point que leurs mots furent repris dans de multiples domaines extraphilosophiques : pli, rhizome, déterritorialisation, plan de consistance, espaces striés, corps sans organe… devinrent des quasi-fétiches grâce auxquels des artistes, des critiques, des politologues articulèrent des discours, des mondes, et qui se reconnurent par ce langage devenu à la fois ressource et connivence.

Un penseur s'*expose*-t-il à travers ses concepts ? Censé disparaître derrière eux, il leur impose sa marque de fabrique de façon ambivalente. Il s'exhibe et se couvre de mots abstraits qui lui offrent une seconde peau. Il s'y reconnaît mais démarque d'autant plus qu'ils sont commentés par d'autres que lui, qu'ils sont récupérés, débordés, gauchis. La relation de nombreux penseurs aux étiquettes qui leur sont associées est ambiguë. Ils la rejettent par refus de simplification mais finissent souvent par l'accepter car ils leur doivent la notoriété. « Existentialisme » et « Humanisme » étaient par exemple deux mots que Sartre refusa pour finalement les reprendre à son compte lorsque son public devint plus vaste après la Libération. En assumant une relative dépossession des concepts qu'il forge, un penseur se réserve un espace secret où il préserve sa fabrique intellectuelle. Le docteur Jekyll ne s'estime pas complètement responsable de Mr Hyde même s'il s'agit bien d'un versant de lui-même. Certes, ce manichéisme reste trop simple pour analyser la psyché d'un penseur mais il suggère une sorte de dédoublement, ou du moins un détachement à l'égard des êtres langagiers qu'il a créés. Le concepteur de mots peut même éprouver un plaisir à voir ses créatures proliférer loin de son emprise car elles lui offrent une extension imprévue. En identifiant la philosophie à l'invention de concepts, Deleuze a glorifié leur expansion sous forme de greffes, de surplus provoqués par des rencontres hétérogènes. Les concepts circulent parmi des langages divers et leurs auteurs y perdent leur autorité personnelle tout en y gagnant des vies nouvelles.

Les mots-fétiches exercent en effet une attraction sur les parleurs qui s'approprient leur puissance de magie et de déni. Ils s'emparent de leur condensé de sens et le déploient dans leur propre imaginaire théorique. Nomadisme est le mot par lequel Deleuze et Guattari désignèrent cette circulation à la fois joyeuse et créatrice, dont ils furent les théoriciens et les praticiens. Nombre de notions connexes, telles que le décodage, la déterritorialisation ou la ritournelle ont participé à ce succès par amplification métaphorique. Certes, Deleuze fut soucieux de distinguer ses inventions conceptuelles des « métaphores » car il savait les approximations de l'analogie, à la base des transferts de sens par images. À la logique de la ressemblance il voulut substituer celle des connexions et des agencements. Mais ses concepts ont bel et bien été employés à la manière de métaphores dans de nombreux champs disciplinaires et le terme de « nomade », par ses usages philosophiques, fonctionne, du point de vue de la langue, comme une métaphore. C'est donc une notion ordinaire (le nomadisme désignant, dans le langage commun, un mode de déplacement continuel chez des populations sans résidence définitive) qui devient un principe philosophique, moteur d'une pensée et ressource métaphorique. À partir de lui peuvent être conçus aussi bien des pratiques d'artistes que des comportements de schizophrènes ou des résistances politiques. Si Deleuze a souligné la relation active/ passive des penseurs à leurs concepts, il faut toutefois comprendre pourquoi cet éloge de la circulation ne se limite pas à une vérité de la philosophie, mais entre lui-même dans une stratégie psychique autorisant un penseur à se masquer et à se fuir.

### Fuir dans son concept : Deleuze, nomade casanier

Comment le mot de nomade et le principe du nomadisme sont-ils devenus la marque d'identification d'un penseur tel que Deleuze ? La réponse appartient à la sociologie et à l'histoire des idées mais il reste encore à interroger le lien entre un auteur et son mot phare. Et peut-être le succès de ce principe doit-il quelque chose à cette relation plus ou moins opaque. Nous concentrons notre attention sur Deleuze, bien qu'il ait écrit avec Guattari, car son nom, inscrit dans le champ de la philosophie académique, recouvre l'unité d'une

Le fétichisme du concept

œuvre et une cohérence instituée, tandis que celle de Guattari demeure plus sauvage et inclassable. Et si la personne de Deleuze suscite un questionnement singulier au regard de cette notion de nomadisme, cela tient au paradoxe de sa vie et de ses déclarations sur sa haine des voyages. L'interrogation pourrait se formuler au premier abord de façon simple, voire simpliste : comment un homme qui déteste voyager peut-il devenir le chantre du nomadisme ? Cette question semble a priori sans objet : peu importe le comportement personnel d'un penseur qui a produit une réflexion si puissante et qui disqualifie l'intérêt anecdotique pour la vie ordinaire. Cet argument est connu et nous avons noté déjà sa légitimité et sa faiblesse ; de fait, la biographie d'un auteur peut être ignorée sans dommage pour lire une œuvre, mais l'idée que cette œuvre ne relève, en son processus et en ses résultats, que de la pensée pure repose sur une illusion.

Si nous observons une contradiction entre la promotion du nomadisme et l'aversion pour les voyages, il importe d'en comprendre le nœud psychique et non d'y détecter une hypocrisie. Derrière les mots peuvent courir quantité de sens et le terme de « voyage » appelle des précisions. Nous pouvons aimer les voyages et détester certaines versions du voyage, touristique par exemple. Claude Lévi-Strauss commence *Tristes tropiques* par ce paradoxe : « Je hais les voyages et les explorateurs et voici que je m'apprête à raconter mes expéditions. » L'anthropologue visait ainsi les récits de voyageurs qui rapportent complaisamment leurs aventures. Il moquait leur style convenu, l'exotisme de pacotille, les projections imaginaires qui empêchent les dandys voyageurs de découvrir d'autres cultures. De fait, le vrai voyage ne se mesure pas au nombre de kilomètres parcourus. Toutefois, Lévi-Strauss a sillonné de nombreux territoires et il n'a pas boudé les déplacements, de gré, lors de ses missions ethnographiques au Brésil, ou de force, pendant la guerre. Le paradoxe du voyageur qui hait les voyages est donc élaboré, théorisé, pour conjurer une version romantique du nomadisme.

D'autres penseurs ont à la fois expérimenté une vie de voyage et réfléchi au déplacement, au point qu'il serait possible de distinguer les philosophes voyageurs des philosophes sédentaires. Platon prenant le bateau pour Syracuse, Descartes parcourant l'Europe à cheval, Nietzsche déambulant sans relâche entre l'Engadine et la Méditerranée... ont mené des vies nomades et nourri leur pensée, à divers degrés, de ces migrations. Montaigne revendiquait sa vie voyageuse comme un exercice profitable à ses réflexions : « Je ne connais pas de meilleure école pour former la vie que de mettre sans cesse devant nos yeux la diversité de tant d'autres vies, opinions et usages[64] » écrivait le philosophe inspiré par ses pérégrinations en Suisse, en Allemagne et en Italie. Mais Deleuze appartient-il à cette constellation de penseurs voyageurs ? Assurément oui, si nous songeons à ses éloges de figures nomades. Probablement non, si nous observons sa vie et son comportement sédentaire. L'homme a peu bougé dans sa vie tant personnelle que

---

64. Montaigne, *Essais*, *op.cit.*, *loc. cit.*, Livre III, chap. IX. t. II, p. 973.

Le fétichisme du concept

professionnelle, alors même qu'il était sollicité par nombre d'universités étrangères. Un voyage à New York lui a suffi, quand bien même il y devenait une référence majeure de la *French theory*. Les voyages le rendaient malade, confiait-il, et il préférait les terres limousines de Saint-Léonard-de-Noblat aux déplacements vers les lointains.

Penser ou imaginer un voyage dispense de l'accomplir. Cette hypothèse soutient une théorie affranchie de l'expérience. Le voyage s'exercerait ainsi par procuration, que celle-ci relève d'un raisonnement abstrait ou d'une projection imaginaire. Deleuze semble conjuguer l'un et l'autre lorsqu'il suit les voyages extrêmes de ses personnages conceptuels. Le philosophe voyage dans sa tête, dirait un enfant, il se rêve en explorateur des espaces et des imaginaires, il fixe des vertiges éprouvés par d'autres jusqu'à la démence. Nietzsche, Artaud, Michaux ou Burroughs lui fournissent de telles expériences limites. La dislocation du moi, la haine de la généalogie, le schisme des corps… ces penseurs voyageurs les ont vécus avec radicalité, ils se sont mis en danger, goûtant les drogues hallucinogènes – peyotl, ayahuasca et mescaline. Ils ont arpenté des contrées lointaines, en Amérique latine, en Asie, en Afrique. Deleuze ne se met pas en danger, mais il le vit à travers eux de manière sans doute vitale tant ses déclarations disent son besoin de « respirer » grâce à ces expériences non vécues. Il en capte la puissance sous forme de concepts inventifs.

La pensée du nomadisme serait une pensée nomade. Cet argument procède d'un glissement de sens : il permet de transformer l'objet d'une pensée en un qualificatif de cette pensée, comme si les qualités d'un objet d'étude rejaillissaient sur l'auteur. Dirait-on pour autant qu'un penseur de la liberté est un être libre ? Mais la confusion à propos du nomadisme vient de l'ambiguïté d'un tel mot que le philosophe emploie à la fois au sens propre (le mode de déplacement d'un individu ou d'une population) et au sens figuré (une indépendance à l'égard des codes). Avant d'écrire un traité de « nomadologie », Deleuze formule déjà cette expression de « pensée nomade » et il puise sa source dans la vie et l'œuvre de Nietzsche : ses rêves, sa folie, ses écrits ne peuvent être enfermés dans une interprétation définitive car il échappe à toutes les codifications. Lorsqu'on le lit, explique Deleuze, « on est embarqué : une espèce de radeau de la Méduse, il y a les bombes qui tombent autour du radeau, le radeau dérive vers des ruisseaux souterrains glacés, ou bien vers des fleuves torrides, l'Orénoque, l'Amazone, des gens rament ensemble[65] ». Deleuze cède à l'imagination vagabonde pour montrer que le *voyageur sans ombre* est le parangon de la « déterritorialisation ». En lisant Nietzsche, il se voit naviguer sur les fleuves d'Amérique du Sud, dans des conditions dignes d'un roman d'aventure. Si le philosophe allemand n'a pas traversé l'Atlantique, il a certes erré de pension en pension, selon une dérive irréversible, ne pouvant jamais revenir en arrière pour reprendre sa chaire

---

65. Gilles Deleuze, « Pensée nomade » in *L'Île déserte*, Minuit, « Paradoxe », 2002, p. 355.

Le fétichisme du concept

universitaire à Bâle. Le nomadisme de Nietzsche a donc quelque chose à voir avec ses propres déplacements, son errance irréversible.

La contradiction entre l'éloge du nomadisme et la haine des déplacements physiques pouvait s'évaporer dans les expressions métaphoriques, mais elle n'échappait pas à Deleuze qui en proposa la résolution grâce à un paradoxe. Le nomade, affirma-t-il, n'a pas besoin de bouger ! L'histoire de la philosophie pouvait lui fournir des paradoxes logiques sur le mouvement et le déplacement, tel celui de Zénon d'Élée démontrant l'immobilité d'une flèche qui vole. Cependant Deleuze voulut asseoir son paradoxe sur une définition anthropologique du nomadisme. Et il ne cessa de marteler, jusqu'à l'obsession, dans ses écrits et ses entretiens, non seulement que le nomade ne se déplace pas mais qu'il refuse de partir : « Il y a des voyages sur place, des voyages en intensité, et même historiquement les nomades ne sont pas ceux qui bougent à la manière des migrants, au contraire ce sont ceux qui ne bougent pas et qui se mettent à nomadiser pour rester à la même place en échappant aux codes[66]. » Deleuze force le paradoxe pour affirmer son argument et s'autorise de sa formule pour se ranger du côté des nomades, alors qu'il déteste les voyages. La contradiction saute et les lecteurs qui la soutiendraient encore seraient accusés de ne rien comprendre à la pensée de Deleuze puisque la définition du nomadisme implique le refus de bouger.

---

66. *Ibid.*, p. 362.

Par sa répétition et son déploiement, le paradoxe acquiert une force d'évidence, car il construit une définition plus qu'il ne propose une argumentation. Le nomade devient une figure de l'immobilité au point que Deleuze lui oppose, de manière binaire, non plus le sédentaire mais la figure du migrant. Celui qui se déplace tout le temps et qui n'habite aucun territoire, celui-là voyage pour voyager, à la manière de Baudelaire qui écrivait : « [...] les vrais voyageurs sont ceux-là seuls qui partent / Pour partir [...] » En revanche le nomade ne se déplace que parce qu'il y est obligé, contre son gré car il habite une forme, quand le migrant ne laisse que des territoires amorphes. Deleuze poursuit ses métaphores et ses descriptions ethno-géographiques pour en composer les paysages. Le nomade s'accroche à un espace lisse, celui de la steppe ou du désert. Et lorsqu'il bouge il est en fait immobile, comme « le Bédouin au galop, à genoux sur sa selle[67] ». Il échappe aux espaces striés, ceux verticaux des forêts, ceux quadrillés des champs cultivés. Deleuze qui n'a presque pas voyagé dessine des cartes, imagine des végétations, observe des climats. Et il y dispose des personnages, les déplace sur ses territoires symboliques. Dans cette géographie qui se substitue à la temporalité historique, il construit un petit théâtre philosophique, plaçant les penseurs nomades dans ses espaces lisses : Nietzsche mais aussi Épicure et Spinoza. En face, du côté des sédentaires, il cible le philosophe de la forêt, Heidegger, qu'il nomme aussi le « druide nazi ».

---

67. Gilles Deleuze, Félix Guattari, *Mille Plateaux*, Minuit, 1980, p. 472.

Le paradoxe est ainsi soutenu par une cartographie symbolique et par les trajets imagi-naires qu'elle rend possibles sans mouvement. Ces périples antitouristiques autorisent l'autoportrait de Deleuze en penseur nomade. Inventive autant qu'argumentative, sa prose théorique est investie par une projection de soi au travers de doublures, ces personnages philosophiques embarqués dans le flux nomadique. Deleuze aurait pu se contenter d'une critique des voyages et il aurait argué qu'une expérience des lointains doit s'abstraire de la réalité des voyages. De fait, le tourisme est souvent la caricature d'une vraie découverte ou d'une expérience de l'inconnu. Le paradoxe aurait alors promu la figure du nomade casanier, telle que Pierre Bayard l'a formulée avec les voyageurs sédentaires[68]. Mais Deleuze a radicalisé le paradoxe jusqu'à en faire un marqueur philosophique. L'individu immobile devient l'être le plus délié des territoires, quand le migrant y reste médiocrement asservi. Dans son *Abécédaire*, Deleuze veut se justifier une nouvelle fois de ne pas voyager alors qu'il est devenu le penseur du nomadisme, et il commence par déprécier les voyageurs et les ruptures à bon marché que procurent les voyages. Au lieu d'évoquer des raisons personnelles, comme sa maladie respiratoire, il reprend ses thèses sur le nomadisme pour se les appliquer : il ne voyage pas, au nom d'un principe. Il a pu marcher avec plaisir dans Beyrouth, mais c'est bien fini. Il ne veut partir nulle part, il

---

68. Pierre Bayard, *Comment parler des lieux où l'on n'a pas été*, Minuit, « Paradoxe », 2012.

n'éprouve pas le besoin de bouger, il vit des intensités immobiles, bref, il est « nomade ».

La focalisation de Deleuze sur le mot de nomade et son extension sous forme de thèse par le nomadisme montrent comment un philosophe investit une part de soi dans un concept, une notion, une figure, une métaphore. Ce mot peut devenir le pivot de tous ses raisonnements, comme un schème moteur qui permet d'articuler quantité de sujets n'ayant pas forcément de point commun. Il configure une attitude philoso-phique, psychique et politique : « Faire de la pensée une puissance nomade, ce n'est pas forcément bouger, mais c'est secouer le modèle de l'appareil d'État, l'idole ou l'image qui pèse sur la pensée, monstre accroupi sur elle », écrit Deleuze dans ses *Dialogues* avec Claire Parnet. Le « char nomade » devient pour lui la figure de lutte contre l'appareil étatique et il construit son espoir politique sur des « unités nomadiques imaginaires ».

Le penseur du nomadisme est toutefois sommé par d'autres nomades de justifier son paradoxe. Lorsqu'il intervient sur le terrain social et politique, un philosophe rencontre en effet des acteurs qui usent de concepts aux significations déjà établies. Il ne s'adresse plus seulement à des étudiants ou à des pairs et ses mots s'inscrivent dans d'autres grammaires. Le paradoxe logique redevient alors une « contradiction » qu'il doit légitimer face à ceux qui entendent les concepts à l'aune de leurs pratiques. Un penseur se retrouve souvent en position de surenchérir et de revendiquer un concept ou une doctrine, comme s'il devait soutenir l'image que les autres ont de lui et ne pas décevoir leur espoir. Il doit affirmer d'autant plus fermement son propre investissement dans l'idée qu'il représente. Le concept se règle alors sur un *horizon d'attente*.

L'historiographie accordant une place privilégiée aux questions politiques, nous retenons souvent cette surenchère et les déclarations les plus tonitruantes d'un penseur, auxquelles nous finissons par l'identifier, quitte à oublier ses silences ou ses « désengagements ». Ainsi en fut-il de Sartre, devenu la figure phare de l'engagement, au détriment du philosophe et de l'écrivain qu'il fut auparavant et qu'il continua d'être clandestinement. Deleuze vint aussi tardivement à la politique. Lycéen pendant l'Occupation, il côtoya Guy Môquet pendant la classe de terminale. Mais il ne se sentit pas impliqué par la lutte politique, à la différence de son frère qui s'engagea dans la Résistance et mourut en déportation. Et même en Mai 68, s'il sympathisa avec les mouvements étudiants, alors qu'il enseignait à Lyon, il consacra son été à terminer sa thèse et se soucia principalement de trouver un poste : « Il faut que je me case, à Vincennes ou à Nanterre[69] », écrivit-il à François Châtelet. Certes il souffrait des poumons et devait se reposer, malgré son enthousiasme pour la mobilisation étudiante. Mais sa radicalisation politique vint d'abord des rencontres, plus que d'une théorie politique : l'amitié de Guattari surtout, qui l'amena à s'investir dans des « causes » – les prisons, la maladie

---

69. Gilles Deleuze, « lettre à François Châtelet », 1969, fonds Châtelet IMEC, citée par François Dosse in *Gilles Deleuze Félix Guattari. Biographie croisée*, La Découverte, 2007, p. 218.

mentale, la Palestine… Plus tard, la volonté de relier ses premiers travaux à ses positions ultérieures, et d'en montrer la nature politique, participera d'une lecture rétrospective que ses amis révolutionnaires, comme Toni Negri, lui permettront de soutenir.

Comment et quand un concept devient-il rayonnant pour la pensée d'un auteur et sa diffusion ? Les conditions historiques déterminent assurément le succès d'un discours qui s'inscrit dans les langages et les imaginaires de son temps. Une combinaison entre ce qu'un individu produit singulièrement et ce que son époque exprime à travers lui donne à comprendre cette actualité. La réception des idées, concepts et images, échappe à leur auteur, même s'il en est l'initiateur. Souvent *l'auteur court après ses concepts*, il les dissémine, puis les poursuit dans une course effrénée pour les rattraper. Parfois ce sont eux qui reviennent et le somment de les honorer, de rappeler combien il leur est attaché. L'intérêt pour l'analyse et la théorie politiques embarque les penseurs sur un terrain public où ils se trouvent confrontés à cette course-poursuite après les concepts. Les mots de peuple, de communauté, de biopolitique, de multitudes par exemple, font partie de ceux que des philosophes reprennent, modifient et se disputent, relayés par de multiples commentateurs et disciples. Aussi les enjeux théoriques, certes décisifs pour éclairer, voire pour transformer la société, occultent l'investissement personnel des théoriciens qui articulent ces notions à leur propre vie et construisent leur cohérence intellectuelle.

Le fétichisme du concept

Le moment où un penseur assume la dimension politique de ses écrits, étroitement liée à la situation historique, est aussi celui d'une projection psychique dans un horizon d'attente supposé, d'où son adresse plus affirmée, en direction d'ennemis ou d'un public à mobiliser. Le premier livre que Deleuze considère comme son passage à la politique est *L'Anti-Œdipe*, écrit avec Guattari. De fait, le ton du philosophe y change radicalement. L'impertinence philoso-phique, la charge belliqueuse contre la psychanalyse font découvrir un Deleuze en scission avec les normes. Il ne s'agit rien de moins que de contester la psychanalyse freudienne et de lui substituer une « schizo-analyse » qui s'appuie sur le marxisme pour redonner au désir sa puissance révolutionnaire. De fait, cet ouvrage apporte une rupture théorique exceptionnelle qui marquera pour longtemps le débat sur l'inconscient et sur les pratiques psychanalytiques et psychiatriques, à la fois par sa violence critique et par la création de nombreuses notions alternatives (machines désirantes, flux, molaire et moléculaire…). Sa cible principale est le familialisme, dont la figure d'Œdipe et ses avatars théoriques constituent le vecteur de la normativité généalogique.

En s'exposant par une telle déclaration de guerre, Deleuze rencontre non seulement des oppositions intellectuelles mais il doit aussi justifier la conformité de son mode de vie à ses injonctions politiques. Un de ses anciens étudiants, Michel Cressole, a pointé ses contradictions. Ce militant homosexuel qui mourra du sida dénonce le décalage entre les idées et l'existence paisible du philosophe : le pourfendeur du familialisme s'est marié religieusement et vit avec ses enfants selon un modèle œdipien classique. Il ne fait que mimer la rupture psychique des schizophrènes, comme une vedette lyrique. Moquant le nomadisme de celui qui reste sur place, il le compare à « ces bataillons d'opéra qui répètent "marchons" sans bouger de place, créant seulement l'illusion d'un mouvement[70] ». Au-delà du ton comminatoire des polémiques de cette époque, nous devons réfléchir au lien qu'établit un penseur entre un discours spéculatif et son vécu, entre une vérité performante et son investissement psychique.

Loin de vouloir réactualiser un quelconque procès, interrogeons-nous sur les notions de vérité et de mensonge telles que Deleuze les formulent à la fois pour répondre aux accusations et pour penser philosophiquement ces notions. Sommé de s'expliquer sur les contradictions entre ses théories et son mode d'existence, Deleuze répondit avec beaucoup de perspicacité sur les présupposés d'une pareille accusation. Il eut beau jeu de porter le débat à un niveau théorique et d'affirmer que la question de l'Œdipe ne se limite pas à une histoire de vie familiale et qu'il n'est pas nécessaire d'être célibataire, sans enfants et homosexuel pour penser une sortie de la structure œdipienne. Et nous pouvons lui donner crédit que disserter sur un problème n'exige pas que nous soyons partie prenante de ce problème, à moins que nous ne considérions qu'il faille être Chinois pour parler de la Chine ou

---

70. Michel Cressole, *Deleuze*, Éditions universitaires, 1973, p. 91.

Le fétichisme du concept

schizophrène pour analyser la schizophrénie. Reste malgré tout la question du « parler pour », du « parler à la place de », rencontrée avec Sartre et l'utilisation d'un sujet d'énonciation, le « nous », qui comporte bien des ambiguïtés sur le statut de l'énonciateur, à la fois universel et singulier, et ses postures abusives.

La défense orchestrée par Deleuze transforme l'incohérence entre vie et théorie en une réflexion passionnante sur la vérité et le mensonge. Deleuze, refusant de donner des gages sur sa sincérité ou sur ses engagements politiques, oppose le « secret » à la demande du vrai, non pour cacher des faits, mais pour revendiquer la puissance du faux : ce qu'on prétend vrai n'a peut-être aucune valeur ni pertinence alors que le faux produit des validités opératoires. Deleuze dénonce les récits qui témoignent « d'une déplorable croyance en exactitude et vérité[71] ». Mais que signifie pour lui l'éloge du faux ? Sa démarche philosophique s'est construite contre le modèle platonicien de la vérité et il lui a opposé les simulacres définis par Lucrèce ou les masques déployés par Nietzsche. Refusant la dualité de l'essence et des apparences, il a très tôt abandonné l'idée d'une vérité qui constituerait la visée de la philosophie. La métaphysique cède alors le pas au monde des discours, des affects, des relations.

Le soupçon jeté sur la vérité tient aux raisons qui poussent à la rechercher. *Pourquoi désire-t-on la vérité ?* Cette question préalable doit être posée avant même de définir le statut de la vérité. Sans doute est-ce le constat

---

71. Gilles Deleuze, *Pourparlers*, Minuit, 1990, p. 21.

d'un mensonge, effectif ou supposé, qui provoque à la fois la quête d'une vérité et la croyance qu'une réalité « vérifiable » existe. Au fond, et contre l'évidence, il convient de *partir du mensonge pour accéder à la vérité*, du moins pour comprendre d'où vient le désir de vérité. Plutôt que présupposer une vérité préalable que le mensonge cacherait ou dénaturerait, il semble plus judicieux de montrer comment l'idée d'une vérité surgit par la suspicion d'un mensonge. Deleuze, dans *Proust et les signes*, affirme ainsi que l'objet de la *Recherche* est plus la vérité que le temps perdu. Et il montre que le narrateur et les personnages manient l'art de déchiffrer le mensonge. À travers leurs doutes et leurs comportements, il suggère que le désir de vérité est toujours déterminé par une situation concrète et ne relève jamais d'une volonté pure.

Nous ne voulons pas LA vérité, mais UNE vérité requise par des circonstances. Ainsi de la jalousie qui naît à l'épreuve de quelques soupçons et qui déclenche la quête du vrai. Il suffit qu'un être nous semble mentir, en affirmant un peu trop vivement une certaine version des faits, en s'empêtrant dans ses explications, pour que naisse l'impression qu'une autre vérité existe. Le jaloux s'engage alors dans une enquête et traque les indices lui suggérant qu'en perçant le mensonge il découvrira ce qu'il en est. Cette vérité à la fois existe et n'existe pas, elle est autant constatée qu'inventée. Certes, Odette de Crécy trompe Swann, et il se met à douter de toutes ses paroles, imaginant ses infidélités. Mais la vérité n'est pas en soi définie objectivement. Elle ne se dit qu'au travers d'un prisme, amoureux ici,

Le fétichisme du concept

qui lui donne sa configuration. Swann construit des scénarios à la mesure des signes involontaires que lui fournit Odette, l'imaginant avec Forcheville ou avec des amantes. Si l'infidèle se dérobe à la vérité, ce n'est pas seulement pour la cacher mais parce qu'elle est impossible à saisir autrement que par des langages qui en produisent des versions partielles et variables. Dès lors, le jaloux soupçonne d'autant plus de mensonges que l'être aimé tarde à trouver les mots. Il veut la vérité moins par souci de connaissance que motivé par des affects contradictoires où se mêlent la révolte, la haine, le pouvoir, la vengeance.

Le désir de vérité est toujours sous-tendu par un affect plus puissant que la volonté de connaître : il se nourrit de la puissance protéiforme du mensonge qui multiplie ses figures comme autant de pistes et de scénarios virtuels. Swann, par jalousie, est entré dans une spirale de signes qui fonctionnent comme des indices infinis justifiant sa suspicion. Ne sait-il pas déjà qu'Odette est infidèle ? Il cherche une vérité qu'il connaît mais qui ne peut prendre fin avec un simple constat des faits. Le récit dans lequel prendra forme cette vérité est soumis à des scénarios que le jaloux démultiplie pour son malheur. De fait, cette suite de fictions le renvoie à d'autres vérités enchâssées telles que la nature de son amour et la confusion sur l'objet de son désir pour une femme « qui n'était pas [son] genre ».

Deleuze a donc renvoyé ses contradicteurs à leur obscur *désir de vérité*. Il leur a fait la leçon sur le sens du vrai et s'est ainsi dégagé de leur sommation à comparaître. Interroger le désir de vérité est une manière de contester la recherche philosophique du vrai et, par la suite, de proposer une nouvelle signification du mensonge. Refusant toute définition générale, Deleuze souhaite ramener la quête du vrai à une situation concrète, à une interlocution qui force quelqu'un à déchiffrer des signes et à interpréter. En nietzschéen, il affirme que cette recherche est toujours intéressée, qu'elle manifeste une psyché retorse, comme celle de Socrate orientant la pensée vers de supposés arrière-mondes, faute de pouvoir assumer les forces tragiques de sa propre vie. « Le tort de la philosophie, écrit Deleuze, c'est de présupposer en nous une bonne volonté de penser, un désir, un amour naturel du vrai. Aussi la philosophie n'arrive-t-elle qu'à des vérités abstraites qui ne compromettent personne[72]. » Les vérités logiques ou métaphysiques procèdent d'un idéalisme qui cache ses motivations psychiques. À l'inverse, Deleuze veut afficher la vérité comme une fiction singulière qui engage son concepteur. Cette vérité vient d'une rencontre violente qui oblige celui qui la formule à se compromettre, à être tout entier dans une construction à la fois vraie et fausse, comme toute fiction, et qui a autant de puissance que la vérité idéale.

Comment un concepteur de vérités se *compro-met*-il dans ses concepts ? Quelles sont ces vérités puissantes et quels affects président à leur désir ? La question intéresse Deleuze qui y répond tacitement

---

72. Gilles Deleuze, *Proust et les signes*, P.U.F., 1964, p. 24.

pour lui-même. Ses déclarations sont ambiguës, comme celles de nombreux philosophes qui assument et n'assument pas l'autorité de leurs créations théoriques. D'un côté ils revendiquent une signature, un engagement singulier dans la pensée, de l'autre, ils investissent leurs idées et concepts d'une puissance autonome. En affirmant que la qualité d'un concept vient de sa « performance » plus que de sa pertinence à dire le vrai, Deleuze souligne à la fois qu'il est l'auteur de telles performances mais aussi que ce sont d'autres penseurs et créateurs qui les performent en les reprenant et en les augmentant.

Dans sa réponse aux accusations sur les écarts entre sa vie et sa pensée, Deleuze dit son *désir ambivalent d'apparaître et de disparaître dans ses concepts*. Reprenant l'affirmation nietzschéenne selon laquelle toute philosophie est une biographie de son auteur, il la nuance en précisant que cette biographie n'est pas narrative. Un auteur ne se raconte pas dans ses thèses abstraites, il s'y fait et défait. La pensée a précisément pour effet de contester la personnalité de celui qui pense, elle décomprime son moi, le fait douter, le pulvérise parfois. Sartre disait que nous pensons toujours contre nous-mêmes, sans quoi nous restons dans la mauvaise foi de celui qui se forge une image satisfaisante de lui à travers sa pensée. Se casser les os du crâne est l'image de la tête vraiment pensante. Deleuze le dit dans un langage révolutionnaire : faire de la philosophie, c'est mener une guérilla, non seulement contre les pouvoirs, mais aussi avec soi-même. Cette déstabilisation de soi conduit à des dédoublements, des démultiplications par lesquelles chacun devient plusieurs, métastables, méconnaissables.

Poursuivant le fil de la guérilla avec soi-même, Deleuze semble séduit par l'idée d'une *clandestinité* du penseur. Ne pas se faire reconnaître, malgré son nom qui signe les livres, ne pas assumer l'unité d'une vie qui se déviderait en un récit linéaire, changer sans bouger, sans que les autres vous aperçoivent... le philosophe est tenté par l'invisibilité, l'effacement, la fuite. Être imperceptible parmi les imperceptibles, dit plusieurs fois Deleuze. Combinant la définition nietzschéenne de la vie comme puissance supra-individuelle et son désir d'échapper à la définition d'un moi d'auteur, il suggère la notion de *vie impersonnelle*. Combinaisons, devenirs et intensités se substituent à l'unité de la personne : Deleuze revendique d'être toujours ailleurs, même s'il ne bouge pas, et donc de ne pas avoir à répondre de sa vie telle qu'on la voit. Comment serait-il possible de l'accuser puisqu'il ne répond pas de sa personne ? Je ne suis pas celui que vous croyez, suggère-t-il, et personne ne correspond vraiment à ce qu'il donne à voir.

Restent le nom, la signature du penseur, objectera-t-on, celle qui permet à un auteur d'affirmer sa marque sur des livres, des thèses, des idées, des concepts ! Là encore Deleuze tente un renversement et dissocie le nom et la personne, proposant même un nouveau paradoxe avec l'idée que le nom vient d'un processus de dépersonnalisation. « Dire quelque chose en son propre nom, c'est très curieux, écrit-il, car ce n'est pas du tout au moment où on se prend pour un moi, une personne ou un sujet, qu'on parle en son nom. Au contraire, un individu acquiert un véritable nom propre, à l'issue du plus sévère exercice de dépersonnalisation, quand il s'ouvre aux multiplicités qui le traversent de part en part, aux intensités qui le parcourent[73]. » Et Deleuze d'opposer cette dépersonnalisation à celle que pratique le discours philosophique traditionnel où l'impersonnel donne accès à l'universel. Cette dépersonnalisation-là n'était que de style, alors que celle prônée par Deleuze relève d'un accueil à tout ce qui fragmente, traverse, transforme le soi. Deleuze n'assume son nom de philosophe que pour mieux échapper à l'unité d'une pensée philosophique : ce nom est un éclatement de singularités, activées par des rencontres. Branchements, corps sans organe, contre-courants, remous… l'écriture se mélange à d'autres flux : « de merde, de sperme, de parole, d'action, d'érotisme, de monnaie, de politique, etc.[74] »

La question du *nom* par lequel un penseur signe ses concepts est ancienne et Deleuze l'aborde à la suite de nombreux philosophes qui ont discuté l'autorité de la pensée. Montaigne observait déjà qu'un concept, une idée, une thèse n'appartiennent à personne. Lorsqu'il reprenait un argument développé par Aristote ou un autre penseur reconnu, il le considérait comme le sien car il l'avait intégré à sa propre réflexion. Montaigne usait de la métaphore nutritive pour décrire cette digestion des pensées autres : une fois ingérée, et

---

73. Gilles Deleuze, *Pourparlers, op. cit.*, p. 15.
74. *Ibid.*, p. 17.

non recrachée comme le font les érudits en usant des arguments « d'autorité », la nourriture intellectuelle alimente l'esprit, les nerfs, le sang de celui qui l'ingère. Elle fait partie de son corps et il n'a plus besoin d'en citer l'initiateur. Comme le suggérera Derrida, par la notion de contre-signature, un penseur appose son nom, signe avec et contre, il contresigne ce qui a été pensé avant lui.

Le nom associé à des concepts est une association circonstancielle entre un sujet qui pense à une époque donnée, avec sa culture et ses représentations. Parfois ce nom d'alliance n'a qu'une durée limitée. Certains penseurs ont employé plusieurs noms, plusieurs pseudonymes pour écrire leurs idées, ponctuant le cheminement d'une réflexion et d'une vie. Ainsi de Kierkegaard dont nous analyserons bientôt les stratégies énonciatives. Une interrogation récurrente sur le nom de la pensée accompagne les parcours philosophiques, tant la notion d'auteur, éminemment problématique, liée à des statuts différents selon les conditions historiques, rencontre une difficulté accrue avec la philosophie. Autant l'autorité sur une œuvre littéraire se rapproche de celle exercée sur un tableau ou une pièce musicale, autant l'autorité d'une idée demeure toujours complexe, rétive à tout brevet.

Toutefois le nom « propre » associé à un concept engage aussi une réflexion sur la personne du concepteur, sur sa relation équivoque aux idées qu'il développe. À l'égard de ses créations, il ne se comporte pas toujours selon le modèle du parent ayant donné naissance à un être qui lui échappe. Le créateur de concept peut se glorifier de ses créatures mais aussi se cacher derrière elles, les renier, les afficher pour mieux se retirer, selon des stratégies plus ou moins conscientes. Ces créations sont autant de visages, de profils, de mines, composées par l'auteur qui les expose. Deleuze ne se contente pas de donner une nouvelle version de l'autorité philosophique, il manifeste *un désir de disparaître*, d'échapper à la personne du moi d'auteur. Au-delà d'une défiance à l'égard de la vieille conception du moi-sujet et de la personnalité, il espère se dérober face à l'injonction d'avoir à « répondre » personnellement de ses inventions. « Ton secret, on le voit toujours sur ton visage et dans ton œil. Perds le visage[75] », enjoignait-il dans ses *Dialogues*. Et dans *Mille Plateaux*, il pulvérise le visage en l'ouvrant à de multiples connexions, animalières, paysagères, musicales, de sorte qu'il n'existe plus de visage en soi mais seulement des traits qui peuvent s'entremêler et produire de nouveaux agencements[76]. Cette entreprise merveilleuse qui propose des figurations inédites poursuit le désir de dévisagéification et de dépersonna-lisation que Deleuze exprime théoriquement et subjec-tivement. Ne pas être identifié, devenir clandestin, produire des masques, se démultiplier, se dissoudre… la rencontre avec Guattari a offert à Deleuze l'oppor-tunité d'une écriture double et sciemment délirante qui met en œuvre cette énergie fugueuse, auquel le

---

75. Gilles Deleuze, Claire Parnet, *Dialogues*, Flammarion, 1977, p. 59.
76. Gilles Deleuze, Félix Guattari, *Mille Plateaux*, *op. cit.*, p. 205-234.

Le génie du mensonge

mot de nomadisme donne sa notabilité philosophique et sa notoriété publique.

La relation d'un penseur à son concept ou à son principe moteur est donc ambivalente et dynamique. Elle réaccorde sans cesse un sujet à sa théorie. Elle combine la projection d'un soi divisé dans une langue abstraite avec une multiplicité de figures qui tiennent du symbole, de la métonymie, du paradoxe, de l'oxymore, selon l'écart entre l'existence vécue et les thèses professées. Le sujet pensant se constitue, se trompe, se transforme à travers le travail d'un mot ou d'une thèse qui deviennent les témoins de son investissement psychique dans l'activité théorique. Ce concept, c'est lui, assurément. Mais ce n'est lui ni comme expression ni comme représentation. Car l'expression suppose que le concept était déjà là et qu'il est sorti de lui, fidèle et monosémique, or il ne le représente qu'au titre d'une marque de fabrique. Toutefois une alliance s'est bien forgée entre le penseur et son concept, aussi bien stratégique (elle assure au-dehors la continuité d'une pensée en mouvement) que psychique (le penseur reconnaît pour sien ce qu'il a produit). Un concepteur assume son concept, favorise son développement et son succès, au point d'en faire un rouage principiel de toute sa machinerie conceptuelle. Il doit fréquemment lutter pour maintenir sa création dans son giron tant les mots abstraits sont l'objet de spoliation et de détournements. Cependant, cette appropriation demeure conventionnelle et obéit souvent aux impératifs de la communication, un penseur répondant de son nom pour un public, quoi qu'il prétende écrire sans adresse.

Ainsi Deleuze semble pris à son jeu, donnant des gages à sa notion de nomadisme et l'employant pour évaluer et articuler quantité d'objets de pensée. Il est entraîné par la propre puissance de son invention conceptuelle, quoi qu'il vive par ailleurs, en déconnexion avec ce qu'il théorise, ou selon des connexions paradoxales (l'immobilité comme manière de vivre le nomadisme) dont il doit, malgré tout, rendre raison par une redéfinition des termes.

En même temps qu'il est embarqué par la puissance de ses concepts, un penseur se retrouve lui-même défini par sa production théorique. Il n'est donc pas seulement le propriétaire d'un concept, mais peut en devenir lui-même la propriété ! Le mot ou la thèse l'identifient et l'empêchent de penser et d'exister à sa guise. Aussi cherche-t-il parfois à préserver sa liberté de pensée en la dégageant de ce concept qui le bride. L'énergie pensive doit souvent lutter avec les mots qui la réalisent et la figent. Des penseurs revendiquent ainsi leur autonomie en modifiant une de leurs notions phares, en l'abandonnant parfois, sous le prétexte de la « dépasser ». Sartre n'a cessé d'investir des concepts (contingence, pour-soi, être-pour-la-mort, conscience, rareté…) qu'il a ensuite rejetés, les déclarant périmés, au profit d'autres notions. Il a vampirisé le langage de Husserl, celui de Heidegger, celui de Marx : il les a « épuisés », il les a trahis en les adaptant à sa pensée, puis il les a lâchés pour de nouveaux, déclarant qu'ils avaient perdu leur pertinence, lui-même s'étant déplacé ailleurs.

Une autre manière de s'émanciper des concepts que l'on a exposés, et avec lesquels on s'est affiché, consiste à renier toute autorité et à refuser toute coïncidence entre eux et soi. Deleuze assoit ce protocole en se proclamant *multiple*. Voulant rester clandestin et libre de se reconnecter à d'autres langages, il se libère du devoir de répondre personnellement d'une thèse ou d'une contradiction. Seul son nom est engagé, mais ce patronyme n'est pas celui d'un père, a-t-il affirmé, il n'est qu'un mot de circonstance derrière lequel vivent et pensent plusieurs singularités. Reconnecté à de multiples réseaux ou, selon sa métaphore à grand succès, à des rhizomes, il promeut une déperson-nalisation par son éclatement pluriel. Décrivant son écriture commune avec Guattari, il déclare : « Nous avons écrit *L'Anti-Œdipe* à deux. Comme chacun de nous était plusieurs, ça faisait beaucoup de monde[77]. » Cette mise en cause de l'unité du sujet qui pense, écrit, élabore des thèses permet de rompre l'unité superfi-cielle du penseur avec ce qu'il pense. Elle brise l'image d'une cohérence du moi vivant et écrivant, une image qui persiste en philosophie et plus généralement dans les discours théoriques, alors que la littérature l'a délaissée, admettant aisément la distinction entre auteur et narrateur. La multiplicité réclamée par Deleuze concourt à distinguer, dans l'écriture théorique, le sujet qui pense de celui qui écrit et même de celui qui signe des livres. Elle rend friable la notion d'auteur par sa diffraction en multiplicités, la personne, le nom, le sujet étant traversés par de multiples flux en devenir.

---

77. Gilles Deleuze, Félix Guattari, *Mille Plateaux*, *op. cit.*, p. 9.

Le fétichisme du concept

Pour féconde qu'elle soit, cette dépersonnalisation de la figure du penseur reste ambiguë et soulève de nombreuses questions, un auteur affirmant se démultiplier étant aussi un auteur qui se dissimule. Quelle solidarité existe en effet entre les diverses singularités que revendique celui qui pense et écrit ? Si je suis plusieurs, quel est le lien entre ces « plusieurs » ? La force théorique d'un tel discours qui permet de repenser radicalement les notions philosophiques de moi, de conscience, de sujet n'empêche pas que soient interrogées les raisons qui le soutiennent. L'énergie d'une pensée ne vient pas seulement des connexions qu'elle établit avec des éléments hétérogènes, elle repose aussi sur des affects singuliers. Et lorsque Deleuze défend avec beaucoup de vigueur ses conceptions, lorsqu'il attaque d'autres philosophes, la véhémence de ses discours laisse deviner qu'il est surinvesti dans ses thèses en tant qu'auteur déniant à d'autres l'intelligence de penser. La colère, l'enthousiasme, le vague à l'âme, la pugnacité suggèrent des ressorts psychiques au cœur des concepts qui font l'objet de combats si intenses. Il n'est pas question ici d'en interroger les raisons « personnelles » chez Deleuze ni chez un autre philosophe. La mise en relief d'une relation équivoque entre un penseur et ses concepts vise plutôt à interroger la matérialité psychique des œuvres dites de l'esprit.

Pourquoi tels concepts prennent-ils une importance majeure pour un penseur, comment se construit-il à travers leur élaboration et leur diffusion, quelles relations complexes l'unissent à ces mots phares qui deviennent des symboles de lui-même ? L'écart entre des comportements et des théories laisse entrevoir que la pensée ne se résume pas à des raisons logiques et qu'elle procède aussi d'une construction de soi et d'un agencement complexe entre des désirs, des affects, des peurs, où la vérité se mêle aux mensonges. Le langage abstrait de la théorie refoule ces batailles intestines qui l'ont produit, et dans le même temps il en porte la trace puisqu'il est composé de ces forces instables. Telle est sa grandeur qu'il maintient une sorte d'équilibre et de rigueur logique tout en contenant et refoulant des intérêts inavouables, des motivations chaotiques et incontrôlées. Par un sublime mensonge, ce langage exalte des vérités à mesure qu'il en réprime les raisons frauduleuses. Nulle dénonciation ici : nous pouvons jouir de la puissance d'une pensée sans qu'il soit besoin de connaître les coulisses de sa fabrication.

## S'aveugler dans un concept : Levinas et l'éblouissement d'autrui

La beauté structurale d'un système philosophique lui octroie d'emblée l'admiration. Pour ceux qui apprécient la complexité et la cohérence d'une pensée, l'effort de compréhension procure une jouissance intellectuelle qui peut conduire à l'empathie. Il n'est pas nécessaire d'être spinoziste pour admirer l'*Éthique* de Spinoza, ni de croire en Dieu pour lire avec passion *La Monadologie* de Leibniz, ni de devenir hégélien pour être fasciné par la *Phénoménologie de l'esprit*. Les amateurs de philosophie connaissent la joie de

195

découvrir des constructions abstraites, au-delà même d'un acquiescement intellectuel aux thèses qu'elles promeuvent. Entrer dans un langage, accéder à la logique interne d'une pensée, maîtriser peu à peu ses rouages... ces moments procurent de grandes et durables émotions spirituelles. Les concepts, les propositions, les inflexions que font subir ces œuvres à nos représentations du monde et à nos usages de tel ou tel mot fournissent comme une partition musicale à ceux qui les adoptent. Certes la comparaison peut choquer si elle sous-évalue la signification des thèses philosophiques, mais elle fonctionne si nous admettons que certaines pensées, avec leur langage, accompagnent notre existence et concourent à orchestrer notre façon de voir et d'entendre le monde. Il est rare de lire un chef-d'œuvre théorique sans qu'il nous affecte, même si nous n'en approuvons pas explicitement le propos.

Comme toute musique dans laquelle nous nous sommes intensément investis, certaines constructions abstraites perdent parfois de leur charme lorsqu'elles ont été trop entendues ou trop analysées. Quelques-unes demeurent sublimes à nos oreilles, quand d'autres devien-nent des rengaines : elles n'arrivent plus à enchanter l'existence car leurs procédés semblent désormais trop évidents. Tel langage a exercé une force d'attrait qui s'évanouit peu à peu lorsque ses tours n'apparaissent plus qu'à titre de procédés. Il en va ainsi de certaines harmonies anciennes qui nous touchent plus ou moins : nous écoutons une pièce inconnue de Bach, et pourtant nous pouvons terminer intuitivement ses phrases tant nous en connaissons la grammaire. L'expérience est parfois plus amère si les figures se sont transformées en clichés, en tics dont certains compositeurs ont abusé.

L'écoute d'une langue abstraite, lorsqu'elle a suivi ce parcours allant d'une forte empathie à un sentiment de saturation, peut conduire à ce genre de déconvenues sans qu'elle invalide pour autant la qualité d'une œuvre. Elle conduit toutefois à prendre une distance à l'égard de sa signification et elle suscite une réserve sur la parole ou l'écriture d'un penseur, sur son investissement hypertrophié de certains mots, de certaines métaphores, de certaines situations. Une « contradiction » repérable dans une pensée, ou entre l'auteur d'une pensée et les thèses qu'il professe, incite à prendre du recul et à interroger la récurrence obsessionnelle d'un concept ou d'une figure. Mais il n'est pas toujours besoin de découvrir un tel écart, et l'analyse du seul discours peut suffire pour détecter ce que nous avons appelé un fétichisme du concept. Afin d'en montrer les tours, nous choisissons une notion phare de la philosophie, *autrui*, et son traitement par un philosophe dont l'œuvre est identifiée à ce mot, Emmanuel Levinas. Cette fois nous ne nous référerons pas à la « vie » du penseur, occultant les informations biographiques venant de lui ou de ses commentateurs. D'une part, son existence ne semble pas témoigner d'un altruisme ni plus ni moins vif que celui de tout un chacun. D'autre part, nous voudrions nous concentrer sur son discours et d'abord sur son usage et les effets produits parmi ses lecteurs devenus légion.

Lu très tardivement, Levinas a pris une place majeure dans la philosophie du XXᵉ siècle, catalysant de multiples commentaires sur les mots a*utre* et *autrui*. Si nous demeurons dans l'exégèse philosophique, nous devons observer l'apport singulier de Levinas qui a fait sortir la notion d'*autrui* des cadres ontologiques traditionnels. En accordant à l'existence d'autrui une dimension irréductible à la relation entre des subjectivités, il en a fait un événement. *Autrui* échappe à la connaissance, au jeu social, à la lutte des consciences, il instaure une séparation qui conteste la maîtrise du sujet et lui donne accès à l'infini. Il ne se réduit pas à un autre que moi-même puisqu'il conteste l'identité des uns et des autres à l'intérieur de la totalité humaine. En affirmant la transcendance d'autrui, Levinas le réinscrit dans la métaphysique et fait de sa rencontre un accès à l'absolu. Ce coup de force a modifié la place de l'éthique en philosophie, devenue première, faisant du sujet un être d'emblée réquisitionné par autrui et par son appel à une responsabilité supérieure. La radicalité de cette philosophie n'a pas été tout de suite perçue, ni le tournant qu'elle imprime au courant dont elle est issue, la phénoménologie de Husserl et de Heidegger. Les séminaires de Levinas ont été peu suivis jusqu'à ce que d'autres penseurs reprennent ses thèses et, tel Derrida, commentent ses notions d'infini, de visage et d'hospitalité.

La reconnaissance de Levinas, à la fin du $XX^e$ siècle, alors que ses premiers écrits datent de 1930 et que son ouvrage majeur, *Totalité et infini*, a été publié en 1961, peut s'expliquer, de manière idéaliste, par la découverte de sa pensée. La sociologie du champ intellectuel y repère plutôt des concordances avec l'époque, des changements de paradigme, des communautés d'intérêts et de représentations. Nous ne chercherons pas ici des raisons historiques, mais soulignerons, dans le discours, des forces d'attraction qui peuvent encourager *l'empathie des lecteurs de textes philosophiques*. L'interrogation sur le psychisme à l'œuvre dans l'adoption d'un concept ne se résume pas à la psyché d'un auteur, elle implique aussi la participation d'un public au succès de certains mots et figures. La ferveur qu'un penseur met à constituer des concepts et à développer une œuvre à partir d'eux est *contagieuse*. Elle suscite parfois une adhésion, voire une dévotion quasi religieuse chez ceux qui adoptent un langage et vivent en circulant parmi les paysages conceptuels qui les accompagnent.

Analyser l'investissement psychique dans les concepts conduit à observer la *réception* autant que la *conception*, car le triomphe d'une pensée ne résulte pas seulement de son argumentation, mais aussi de la séduction exercée par un trésor de mots connotés, d'affects associés, de représentations de soi qui sollicitent la psyché du lecteur en même temps que son intellect. Certains concepts, chargés d'un travail spéculatif intense qui leur a procuré un poids considérable, deviennent des mantras. Ainsi du mot *autrui* qui, dans la lumière d'une élaboration exceptionnelle, se dote d'une puissance d'évocation qui excède sa signification usuelle. Ceux qui l'emploient dans un tel prisme théorique convoquent avec lui quantité d'arguments, d'extensions, de nœuds logiques disponibles à la moindre occasion de discourir sur l'autre, autrui ou l'altérité. Rien d'étonnant à cela, tant une pensée ne se limite pas à un objet d'étude mais peuple les esprits et les imaginaires de ses adeptes. En revanche, il est plus mystérieux que le succès d'un concept puisse reposer sur un paradoxe et une méprise quant à son usage dans l'existence. Nous retrouvons là une version du mensonge à l'égard de soi. Adopter tel ou tel concept ou principe peut se révéler comme un déni, voire un discours contraire à l'expérience vécue. Et pour qu'un paradoxe aussi surprenant puisse se réaliser, il faut que le langage abstrait soit déjà disposé aux renversements.

En relisant certaines œuvres, nous nous sommes demandé, jusqu'à présent, pourquoi et comment un penseur pouvait promouvoir un concept qui définisse l'inverse de ce qu'il vit. Il s'avérait alors nécessaire de convoquer sa vie, ou du moins ce qui est identifié comme tel. Mais pour analyser *la diffusion du paradoxe*, il serait hasardeux de se référer à la vie des lecteurs et disciples. Nous nous intéresserons davantage à ce qui, dans le discours, encourage la propension à une psyché paradoxale et invite à faire siennes des notions et des arguments retournables, à double face, propices à une duplicité qui glorifie ce qui est en fait dénié. Quoi de plus attirant pour se mentir à soi-même que ces figures du déni qui permettent d'exalter ce que nous désirons abolir ? En choisissant la notion d'*autrui*, nous n'accuserons pas ses sectateurs de mensonge, mais montrerons plutôt la réversibilité, dans le langage même, d'une apologie conceptuelle.

Fréquemment les philosophes reprennent un concept de la tradition philosophique pour lui donner une nouvelle acception. En réinvestissant la notion d'autrui, Levinas va au-delà d'une redéfinition, il l'absolutise : *autrui* n'est pas tel ou tel « autre », encore moins un *alter ego*, il est l'altérité même, l'absolument autre. La notion sort de toute comparaison, de toute relation, elle devient un principe transcendant. Toutefois, cette radicalisation génère déjà une ambivalence : la notion se définit en exception, par un absolu, incommensurable, et dans le même temps elle reste indéfinissable. *Autrui* se tient au-delà de toute autre référence concrète, il demeure inconnaissable, infini, inassignable à une condition sociale. Levinas le définit négativement pour le sortir de toute approche ontologique et mondaine. « L'autre qui est l'invisible, dont on n'attend pas un remplissement, l'incontenable, le non thématisable. Une transcendance infinie[78]. »

La rencontre avec autrui échappe à toute description, à toute narration, il est avant l'humanité, avant l'Être, affirme Levinas qui le place toujours ailleurs, avant ou au-delà… Voudrions-nous le définir ou le raconter que nous le perdrions aussitôt. *Autrui* est donc un concept qui échappe au concept, qui vient en excès de toute rationalité et même de tout langage. Levinas pose en effet une dissymétrie entre moi et l'autre qui empêche de le considérer comme un interlocuteur avec lequel dialoguer. Infiniment transcendant, étranger au monde des relations humaines, il n'appartient pas à une même nature que moi et m'invite à sortir d'une

---

78. Emmanuel Levinas, *Dieu, la mort et le temps* [Grasset, 1993], Le livre de Poche, 2002, p. 157.

Le fétichisme du concept

nature commune. La radicalité de cette éthique, mettant autrui en exception de tout critère, reconduit l'approche de la théologie négative : *autrui*, comme Dieu, n'est concevable qu'à partir d'une négation systématique des qualités et définitions qu'on lui attribue à l'ordinaire.

Hors nature, hors concept, hors ontologie, la notion d'*autrui* s'établit sur l'absence de référent. Elle est pure mais floue et sa force d'attraction vient des figures qui hantent ce vide, qui tournoient sans le combler. L'usager du terme « autrui » peut ainsi jouir de sa transcendance tout en convoquant, implicitement, des « autres », à la fois présents et déniés. Levinas maintient cette ambiguïté entre l'impossible représentation d'autrui et la multiplication des noms de l'autre. Il a retenu de la phénoménologie le souci de partir du concret et donne des consistances à autrui par une surenchère de prototypes humains, à connotation biblique : « Autrui qui me domine dans sa transcendance est aussi l'étranger, la veuve et l'orphelin[79] », écrit-il dans *Totalité et infini*.

De fait, l'autre est le premier venu, n'importe qui, le faible que je croise au coin d'une rue et qui, selon cette injonction à l'excepter, est autre que tous les autres, toujours plus que je ne crois. Levinas peut ainsi jouer d'une part, sur la contingence, la concrétude de la rencontre et, d'autre part, sur l'élévation, l'abstraction qu'elle est censée provoquer. Autrui est le pauvre qui mendie, et, en même temps, il est « Sa Seigneurie ». Une

---

79. *Id.*, *Totalité et infini*, [1961], Le Livre de Poche, 1990, p. 237.

telle ambivalence conduit à des lectures contradictoires : d'un côté, les lecteurs de Levinas y trouvent une
morale altruiste qui commande d'accueillir le prochain,
quel qu'il soit, au-delà de toute identité sociale ; de
l'autre, certains commentateurs, contestant le prêchi-
prêcha qui banalise une telle pensée, défendent une
« version haute », théologique, de cette rencontre avec
l'infiniment autre. Cependant, cette équivoque gît au
cœur du langage, dans la tension entre une notion
vidée de tout référent et la multiplicité des figures
qu'elle peut mobiliser.

Le fétichisme conceptuel se nourrit aussi de l'usage
compulsif d'une notion. Un mot devient ainsi le noyau à
partir duquel tous les autres termes sont distribués. Il joue
le rôle d'une *plaque tournante* qui permet de saisir toutes
les questions du registre philosophique. Le mot est investi
d'une puissance d'articulation qui l'autorise à rayonner
sur le langage. Employé de manière obsessionnelle, il
acquiert une fonction d'incantation qui recouvre ses
vertus spéculatives. Gagnés par sa logique rationnelle et
les argumentations qu'il permet, ses usagers trouvent
en lui une voie d'accès à quantité de topos théoriques
et accroissent le domaine de leur jouissance affirmative.
L'exemple lévinassien témoigne de cet emploi multifonc-
tionnel d'une notion abstraite. *Autrui* est la notion qui
rouvre toutes les questions philosophiques : l'éthique,
bien sûr, mais aussi le temps, Dieu, l'Être, l'infini, la vérité,
la religion, le langage, la communication, la société, la
paix et la violence, la différence sexuelle...

*Autrui* est l'opérateur polyvalent de la réflexion,
notamment grâce à des scénarios argumentatifs qui

se dupliquent dans chaque thème. Ainsi de quelques assertions de Levinas dans les grands territoires de la philosophie : la métaphysique, le sujet, la société. Pour le philosophe, *autrui* est l'insaisissable qui nous ravit, aussi le temps sera-t-il défini selon un schème identique : « L'avenir, c'est ce qui n'est pas saisi, ce qui tombe sur nous et s'empare de nous. L'avenir, c'est l'autre. La relation avec l'avenir, c'est la relation même avec l'autre[80]. » *Autrui* est l'absolument autre qui fournit la clef de toutes les ouvertures, celle de l'infini dont l'idée vient à l'homme parce qu'il a déjà accueilli autrui, celle de la transcendance, de Dieu. Dans les relations concrètes, *autrui* est encore ce qui donne au langage sa définition philosophique : « Parler, c'est en même temps que connaître autrui se faire connaître à lui. Autrui n'est pas seulement connu, il est salué. Il n'est pas seulement nommé, mais aussi invoqué. Pour le dire en termes de grammaire, autrui n'apparaît pas au nominatif mais au vocatif[81]. » Et lorsque Levinas investit la réflexion sur le social, sa définition absolue d'*autrui* lui permet de penser une société sans violence : « La relation avec l'autre en tant que visage guérit de l'allergie. Elle est désir, enseignement reçu et opposition pacifique du discours[82]. » *Autrui* absorbe tous les concepts et les fait luire dans sa lumière et ses moires.

L'extension d'un mot-fétiche, ce que la philosophie appelle parfois un schème moteur, procède par

---

80. Emmanuel Levinas, *Le Temps et l'Autre*, P.U.F., 1983, p. 64.
81. *Id.*, *Difficile liberté*, [1963], Le Livre de Poche, 1984, p. 20.
82. *Id.*, *Totalité et infini*, *op. cit.*, p. 214.

analogies structurales, métaphores et métonymies. Le mot se déplace en revêtant des habits qui lui permettent de jouer plusieurs rôles. Il s'anime, il s'incarne grâce à des avatars. La métonymie la plus célèbre de Levinas pour manifester le rayonnement de la notion d'*autrui* est le visage. Ainsi fonctionne-t-elle dans son discours, même si le philosophe refuse de la résumer à une figure de style. Le visage fait d'abord l'objet d'une redéfinition, conforme à l'absolutisation d'autrui : il n'est plus une face, ni une surface expressive du moi, il est l'injonction éthique même, l'appel à la responsa-bilité. Fort d'une telle idéalisation, il peut manifester, à la fois concret et abstrait, tous les principes dévolus à la rencontre d'autrui. « Le visage n'est pas l'assemblage d'un nez, d'un front, d'yeux, etc., écrit Levinas, il est tout cela certes, mais prend la signification d'un visage par la dimension nouvelle qu'il ouvre dans la perspective d'un être[83]. » Le penseur de l'altérité peut alors décliner la métaphore heideggérienne de « l'ouverture » qui a connu dans la philosophie européenne un succès encore non démenti. Le visage est « l'ouvert », l'éclaircie, et, pour lui conférer la dimension éthique accordée à *autrui*, Levinas y voit l'expression d'un comman-dement, le « tu ne tueras point ».

Le visage, métonymie d'*autrui*, s'anime, il parle, il commande et devient une hypotypose, cette figure de style qui permet une description réaliste et frappante, qui donne l'impression au lecteur de vivre une scène grâce à des représentations imagées. Levinas en

---

83. Emmanuel Levinas, *Difficile liberté, op. cit.*, p. 20.

Le fétichisme du concept

propose plusieurs drames dans ses livres, mêlant des affirmations de vérités générales (« c'est ») à des situations pathétiques, comme dans cet extrait de *Totalité et infini* : « Ce regard qui supplie et exige – qui ne peut supplier que parce qu'il exige – privé de tout parce que ayant droit à tout et qu'on reconnaît en donnant (tout comme on "met les choses en question en donnant") – ce regard est précisément l'épiphanie du visage comme visage. La nudité du visage est dénuement. Reconnaître autrui, c'est reconnaître une faim. Reconnaître autrui, c'est donner. Mais c'est donner au maître, au seigneur, à celui que l'on aborde comme "vous" dans une dimension de hauteur[84]. » La redondance des termes, les parallélismes, les chaînes nominales… ces effets stylistiques installent une scène donnée à contempler, ils convoquent des affects (émotions, pitié, sentiment d'élévation) entraînant l'empathie autant que la conviction du lecteur.

Une communion affective entre le penseur et ses lecteurs s'exerce au travers des métonymies et mises en scène du concept. Pour mettre en valeur cet usage, il convient de rappeler que Levinas reprend singuliè-rement un débat sur le statut d'autrui et plus particu-lièrement sur le visage et le regard. Dans le sillage des réflexions hégéliennes sur la lutte entre les consciences pour la reconnaissance, Sartre, Merleau-Ponty et Lacan ont décrit la conscience devant le regard d'autrui. Sans doute Sartre est-il le plus présent dans cette reformu-lation de la relation à l'autre, les célèbres pages de

---

84. *Id., Totalité et infini, op. cit.*, p. 73.

*L'Être et le Néant* sur le surgissement d'une altérité dès qu'un autre pointe son regard sont visées par les propos de Levinas. Refusant l'idée d'un conflit entre deux sujets – la conscience faisant d'autrui son objet en le regardant et devenant objet à son tour lorsqu'elle est regardée –, il affirme que le regard d'autrui interdit la violence. Regarder le regard (impossibilité ontologique chez Sartre) donne accès à une éthique de la responsabilité pour autrui. Cependant Levinas a repris le style sartrien et ses exemples fameux qui introduisent des petites dramaturgies au cœur de la prose philosophique. La comparaison donne à voir combien l'usage du concept diffère chez les deux philosophes : Sartre donne ses figures en spectacle et en appelle à la raison, quand Levinas joue sur l'empathie et la contemplation, par un style qui invoque plus qu'il ne provoque.

La théâtralisation des concepts procède de dramaturgies distinctes. Celle de Levinas présente des tableaux et recourt peu à des scènes d'action. Le registre religieux qui l'anime donne à voir des moments extatiques, des épiphanies, des annonciations. La rencontre avec autrui est inénarrable a prévenu le philosophe de l'éthique première, mais elle se donne quand même à éprouver par des allégories. Autrui est le misérable, celui qui est nu, qui a faim. Autrui est le maître, le seigneur qui m'appelle, qui m'attire du bas vers le haut. Levinas, mêlant émotion et injonction, introduit le *pathos* dans sa philosophie éthique et, à cette fin, multiplie les métaphores sur le traumatisme causé par la rencontre avec autrui : « La passivité de la blessure – l'hémorragie du pour l'autre – est

207

l'arrachement de la bouchée de pain à la bouche qui savoure en pleine jouissance[85]. » Le soubassement biblique – là le Livre d'Isaïe – concourt implicitement à ranimer un imaginaire commun qui peuple le texte philosophique de personnages, de scènes et de motifs familiers.

Le charme d'un discours philosophique est parfois jugé comme une séduction superficielle dérogeant à la rigueur conceptuelle attendue. Toutefois, c'est une illusion de croire qu'il n'opère pas, même dans les textes les plus austères qui rechignent aux artifices stylistiques. Les écritures philosophiques ont chacune des traits langagiers qui les apparentent à des œuvres d'écrivains. Analyser leurs singularités aide à comprendre à la fois leur puissance spéculative et leur attraction. Celle de Levinas mobilise plusieurs styles autour d'un concept phare et nombre de ses textes témoignent de cet emballement rhétorique autour d'un mot qui est tout autant argumenté que vénéré. *Autrui* demeurant l'absolu indéfinissable, le discours devient une périphrase qui tourne autour du fétiche faute de le voir, de le nommer, de le rencontrer. Le manège des styles – les métaphores heideggériennes, les psaumes bibliques, les descriptions phénoménologiques – produit des difformités remarquables, oscillant entre la tautologie (« Toi, c'est toi »), l'hyperbole et la longue incantation. Une fois repérés les tours obsessionnels

---

85. Emmanuel Levinas, *Autrement qu'être ou Au-delà de l'essence*, [1974], Le Livre de Poche, 1990, p. 119.

d'une écriture théorique, il importe d'en interroger les raisons pour en comprendre mieux les effets.

Un paradoxe scandaleux surgit alors, à partir d'un soupçon : et si l'hypertrophie d'un concept était un moyen d'abolir le référent dont il est issu ? Plus précisément : l'édification du mot autrui ne viendrait-elle pas de sa négation, et n'encouragerait-elle pas son effacement ? Faire d'autrui un absolu reviendrait à ne plus le voir, à favoriser une cécité envers sa présence concrète. De fait, Levinas insiste sur cette exposition d'un visage dont on ne perçoit rien, ni la couleur des yeux (l'observer signifierait l'absence d'une relation authentique), ni les vêtements (il est nu), ni le statut social (qu'il soit un esclave ou professeur d'université, dit-il, je m'adresse à eux également), ni la ressemblance ethnique (c'est par la ressemblance accidentelle à un tiers qu'elle peut apparaître). L'épiphanie de l'autre est moins une apparition qu'une disparition de sa réalité. Hors de tout contexte, son visage se retrouve finalement oblitéré au profit d'une interlocution dont il est la parole intacte. En reprenant le mot de visage comme métaphore, selon un usage philosophique très ancien (le visage de Dieu, de l'Être, de la vérité, du moi...), Levinas « perd » le visage personnel, mais selon une manière inverse à celle de Deleuze qui le connectait à d'autres réalités : en le magnifiant et en le transformant en un mot magique, doté d'une forte puissance d'évocation et d'incantation.

Si le mot-fétiche procède d'une négation de son référent, la théorie qu'il fonde est suspecte, elle aussi, de promouvoir le contraire ce qu'elle affirme. En poussant

Le fétichisme du concept

le paradoxe encore plus loin, nous pouvons suggérer que la radicalisation éthique révèle une impasse, voire l'impossibilité de la pratiquer. Sans doute un idéal moral sert-il d'horizon vers lequel doivent tendre les actions qui, de fait, n'atteignent jamais cette perfection. Et la plupart des « morales » se fondent sur des principes inconditionnels. Toutefois, l'insistance sur le sublime d'une attitude – ici l'effacement total devant autrui et le dévouement qu'il exige – produit un discours second qui excède la rationalité de la loi morale. Par ses propositions hyperboliques, Levinas affirme un devoir de responsabilité qui met le sujet en perpétuel défaut, insistant sur sa dette infinie et jamais acquittée : « Responsabilité obsédante, responsabilité qui est une obsession, car autrui m'assiège, au point qu'il met en question mon pour-moi, mon en-soi, qu'il me fait otage[86]. » Il décline à longueur de textes ce thème de l'otage, du sujet prisonnier à jamais d'*autrui*, continuellement sommé de s'arracher à lui-même et d'arracher ce qui lui appartient ou même ce dont il a besoin pour le donner à *autrui*. Ainsi de la bouchée de pain qui ne peut être avalée sans l'idée qu'elle a lésé autrui, qu'elle est mangée pour soi indûment car elle doit revenir à l'autre homme. Levinas en construit un concept pour définir l'hospitalité infinie : « L'être-arraché-à-soi-pour-un-autre-dans-le-donner-à-l'autre-le-pain-de-sa-bouche[87]. » Radicalement aliéné, d'une passivité inconditionnelle, le sujet otage

---

86. Emmanuel Levinas, *Dieu, la mort et le temps*, op. cit., p. 157-158.
87. *Id.*, *Autrement qu'être ou Au-delà de l'essence*, op. cit., p. 126.

accueille *autrui*, son hôte, quel qu'il soit, et devant lequel il dépose toute subjectivité.

La beauté de telles propositions vient du sublime accordé à la relation morale. Elle fait miroiter un idéal éthique propre à représenter une humanité délivrée de la guerre entre ses intérêts égoïstes. Elle engage à partager une foi d'autant plus exaltante qu'elle est exigeante grâce à un style qui conjugue l'argument rationnel et le récit biblique, Levinas opérant de fréquents allers et retours entre ses textes philosophiques et ses commentaires talmudiques. Cependant cette beauté provient aussi de la radicalité spéculative qui pousse à l'extrême une idée au-delà de toute préoccupation factuelle, dédaignant les conditions de sa réalisation. Une telle hyperbolisation devient inaccessible à la contradiction. Ainsi d'un dialogue entre Levinas et Philippe Nemo qui témoigne d'une surenchère éthique annulant toute objection par son excès même : le philosophe a d'abord rappelé ses thèses sur la responsabilité pour l'autre qui ne relève d'aucune réciprocité, d'aucun contrat… nous sommes responsables pour l'autre, explique-t-il, mais je ne dois jamais attendre qu'autrui soit responsable de moi. Puis vient une objection soulevée par l'interlocuteur qui fait surgir la figure du bourreau dans cet éther moral.

Le Juif persécuté devrait-il se sentir responsable, devant l'Humanité, du nazi qui l'envoie dans la chambre à gaz ? Levinas, au lieu de nuancer, renchérit en affirmant que nous sommes chacun responsable de la non-responsabilité d'autrui et il déclare : « Je suis responsable des persécutions que je subis[88]. » La formule n'innocente pas les persécuteurs, mais elle place le sujet dans une bulle morale qui l'arrache non seulement à lui mais aussi à toute réalité psychologique et politique. Elle reprend une injonction présente dans *Autrement qu'être...*, le livre le plus radical de Levinas : « Dans le traumatisme de la persécution, passer de l'outrage subi à la responsabilité pour le persécuteur[89]. » Levinas va bien au-delà de la question morale du pardon, déjà très complexe, et il exige davantage, du moins dans l'affirmation éthique, en demandant d'être responsable des crimes commis par *autrui*. Il n'est pas question ici d'interroger l'attitude morale de Levinas à l'égard des nazis, mais nous observons qu'en présentant ici l'attitude d'un saint, il pousse jusqu'à ses limites surhumaines les conséquences sublimes de son éthique première.

Sans contester la valeur d'une telle pensée, l'interrogation sur sa radicalité et l'attraction qu'elle exerce conduit à y déceler une puissance de déni. L'exposition maximale du sujet à *autrui*, en tant que représentation hypertrophiée de toutes les situations où un individu en rencontre un autre, aboutit à une *surexposition* photographique aux rayons d'un discours abstrait qui efface les aspérités, les contours, les contrastes de l'autre homme. Elle acquiert une force de séduction à la mesure de cet effacement qui annule les affects ordinaires au profit d'une image idéale de la relation

---

88. Emmanuel Levinas, *Éthique et infini, op. cit.*, p. 106.
89. *Id., Autrement qu'être ou Au-delà de l'essence, op. cit.*, p. 176.

interhumaine. Elle occulte en effet les situations ordinaires où la relation à un autre individu implique des rapports complexes, dus notamment aux différences, aux statuts, aux circonstances. Mais sa plus grande fascination vient de la projection du lecteur dans cet imaginaire éthique.

L'absolu permet en effet d'échapper à toute condition et à toute relativité, il autorise la magie d'une pratique à blanc. Le lecteur se livre à une *empathie spéculative* qui le conduit à jouir d'une posture éthique où il ne cesse de témoigner de son effacement, de son sacrifice pour l'autre. Il peut surenchérir au travers des idéalités pour investir le rôle moral d'un altruiste supérieur. Il se met en scène grâce à une postulation théorique et se représente la dette, le devoir infini, sans avoir à les réaliser, sans même s'interroger sur les conditions de sa pratique. Et nous sommes tentés de dire que c'est justement *pour* ne pas avoir à s'interroger sur sa pratique qu'il adopte avec ferveur un tel idéal éthique. Le fait que cette responsabilité pour la non-responsabilité d'autrui soit invivable et impraticable la rend d'autant plus attractive. L'hyperbole, le passage à l'absolu sont une façon de ne pas assumer la responsabilité pour l'autre car, portée à ce niveau d'exigence, elle devient impossible. D'une part, le lecteur se dédouane de toute pratique, cette morale demeurant irréalisable ; d'autre part, il se représente lui-même comme un être supermoral, doué d'une noble conscience du devoir. Le gain est double.

Le langage abstrait peut ainsi devenir un opérateur du mensonge, au sens où un penseur – auteur ou

Le fétichisme du concept

lecteur – se ment à lui-même par un exercice d'auto-illusion. Il se représente, par voie imaginaire, en train de suivre des idées qui lui proposent une existence de substitution, gagée uniquement sur des mots et qui lui permet de vivre une double vie. Ce type de mirage diffère de celui que produit la littérature, le théâtre ou le cinéma, car son pouvoir d'entraînement vers l'irréalité tient à la langue de l'idéal qui occulte toute subjectivité. Avec le langage abstrait, la production d'une vérité universelle autorise ce dédoublement d'apparence neutre. Les usagers adoptent ces mots sans chair pour désincarner leur existence. Ils ne se projettent pas dans tel ou tel personnage, comme le font les lecteurs et les spectateurs de fiction qui transfèrent leurs affects par empathie. Ils se vivent plutôt comme de pures idéalités, des sujets sans subjectivité qui font des expériences de pensée, qui se représentent eux-mêmes sous l'espèce d'une conscience idéale.

Selon quel tour de passe-passe une vérité concep-tuelle peut-elle favoriser un mensonge à l'égard de soi ? De fait, une vérité philosophique est souvent inaccessible à la preuve et à la vérification, même si elle s'énonce dans le langage de la raison. Elle se pare en effet de la systématicité, de l'autorité ou de l'authenticité, ce qui la dispense d'être comptable d'une pertinence factuelle. Ainsi de l'argument levinassien sur *l'authen-ticité* de la relation à autrui : en affirmant que la relation éthique est première, antérieure à tout rapport « interhumain », il déplace la question de la vérité et du mensonge et la rend secondaire. Son affirmation éthique n'est plus indexée sur une vérification et ne se présente qu'au titre d'une révélation qu'il présente sur le registre de l'incantation, fût-elle d'apparence argumentative. Levinas écrit ainsi : « Mensonge et véracité supposent déjà l'authenticité absolue du visage – fait privilégié de la présentation de l'être, étranger à l'alternative de la vérité et de la non-vérité, déjouant l'ambiguïté du vrai et du faux que risque toute vérité. [...] Pour rechercher la vérité, j'ai déjà entretenu un rapport avec un visage qui peut se garantir soi-même, dont l'épiphanie, elle-même, est, en quelque sorte, une parole d'honneur[90]. » En essayant d'atteindre conceptuellement ce moment éthique premier, le philosophe oriente son propre langage vers un mode d'expression qui échappe à la preuve et devient autoréférentiel. Comme *autrui*, il faut le croire sur parole.

Le fonctionnement des mots abstraits, lorsqu'il participe d'une seconde langue entremêlée au langage courant, peut ainsi entraîner le suspens des significations ordinaires. Il devient alors l'objet d'un investissement imaginaire, propice à l'autoreprésentation d'un moi pensant. Adorno a pointé cet usage magique du mot-clé (*Stichwort*) pour dénoncer le « jargon » de Heidegger et, au-delà de sa charge polémique, il a observé cette ambiguïté du langage philosophique, propre aussi bien à l'élucidation qu'à l'intoxication. La critique idéologique d'Adorno n'entre pas dans notre propos qui concerne plutôt l'investissement psychique suscité par un discours abstrait. Mais ses analyses du langage philosophique éclairent

---

90. Emmanuel Levinas, *Totalité et infini, op. cit.*, p. 221.

Le fétichisme du concept

le dédoublement de personnalité suscité par certains de ses tours stylistiques, et notamment par la magie d'un concept. L'édification d'un mot qui sert d'entrée dans tous les domaines de la pensée exerce en effet un pouvoir d'illusion sur des lecteurs qui croient ainsi donner un sens général au monde. La langue empirique est travaillée de telle sorte que le mot-clé rayonne sur les autres et les transforme en éléments d'une autre langue de la vérité et de la révélation. Sans doute pouvons-nous observer que la poésie procède souvent de cette façon, toutefois le discours philosophique assume rarement une telle procédure, affichant plutôt un usage instrumental du langage. Sa langue seconde n'est pas censée venir d'un exercice du style, mais du travail des idées, selon cette dichotomie classique et trompeuse qui demeure encore chez nombre de philosophes. C'est donc clandestinement que cette langue seconde réussit à construire une constellation de mots qui s'apparente alors à une voûte idéale. Elle promeut ainsi un monde de connivences qui permet aux lecteurs de jouir d'un sentiment de communauté : ils reconnaissent tel mot comme un fétiche à l'intérieur d'une langue spécifique, et ils se reconnaissent entre eux en partageant l'aura d'un langage connoté par la révélation.

Le mot-clé a acquis un sens qui dépasse sa signifi-cation. Que nous donnions un sens supérieur à un mot que nous employons d'habitude pour ne signifier qu'une seule chose n'a rien d'extraordinaire. Mais avec l'usage fétichiste du langage, il en va autrement qu'une simple extension de sens. Et les philosophes qui travaillent constamment à cette transcendance de la signification empirique des mots peuvent en user doublement. Lorsque la philosophie construit une langue technique par souci d'exactitude, elle obéit toujours au souci d'élucider des questions complexes. En revanche, lorsque ce sont les mots qui échappent à la dialectique et qui, par leur présence intrinsèque, deviennent les garants d'un sens supérieur, le discours abstrait recourt alors à un langage fétichiste. Ainsi employé, le mot-clé semble révéler une vérité, comme si cette révélation venait de sa propriété essentielle, comme s'il condensait un sens transcendant à sa signification. En fait, il donne cette illusion parce qu'il est devenu le fétiche d'une syntaxe parasitaire qui ne se réfère qu'à elle-même et qui requiert la connivence des lecteurs. Le dévoiement de la rationalité philosophique, du moins tel que le dénoncent ceux qui tiennent à l'usage rigoureux du langage rationnel, vient de ce saut hors de l'intelligibilité commune.

Par l'usage fétichiste d'un concept, les arguments tirent leur puissance d'une langue autoréférentielle et fonctionnent sur des connexions d'effets qui impressionnent les lecteurs. Plusieurs procédés stylistiques concourent à ce chatoiement du langage qui extirpe les mots-clés de toute discussion, car ils sont devenus indiscutables, tels les fétiches. Exaltés, démultipliés sous forme de métonymies, ils sollicitent le pathos des lecteurs qui participent à l'adoubement de ces notions bénies par la pensée. Dès lors, le vrai et le non-vrai perdent leur opposition, puisque les référents empiriques se sont évanouis au profit d'une jouissance sublime, langagière et idéale. Pour autant, le référent n'a pas complètement disparu malgré le fonctionnement autoréférentiel de la langue abstraite, il demeure sous forme de duplicata sans réalité. Il est devenu une image propice aux simulations et aux métamorphoses.

Nulle surprise à ce que cet avatar conceptuel puisse ménager des renversements et déclencher la puissance mensongère de la fiction. Cette langue seconde, observe Adorno, « unit l'apparence d'un concret absent avec l'ennoblissement de ce concret[91] ». Dès lors, elle permet de valoriser, voire de sacraliser, la référence absente – qu'il s'agisse d'une idée, d'une valeur, d'un principe moral... Elle autorise le lecteur à se représenter lui-même comme un de ses plus fervents disciples. Le serviteur du mot *autrui* conçoit par exemple sa relation aux autres comme la plus haute dévotion, la plus grande responsabilité, il se pense à la hauteur de cette sublime idée en accédant à un discours qui mêle démonstration, révélation et credo. Mais le discours aura eu pour fonction principale d'effacer cet autrui concret dont il ne conserve qu'un simulacre, transformé en pure idéalité. Plus le mot-fétiche est objet d'une jouissance, moins existe ce à quoi il renvoie. Ou, pourrait-on dire inversement : moins la réalité concrète est supportable, plus il est nécessaire d'en vénérer le nom pour l'abolir en l'idéalisant.

Conscient d'une telle ambivalence au cœur des grands discours abstraits, nous pourrions être tentés

---

91. Theodor W. Adorno, *Le Jargon de l'authenticité* [1989], trad. Éliane Escoubas, Payot, « Critique de la politique », 2009, p. 119.

de les éviter par méfiance à l'égard de leur tromperie ou des leurres qu'ils nous présentent. Toutefois une telle crainte reviendrait à croire qu'il existe a contrario un langage pur, ou concret, ou rigoureux qui permettrait d'échapper au mensonge à soi-même. Malheureusement – ou heureusement – un tel langage n'existe pas, du moins est-ce l'usage qui en décide la puissance d'illusion. Au contraire, une approche lucide des tours langagiers et des investissements psychiques que suscite un langage spéculatif dévoile la formidable dynamique générée par ces langues abstraites.

Observer le fonctionnement stylistique d'un concept ne vise pas à le dévaluer ni à sous-estimer sa pertinence théorique. L'attention à la « langue » d'un philosophe permet plutôt de montrer que le style, loin d'être un ornement, est la matière verbale où la pensée s'engage et se révèle, avec ses affects et ses imaginaires, tout en suivant une logique rationnelle. Les philosophes rechignent souvent à de telles analyses car ils y voient un oubli de la signification qui fait tout l'intérêt du discours spéculatif. Mais ceux-là négligent le fait que la pensée se tient tout entière dans son verbe. L'étude dite stylistique ne consiste pas à énumérer des traits formels (telles métaphores, tels syntagmes, tels exemples) mais cherche la forge de la pensée, dans un langage qui est autant expression que torsion et transformation d'une énergie pensive où la psyché du sujet écrivant compose avec des sédiments verbaux lestés de représentations héritées et instables.

Loin de sous-évaluer la puissance de la philosophie et de tout discours spéculatif et abstrait, l'interrogation sur l'investissement psychique du sujet qui pense, parle, écrit dans cette langue, suggère une écoute distincte mais complémentaire de l'étude sémantique des textes. Elle reprend la question éminemment nietzschéenne posée sur l'autorité du moi et sur les masques adoptés par un penseur. Qui écrit telle théorie, qui promeut tel concept, à quel intérêt obéit celui qui pense, que désire-t-il à travers ce qu'il pense ? Quel visage exposons-nous lorsque nous parlons dans la langue de l'abstraction, lorsque nous affirmons des idées ou promouvons certaines figures de pensée ? Nous avons jusqu'à présent gratté le vernis rationnel de la langue conceptuelle pour y déceler des forces contradictoires qui mobilisent la psyché des auteurs et des lecteurs. Il est temps désormais de montrer l'extraordinaire puissance de recomposition personnelle qu'offre le recours à la langue abstraite, moins pour ordonner le chaos du monde que pour vivre des existences multiples.

# LES PERSONNALITÉS MULTIPLES

Vivre le contraire de ce qu'on écrit, ou écrire le contraire de ce qu'on vit, de telles étrangetés conduisent à interroger les fonctions de l'écriture et tout particulièrement de la prose théorique. Sans doute la répartition entre la « vraie vie » et la pensée ou l'imagination est-elle contestable. « Un livre est pour moi une manière spéciale de vivre », expliquait Flaubert. Dès lors, comment définir cette vie dans l'écriture ? Les écrivains savent combien la littérature donne à éprouver des existences imaginaires et des émotions souvent plus fortes que celles de la « réalité » ordinaire. Sartre en avait conçu sa plus grande névrose depuis l'enfance, lorsqu'il confondait les mots et les choses et vivait uniquement à travers les livres. Les abstracteurs se l'avouent moins facilement, pourtant la conception de systèmes abstraits et l'expérience de la pensée procurent autant de joies que d'angoisses, de sentiment de puissance que de vertiges abyssaux.

L'écriture de traités, d'essais, de thèses est aussi une construction de soi, moins au sens d'une personnalité intellectuelle que d'une mobilisation psychique par laquelle un moi idéal se dessine et se représente dans les traits d'une langue abstraite. Cette « construction » procède aussi par défiguration et transformation, tant la manière de tresser des concepts avec des affections intimes s'exerce à l'insu de soi, sous la protection de l'universel. Elle vient exacerber ou contrarier l'image que le soi se fait de lui-même. L'affirmation d'idées permet en effet la manipulation et la recomposition d'un soi pensant qui investit ses désirs et ses peurs, ses fiertés et ses hontes dans un discours de portée générale. Il est peu aisé d'approcher ce travail psychique puisque la langue abstraite ne produit pas d'emblée d'images comme le fait la fiction, elle n'exhibe pas de portrait substitutif de l'auteur, elle masque ses transferts par des écrans conceptuels. Toutefois l'affirmation de principes ou d'arguments offre les indices d'une exposition subjective au travers de formes verbales complexes. Les affirmateurs d'idées disent toujours quelque chose d'eux-mêmes, sans forcément être conscients de cette réflexivité. Et lorsque apparaît un écart entre leurs assertions et leur existence, la fonction du discours abstrait se fait jour : elle vise à l'élaboration d'une figure inédite du soi.

Les différents discours dont nous avons déjà observé les « contradictions » avec la vie du discoureur nous mettent sur la piste des fonctions psychiques de l'affirmation : *l'unification et la multiplication du soi*. Ces deux fonctions semblent opposées, mais elles se conjuguent à travers une intention mensongère, au sens d'un déni qui permet d'articuler des vécus contradictoires. Le mensonge, à entendre encore une fois comme une *fiction transformatrice*, offre la possibilité d'affirmer une personnalité virtuelle dans les mots de la théorie (« je suis l'auteur de cette thèse, c'est moi l'inventeur de ce concept »). Positivement, il favorise une représentation de soi différente, voire inverse au mode d'existence du discoureur. Il unifie par contrariété et libère un désir d'exister potentiellement à l'envers de la réalité vécue. Cette unification pourrait relever d'une fiction libre et inventive, toutefois elle reste directement animée par une pratique de déni, plus ou moins consciente. Pour en montrer la puissance et les tours, nous analyserons le cas singulier de Simone de Beauvoir, riche d'enseignements, tant sa pensée et ses écrits témoignent à la fois d'une volonté de transparence et d'une démultiplication du soi qui dément cette vérité affichée.

## La double vie de la théorie : Beauvoir en Amérique

Les nombreuses écritures de Simone de Beauvoir permettent de relier le récit et la théorie que cet auteur a pratiqués parallèlement, racontant d'un côté sa vie en détail au travers de Mémoires et de romans, et réfléchissant de l'autre à sa condition de femme pour construire une philosophie de l'émancipation. Les récits participent de ce que Ricœur a appelé une « identité narrative » qui transforme le soi en intrigue. Toutefois la théorie, à sa manière, relève aussi d'une telle élaboration, sans recourir à une projection

223

mimétique de soi dans des personnages et une histoire. Elle autorise, comme nous allons l'observer, une fiction personnelle où s'éprouvent des vies contradictoires, des doubles et multiples vies à travers le prisme de l'abstraction. En l'occurrence, Beauvoir propose un modèle théorique contraire à ce qu'elle vit ou, dirait-on à l'envers, elle vit de manière inverse aux principes qu'elle théorise. Il ne s'agit pas d'un jugement de valeur sur le comportement général de Beauvoir, mais d'une interrogation sur un moment précis de son existence, et non des moindres puisqu'il concerne l'écriture de son œuvre philosophique majeure, *Le Deuxième Sexe*.

Alors que Beauvoir élaborait le livre qui demeure encore aujourd'hui un des textes fondamentaux de la pensée féministe, elle vivait une relation amoureuse avec un écrivain américain, Nelson Algren. Cette histoire privée n'a rien de contradictoire a priori avec les thèses et les récits de la philosophe, d'autant qu'elle l'a narrée dans plusieurs de ses récits, et qu'elle semble même confirmer la liberté sentimentale et sexuelle qu'elle a toujours revendiquée. La publication posthume de sa correspondance avec l'écrivain a cependant surpris car elle a révélé une autre person- nalité, distincte de celle qu'elle exposait dans ses romans. Il convient de préciser d'emblée qu'aucune « vérité » ne se découvre dans ces lettres qui viendraient dévoiler la « vraie » Simone de Beauvoir. Elles signalent tout au plus, mais pas moins, que l'auteur a vécu des expériences contradictoires et que le contrat de transparence affichée fonctionne comme un leurre pour des lecteurs qui croyaient tout savoir de sa vie.

Cette correspondance déroge en effet aux autoportraits de Beauvoir et surtout elle signale des comportements, des émotions, des idéaux contraires à ceux prônés dans ses thèses philosophiques. Il s'agit là d'un dossier que nous devons reprendre minutieusement, sans aucun jugement moral.

Les lettres écrites à Nelson Algren par l'écrivain philosophe ont été éditées en 1997, après la mort de Simone de Beauvoir en 1986. Malgré leur caractère posthume, elles ne peuvent être considérées comme des textes à usage exclusivement privé car leur auteur a envisagé leur publication. Et conformément à l'éthique partagée avec Sartre, Beauvoir a toujours revendiqué la transparence de leur vie respective. Nous devons nous garder de lire ces lettres comme un secret que l'auteur aurait caché. Ce sont les « contradictions » plutôt, entre des écritures, des récits, des idées qui intéressent ici et plus particulièrement la dysharmonie entre la vie manifestée dans les lettres et la théorie construite dans le même temps. Cependant l'opposition entre deux personnalités, l'amoureuse et la théoricienne, reste trop simpliste. Il est plus fécond de comprendre les enjeux psychiques de ces vécus à la fois opposés et articulés dans l'amour et dans la théorie, élaborés en synchronie.

Sur le chemin qui mène à cette double vie et à ses tensions narratives, nous pouvons observer d'abord quelques écarts entre les versions données par Beauvoir et Sartre, devenus les modèles ou les contre-modèles du couple moderne. Nelson Algren a été représenté comme un des amants de la constellation des amours contingentes, selon le contrat établi entre les deux philosophes existentialistes qui maintiennent leur couple comme centre autour duquel s'articulent, en toute lumière, des relations satellites. Une première polémique a précédé l'édition des lettres à Nelson Algren lors de la parution de la correspondance entre Sartre et Beauvoir et dans laquelle certaines amantes se sont reconnues. L'une d'elles, Bianca Bienenfeld, devenue Bianca Lamblin, découvrant la manière dont le couple parlait d'elle sous le nom de Louise Védrine, écrivit *Les Mémoires d'une jeune fille dérangée*, en parodie d'un livre de Beauvoir, pour dénoncer leur version de la liberté sexuelle. Le couple existentialiste y ressemble plus aux personnages des *Liaisons dangereuses* qu'aux hérauts d'une morale sexuelle fondée sur la vérité. Et les contempteurs de Sartre et Beauvoir ont profité de cette brèche pour dénoncer leur immoralité. Cette polémique mal intentionnée, liée au déclin des idéaux libertaires dans les années 1990, nous met toutefois sur la piste d'une dissociation entre les principes éthiques et le vécu passionnel.

Les lecteurs familiers de Beauvoir sont portés à ranger Nelson Algren dans la série des amants dont les Mémoires égrènent les portraits. Cette vision trompeuse donne l'impression d'une liberté sexuelle dont le protocole, théorisé par un pacte entre Sartre et Beauvoir, aurait été parfaitement maîtrisé. Les versions littéraires de ces expériences témoignent plutôt des difficultés à vivre des situations où se mêlent une éthique de la liberté et des affects contradictoires. Dans le roman de Sartre *L'Âge de raison* ou dans *L'Invitée* de Beauvoir se devinent les crises de jalousie et les petits mensonges qui émaillent les relations multiples ou la vie à trois. La liberté n'épargne pas les passions tristes. D'autre part, la notion de contrat laisse penser à une symétrie entre les signataires alors que le mot de sexualité recouvre des désirs et des pratiques distincts pour chacun. Mais au-delà de ces précisions, il importe de comprendre pourquoi la relation de Beauvoir avec Algren échappe à la série des amants et des amantes. À la lecture des Mémoires, nous pourrions qualifier cette relation forte par son intensité supérieure, mais c'est le statut de ce personnage, dans l'existence de Beauvoir, qui l'excepte de la liste connue des amants, pour avoir été l'objet d'une formidable passion.

Simone de Beauvoir effectue un voyage aux États-Unis en 1947, où elle donne des conférences universitaires, et elle rédige alors un récit de son périple qui sera publié sous le titre *L'Amérique au jour le jour*. Elle rencontre Nelson Algren à Chicago et, à peine repartie pour la Californie, elle commence à lui écrire et engage une correspondance amoureuse qui comportera trois cents lettres et se poursuivra pendant dix-sept ans. L'année 1948 est consacrée à l'écriture du *Deuxième Sexe*, son grand œuvre, dont elle parle à Algren, à la fin de cette année, lui annonçant que son ouvrage volumineux est « bourré d'histoires amusantes ». Elle en commente le titre et continuera d'évoquer ce travail pendant l'année 1949, désignant le deuxième tome comme son « second enfant ». Les moments de grande passion amoureuse, dont l'exaltation épistolaire témoigne, sont donc concomitants de

227

l'entreprise théorique menant à un livre gigantesque, et par la taille, et par sa puissance philosophique.

En effet, l'argumentation du *Deuxième Sexe* conjugue une philosophie antinaturaliste, une analyse socio-historique et une politique de l'émancipation. Elle oppose, d'un côté, la liberté du sujet, son avenir ouvert à tous les choix, et, de l'autre, la dégradation de son existence sous l'effet d'une vocation sexuelle qui lui est imposée. En fidèle existentialiste, Beauvoir affirme que la nature, la biologie ne donnent pas la raison ni l'orientation des vies, mais qu'elles demeurent les conditions à partir desquelles tous les comportements sont possibles. Ce n'est pas parce que les corps ont des capacités – celle de procréer, par exemple – qu'ils sont destinés à des fonctions. Le corps physiologique n'est qu'un fait contingent, disponible pour tous les projets de significations. À partir d'un tel postulat, Beauvoir peut montrer comment la différence sexuelle repose sur une construction. Précurseur des études sur le genre, elle souligne que le sexe n'est qu'un prédicat : il devient un genre par la performance réalisée d'un rôle social. Il n'y a pas de nature féminine, tout comme il n'y a pas de nature humaine, selon la philosophie existentialiste. Être femme, c'est choisir d'exister comme femme dans le regard d'autrui et de subir la pétrification de sa conscience aliénée, vécue non plus pour soi mais pour autrui.

La formule fameuse qui signe le livre phare du féminisme, « on ne naît pas femme, on le devient », mène à une étude des conditionnements culturels qui conduisent une femme à se penser comme femme, à « être » femme selon les canons de la différence sexuelle. Beauvoir mène ainsi une déconstruction des rôles prétendument féminins à travers les mythes et l'éducation qui destinent les femmes à des fonctions secondaires. Ses analyses permettent d'aller vers le concret de l'existence vécue et de ne pas en rester à des énoncés abstraits. Elle traite ainsi des « situations », terme existentialiste qui définit la relation entre une conscience libre et un donné qui la conditionne. Toute liberté n'existe qu'en situation et se définit par la manière dont elle vit cette situation qu'elle accepte ou non comme sienne. Pour décrire la conscience située, Sartre insistait sur sa place dans le temps et l'espace humains, Beauvoir, elle, décline une série de situations concrètes : maritale, maternelle, sexuelle, amoureuse, etc. À chaque fois elle analyse en phénoménologue le vécu ordinaire des femmes et elle lui donne un relief philosophique exceptionnel.

Parmi les situations dont Beauvoir propose une description phénoménologique et critique, les tâches ménagères offrent un moment important de l'analyse psychique. Il est rare qu'un philosophe s'intéresse à des tâches aussi ordinaires que le lavage, le repassage ou le balayage. Beauvoir sait déceler la psyché qui s'attache à ce type de travail car il ne mobilise pas seulement le corps, l'énergie et le temps de la travailleuse, il implique aussi une relation au monde et au temps. Accomplir des tâches telles qu'enlever la poussière ou laver le linge suppose une activité sans fin, sans possibilité d'une édification : la saleté revient et le ménage ne se voit que lorsqu'il n'est pas fait. La répétition d'une tâche vouée

Les personnalités multiples

à son échec interdit à l'agent toute transcendance, toute possibilité d'imprimer un projet de la conscience sur le réel, car ce réel de la vie domestique demeure figé, sans perspective de changement autre que le retour des mêmes contraintes, des mêmes saletés à éliminer : « D'un seul mouvement le temps crée et détruit ; la ménagère n'en saisit que l'aspect négateur. Son attitude est celle du manichéiste. Le propre du manichéisme n'est pas seulement de reconnaître deux principes, l'un bon, l'autre mauvais : mais de poser que le bien s'atteint par l'abolition du mal et non par un mouvement positif[92]. » La ménagère est ainsi condamnée à vivre dans un monde de destruction sans fin ni salut : la maison se salira toujours de nouveau, quels que soient ses efforts. De même les repas qu'elle prépare pour la famille sont voués à être engloutis et elle devra toujours recommencer. Éprouverait-elle du plaisir à satisfaire les besoins de la maisonnée, elle n'en resterait pas moins dépendante d'un système domestique sans transcendance et fermé sur l'opposition entre production et destruction.

L'analyse de Beauvoir porte sur les conditions de la vie domestique et la psyché qu'elle détermine. Toutefois la philosophe ne se limite pas à la situation matérielle des femmes, elle entreprend aussi de décrire leur dépendance dans la vie affective. Parmi les grands moments théoriques du *Deuxième Sexe*, la description des « prototypes » féminins que la culture

---

92. Simone de Beauvoir, *Le Deuxième Sexe*, t. II : *L'Expérience vécue*, Gallimard 1949, rééd. en poche, Gallimard ,« Idées », 1975, p. 63.

a construits donne lieu à une galerie de portraits à la fois philosophiques et psychiques. Nous soulignerons surtout celui de l'amoureuse, pour le mettre en regard des versions que Beauvoir donne ailleurs de sa propre vie sentimentale. Elle insiste principalement sur la dissymétrie entre l'homme et la femme qui n'éprouvent pas l'amour de la même manière, non par nature mais à cause des rôles que leur assigne la culture. La femme s'identifie à l'être aimé, explique Beauvoir, elle voit le monde en adoptant le point de vue de l'aimé, elle adopte ses goûts, ses idées, ses amis. « La mesure des valeurs, la vérité du monde sont dans sa conscience à lui [...] ; le centre du monde, ce n'est plus l'endroit où elle se tient mais celui où se trouve l'aimé[93]. » L'aliénation amoureuse prend ainsi la forme d'une abdication, puisque la femme ne trouve de justification à son existence que par l'amour que lui porte l'autre. Elle n'existe que dans cette « reconnaissance », l'amour lui octroyant une place, certes nécessaire mais secondaire. La contingence, la liberté s'effacent au profit d'une vie fusionnelle qui donne à la femme l'illusion d'un « nous », alors que l'homme, lui, continue d'être un sujet, un « je », tout en éprouvant son amour. « L'amoureuse connaît dans sa démission la possession magnifique de l'absolu[94]. »

La femme s'est dissoute dans le « nous » de l'amour et elle se condamne à vivre par le regard de l'aimé tout-puissant. Une situation emblématique de cette

---

93. *Ibid.*, p. 392.
94. *Ibid.*, p. 393.

aliénation amoureuse est l'attente de l'être aimé. La femme qui attend connaît l'inquiétude, la jalousie, l'angoisse car elle se représente sa propre mort à l'idée que l'aimé ne reviendra pas vers elle. Étant donné qu'elle n'existe plus que par l'amour de l'autre, la possibilité d'un abandon l'annihile, la prive de toute sa justification d'exister. Beauvoir insiste beaucoup sur l'absence vécue comme une trahison. Le doute sur l'infidélité de l'aimé provoque la jalousie de l'amoureuse qui éprouve ainsi sa dépendance totale. Pourquoi Beauvoir associe-t-elle à ce point l'absence et le soupçon de l'infidélité ? D'une manière plus générale, nous pouvons nous demander sur quelles sources s'appuie la philosophe pour développer avec tant de précision ses études de cas.

Les livres de philosophie pourraient être relus à partir de leurs exemples. Censés illustrer les idées, ils viennent parfois en amont et déterminent les choix théoriques. Ceux de Beauvoir incarnent ses thèses, et la description phénoménologique la conduit à simuler des situations, à représenter des rôles de manière théâtrale pour mettre en scène ses concepts. Elle multiplie les figures prototypiques, la ménagère, la lesbienne, la prostituée, la jeune fille, la vieille femme, la mystique, elle se glisse dans la peau de ces personnages comme un auteur de roman. Cependant, elle en décrypte les gestes et les pensées comme un analyste présenterait des cas : elle les investit de manière empathique pour mieux en déshabiller les attitudes et en montrer les signifi-cations existentielles. Elle les fait jouer sur la scène de son théâtre philosophique, elle joue elle-même à travers eux, ce qui leur donne une grande puissance d'incarnation. En même temps elle décompose leurs mouvements et elle s'étudie tacitement, comme si elle était à la fois le sujet de l'action et l'objet de son analyse philosophique.

Beauvoir magnifie sa galerie de portraits féminins et leur donne une épaisseur anthropologique. A-t-elle fréquenté de tels modèles dans la vie courante ? Ou bien les imagine-t-elle depuis sa table d'écriture ? Elle puise dans sa culture livresque, mythologique et littéraire, et se réfère aux relations de Liszt avec Marie d'Agout, de Hugo avec Juliette Drouet, ou celles des romans d'Emily Brontë, de Katherine Mansfield. Elle convoque aussi des amies comme Violette Leduc. Sa méthode reste libre et elle circule allègrement parmi des références aux statuts très différents. Elle collecte ses propres sources au gré des démons-trations, convoquant des réalités ou inventant des personnages. Elle ne se cantonne donc pas à l'illus-tration littéraire de thèses philosophiques, elle manie à la fois l'empathie et la distance. Beauvoir se compose à travers ses personnages et elle les décompose avec d'autant plus de lucidité et de maîtrise. Bref, elle feint de se perdre dans la psychologie des caractères pour mieux rester en surplomb et contrôler l'analyse théorique des comportements. Son écriture procède d'un dédoublement permanent.

L'analyse des rôles « féminins » est dirigée vers une fin : l'émancipation. Beauvoir intitule son dernier chapitre « Vers la libération » et dessine un chemin qui va de l'immanence à la transcendance. En termes politiques, elle montre la voie de l'indépendance, de l'égalité économique et sociale qui doit engendrer « une métamorphose intérieure». Qu'en sera-t-il alors des relations amoureuses et comment les femmes pourront-elles vivre leur amour sans dépendance ? Beauvoir poursuit l'horizon de la liberté dans le domaine sentimental en prônant l'idéal d'un amour « authentique ». Ce mot – nous n'avons cessé de l'observer chez tous les promoteurs de la vérité, de sincérité, de transparence – reste difficile à définir et souvent il n'a de consistance que par contrariété : l'authenticité se dessine vaguement à travers la dénonciation des conduites inauthentiques. En fait, Beauvoir continue de penser la relation amoureuse à partir de Hegel et de la lutte des consciences : « L'amour authentique devrait être fondé sur la reconnaissance réciproque de deux libertés ; chacun des amants s'éprouverait alors comme soi-même et comme l'autre : aucun n'abdiquerait sa transcendance, aucun ne se mutilerait[95]. »

Finie l'identification, finie l'offrande de la liberté comme gage d'amour… l'un et l'autre s'aimeront en restant deux libertés en acte. Mais la liberté n'existe que dans le projet, l'arrachement à la pétrification qu'impose le regard de l'autre, et Beauvoir ne peut accepter un idéal amoureux qui aboutirait à la fusion des amants. La lutte des consciences peut-elle finir sans risquer la mauvaise foi, la complicité, l'évanouissement de la conscience aimante dans l'en-soi de l'amour ? Beauvoir, comme Sartre, maintient le mouvement de l'arrachement qui garantit l'exercice de la liberté, de

---

95. *Ibid.*, p. 413.

sorte que le « nous » de l'amour suppose une perpétuelle tension, sinon une guerre contre l'engluement. Les œuvres composées par le couple, juste avant l'écriture du *Deuxième Sexe*, témoignent de ce dépassement infernal. *L'Invitée* et *Huis clos* montrent des couples qui se mentent, qui se jouent la comédie et que des tierces personnes, amants ou amantes, obligent à sortir de leur mauvaise foi. Le tiers est diabolique, mais salvateur en dénonçant le mensonge de l'amour fusionnel. Et nous savons par leurs récits et leur correspondance que Sartre et Beauvoir n'ont cessé de vivre ainsi leur relation sentimentale et libérale, éprouvant leur liberté réciproque en présence de tiers qu'ils associaient ou expulsaient. *Le Deuxième Sexe* peut donc se lire dans la continuité et la cohérence de ce que Beauvoir a officiellement écrit et vécu. Toutefois sa rédaction est contemporaine d'une autre écriture et d'une autre vie.

La rencontre avec Nelson Algren a radicalement modifié la représentation que Beauvoir se faisait de l'amour. Elle a découvert l'expérience de la fusion et du désir absolu. La sexualité y joue certes un rôle décisif, mais ne se réduit pas au seul plaisir physique car elle engage un désir du Tout avec l'aimé. Parmi les différents récits qu'elle donne de sa relation avec Algren – dans *La Force des choses*, *Les Mandarins* – sa correspondance fait entendre une voix nouvelle et qui peut surprendre si nous la comparons aux thèses développées dans *Le Deuxième Sexe*. Quelques mois après le début de leur liaison, elle commence à décrire ce bouleversement, mêlant l'analyse et la déclaration. Elle explique être arrivée à Chicago lasse des discours et des discussions théoriques subies lors de sa tournée universitaire et désireuse qu'on la regarde comme une femme et non comme une intellectuelle. Elle évoque d'abord la séduction physique puis la confirmation rapide d'un grand amour : « D'abord, j'ai été sensible à la façon dont vous m'aimiez, puis je vous ai aimé tout court. À présent, j'ai l'impression que je vous connais depuis très longtemps, que nous avons été amis toute notre vie, quoique notre amour soit si neuf. Mon chéri, nuit et jour je me sens enveloppée dans votre amour, il me protège de tout mal ; quand il fait chaud, il me rafraîchit, quand le vent froid souffle, il me réchauffe ; tant que vous m'aimerez je ne vieillirai jamais, je ne mourrai pas[96]. »

Être une femme sous le regard d'un homme, se sentir exister par lui, ne tenir sa raison de vivre que de lui, voilà qui détonne avec le projet de la femme indépendante. Dans *Les Mandarins*, sous couvert des personnages romanesques, Anne Dubreuilh et Lewis Brogan, Beauvoir insiste sur son ivresse sexuelle : « Il me serrait contre lui, un carcan de chair emprisonnait mes lèvres, sa langue fouillait ma bouche et mon corps se levait d'entre les morts. J'entrai dans le bar en titubant comme dut tituber Lazare ressuscité[97]. » Cette description reste

---

96. Simone de Beauvoir, *Lettres à Nelson Algren. Un amour trans-atlantique (1947-1964)*, éd. et trad. de l'anglais par Sylvie Le Bon de Beauvoir, Gallimard, « Folio » (n° 3169), 1997, p. 58 ; *A Transatlantic Love Affair. Letters to Nelson Algren*, New York, The New Press, 1998, p. 40 : « *Night and day I feel wrapped in your love, it protects me against every unpleasant thing ; when the weather is hot, it is cool, when the wind is cool, it is warm ; it seems to me I'll never get old, I'll never die as long as you love me.* »
97. Simone de Beauvoir, *Les Mandarins* [1954], Gallimard, 1954, Gallimard, « Folio », 2 vol. (n° 769 et n° 770), 1972, *loc. cit.*, t II, p. 37.

Le génie du mensonge

conforme à une approche existentialiste du corps désiré et désirant, le corps *pour soi* (le « corps propre » dit la phénoménologue) devenant corps *pour l'autre* dans une expérience d'incarnation réciproque.

La référence à la résurrection suggère toutefois une nouvelle vie par cet amour, une transformation radicale impliquant toute la conscience, ses affects et son imaginaire. De fait la suite de la correspondance met en lumière l'abandon de soi dans une passion où les individualités s'évanouissent. L'amoureuse éprouve le manque de l'aimé, elle a rejoint l'Europe et n'arrive pas à combler le vide qu'elle éprouve, tant elle se sent incomplète : « J'accepte de souffrir par vous, j'accepte que vous me manquiez si fort puisque je vous manque aussi, c'est comme si j'étais vous et vous moi[98]. » Et au cours des lettres la dévotion à l'aimé va *crescendo* : « Je vous appartiens et tout le jour je vous sens dans mon corps, mon cœur et mon âme comme je me sens moi-même [...], je suis votre petite grenouille aimante, votre Simone[99] », écrit-elle le 26 septembre 1947. Sans doute aucun amoureux n'est-il à l'abri d'employer des expressions qui frisent le ridicule et ces citations ne visent pas à briser l'image d'une philosophe au langage rigoureux. Le plus notable repose sur l'abdication du soi qui s'exprime ici, de la part d'une théoricienne qui prône l'individualité des amants. L'être aimé est

---

98. Simone de Beauvoir, *Lettres à Nelson Algren*, op. cit., p. 74. « *I am glad to suffer by you, I am glad to miss you so badly since you miss me too. I feel as I were you and you were me* », A Transatlantic Affair, op. cit., p. 50.
99. *Id., Ibid.*, p. 100-101. « *I belong to you and I just feel you with body, heart, soul, all day long, just as I feel myself [...] I am your loving little frog* », p. 67.

Les personnalités multiples

devenu le tout du désir, il remplit tous les rôles : le bien-aimé, l'ami, le mari, l'amant, ainsi que le nomme l'amoureuse. Il est l'animal dominant, le « crocodile » de Chicago qui peut dévorer sa petite proie soumise : le Castor constructeur s'est transformé en une petite grenouille *frenchie*. À l'inverse de ce qu'elle écrit et recommande dans *Le Deuxième Sexe*, Beauvoir renonce à son indépendance : « Mon bonheur reste entre vos mains et en un sens, j'aurais préféré le tenir entre les miennes. Bon, maintenant c'est fait, je n'y peux plus rien, je dois accepter cette dépendance, je veux l'accepter puisque je vous aime[100]. »

Sans doute le langage d'une correspondance a-t-il une fonction avant tout expressive et il ne peut être mis en balance avec le langage de la théorie. L'un est une adresse personnelle et les sentiments qu'il décrit visent à toucher le destinataire, l'autre a pour but la généralité conceptuelle et se porte vers un lecteur supposé universel. Cependant, Beauvoir ne peut s'empêcher de théoriser, à travers son expérience amoureuse, ce qu'elle ressent, et notamment le dépassement du dualisme entre l'esprit et le corps. La phénoménologue explique, dans *Le Deuxième Sexe*, qu'elle vit son corps comme un projet vers le monde, elle est ce corps comme sa conscience libre et active, en prise avec les situations qu'elle modifie. À l'inverse, l'amoureuse fait corps avec son désir pour autrui, elle se fond en lui, n'éprouvant

---

100. *Ibid.*, p. 106. « *It means now my happiness is in your hands, and in a way I should rather have kept it in mine. But, well, it is done now; I cannot help it any more. I have to admit this dependence. I do it willingly since I love you* », p. 71.

Le génie du mensonge

plus le manque : le néant a disparu, l'amour fait exister les amants dans la plénitude de l'Être sans fissure. « Avec vous, entre le plaisir et l'amour je n'ai jamais senti de différence, pas plus qu'entre mon corps et mon esprit. C'est une femme complète qui vous désire. Je ne suis plus rien d'autre, désormais, que ce brûlant, fier, impatient et heureux désir de vous[101]. »

Dans une indistinction heureuse, les amants deviennent mimétiques, synchrones, ils se disent « je t'aime » en même temps, ils vivent dépossédés de leur liberté et possédés par l'amour un. « Une femme neuve », écrit Beauvoir, une vraie femme que l'homme traite en femme, une femme qui se sent autre chose qu'une femme de tête, fait-elle dire à son double dans *Les Mandarins*. Et les lecteurs du *Deuxième Sexe* peuvent se demander si c'est bien la même personne qui a écrit les lettres à Algren, comme si Beauvoir s'était dédoublée, rejouant un dualisme un peu naïf et suggérant qu'elle n'est « elle-même » que dans les bras de son amant. Lorsqu'elle rapporte à Algren le succès de son livre et ses échos médiatiques venant des États-Unis, elle s'amuse de penser qu'il ne fasse pas lien entre elle et l'auteur. Plus surprenant encore sont les gestes, les comportements de la vie amoureuse, certes ordinaires mais à l'opposé de tout ce que Beauvoir a déconstruit dans son livre philosophique. Elle incarne

---

101. *Ibid.*, p. 302. « *With you, from pleasure to love I never felt any différence, as I never felt any difference between my body and my spirit. I am a whole woman longing for you. I am nothing else now but that burning, proud, impatient, and happy longing for you* », p. 193.

Les personnalités multiples

la figure de l'épouse jusque dans ses usages les plus conventionnels.

La femme qui avait conclu un pacte de liberté, sans mariage, avec Sartre, porte une bague que Nelson lui a mise au doigt et qu'elle conservera jusqu'à ses derniers jours. Pour témoigner de sa fidélité et de son obéissance absolue, elle lui promet d'être « aussi gentille, aussi discrète et obéissante qu'une épouse arabe[102] ». Une récente visite en Algérie avec Sartre l'avait amenée à constater l'isolement domestique et l'aliénation sociale des femmes arabes. La référence devient ici humoristique, il n'est plus question d'une critique féministe, mais d'un jeu amoureux où Beauvoir s'amuse de la servitude volontaire. *Les Mille et Une Nuits* ont remplacé Hegel et Marx. Et pour comble de renversement, la philosophe, qui a décrit avec tant de finesse les enjeux psychiques et phénoménologiques des tâches domestiques dans lesquelles les femmes sont enfermées, se met à imaginer la vie parfaite avec Nelson en lui promettant d'être sa ménagère : « Oh Nelson ! Je serai gentille, je serai sage, vous verrez, je laverai le plancher, cuisinerai tous les repas[103]. » L'écart est trop flagrant pour n'être pas ironique et sans aucun doute Beauvoir joue-t-elle à la soubrette, à la cuisinière, rôles qu'elle associe à une vie sexuelle

---

102. *Ibid.*, p. 356 ; en version originale : « *I'll come to you, and you'll see, honey, next time I'll be really nice and quiet and obedient as an Arabian wife (but they talk too much, you know).* » *A Transatlantic Love Affair*, *op. cit.*, p. 226.

103. *Ibid.*, p. 515. « *Oh Nelson ! I'll be so nice and good, you'll see. I'll wash the floor. I'll cook the whole meals* », p. 324.

Le génie du mensonge

intense puisqu'elle prévoit de faire l'amour dix fois par nuit et dix fois par jour.

Quelle est la part de comédie dans ces lettres qui représentent Beauvoir à l'inverse de l'idéal qu'elle a théorisé dans *Le Deuxième Sexe* ? Et si elle y joue à la femme soumise, quel degré de vérité découvre-t-elle dans ce rôle ? Car même si le ton est parfois humoristique, il est toujours exalté et la charge affective qui porte ces lettres ne peut limiter leur écriture à un exercice littéraire. La souffrance, l'extase, la jalousie, la passion, les pleurs et les angoisses y sont exprimés sans fard. Il ne semble pas douteux que Beauvoir ait vécu intensément ces émotions. C'est pourquoi cet écart extraordinaire constitue une énigme et une source de réflexion sur la relation entre l'affirmation théorique et l'existence vécue. Réduire une telle distance en rejetant la correspondance dans un domaine privé, inaccessible ou de peu de valeur face à l'œuvre philosophique, relève de la paresse. Et la morale qui condamnerait un comportement hypocrite se prive de comprendre la complexité psychique à l'œuvre dans l'élaboration des idées.

Les réactions à la parution de cette correspondance amoureuse ont été violentes, à la mesure du défi de comprendre la concomitance contradictoire des écritures et des vies. Les misogynes y ont trouvé une sorte de revanche, montrant que ce bas-bleu de Simone de Beauvoir était en fait une « vraie » femme, disponible au plaisir sexuel, selon leurs critères de la nature féminine. À l'inverse, plusieurs théoriciennes féministes se sont senti trahies. Leur philosophe se devait d'adopter une conduite exemplaire, conforme aux principes de son livre fondateur. La révélation d'un comportement amoureux qui transige avec les normes de l'aliénation féminine leur a semblé une tricherie impardonnable. Du côté des commentateurs moins engagés, certains ont tenté d'interpréter l'attitude de Beauvoir en pointant sa jalousie et sa rivalité tacite avec Sartre : pendant ces années d'après guerre, le couple vivait des situations amoureuses similaires et chacun aurait exercé une surenchère affective. Sartre avait une relation passionnelle avec Dolores Vanetti qu'il avait rencontrée lors de son voyage aux États-Unis en 1945 et à laquelle il dédia plusieurs livres. Cet amour dura cinq ans et menaça le lien avec Beauvoir qui rapporte, dans *La Force des choses*, des négociations tumultueuses entre le couple sur la répartition des voyages effectués avec Dolores et avec Nelson. Une autre interprétation, moins centrée sur les conflits conjugaux, a suggéré une division de la personnalité de Beauvoir entre son corps, dévoué à Nelson, et son esprit fidèle à Sartre. Ce dualisme plutôt simpliste, reposant sur la découverte du plaisir physique, ne saurait toutefois fournir la clef pour expliquer l'écriture concomitante du *Deuxième Sexe*. Il nous paraît beaucoup plus intéressant de comprendre la compatibilité, quasi schizophrénique, entre le vécu et la théorie lorsqu'ils s'opposent. Une autre psychologie que celle des caractères est nécessaire pour comprendre les contradictions, les mensonges et les articulations entre des vies et des écritures, d'autant que la passion de Beauvoir pour Algren est aussi vécue par les mots : la division se tient dans l'écriture même.

La scission dans la personnalité de Beauvoir peut s'observer, *a minima*, dans les multiples voix qu'elle choisit pour raconter sa vie. Ainsi de sa relation avec Algren décrite à travers quatre séries de textes aux statuts très différents et contemporains de cette passion : dans *L'Amérique au jour le jour*, en 1948, elle fait le récit de sa rencontre selon une perspective culturelle et sociologique, et elle l'intègre dans Chicago, les bas-fonds de la ville et les bistrots polonais. L'aventure est l'épisode d'un journal de voyage écrit par une intellectuelle française. En revanche *Les Mandarins*, en 1954, relèvent de la fiction, bien que ce livre à clefs raconte la vie de la romancière et notamment sa passion sexuelle pour Algren auquel le livre est dédié. En 1963, Beauvoir écrit *La Force des choses*, dans le style des Mémoires, et elle se montre raisonnée, analysant avec distance l'histoire d'une relation qui va sur sa fin. Les *Lettres* qu'elle adresse à Algren dévoilent une autre version de leur amour, de leurs moments de joie ou de désarroi. Au travers de ces écritures, Beauvoir raconte son existence, exprime ses sentiments, s'invente des personnages. Où est-elle vraiment ? Se pastiche-t-elle dans chacun de ces récits ? Il est impossible de le décider tant les codes de l'écriture impliquent, dès le début d'une phrase, des standards, des représentations qui interdisent de juger plus authentique l'un de ces textes. Le fait d'écrire la vie est d'emblée une transformation de la réalité racontée. Le plus instructif toutefois tient dans la multiplicité des versions et leurs écarts, sans privilège d'aucune au regard de la « vérité ». Seule la tension entre les écritures peut donner une idée de la

Les personnalités multiples

vérité vécue et de la personnalité multiple, car Beauvoir se démultiplie elle-même en multipliant ses récits.

*Le Deuxième Sexe* n'évoque pas la présence d'Algren, mais ce texte peut être aussi inclus dans les écritures qui « expriment » la vie amoureuse de Beauvoir. Cette proposition est paradoxale dans la mesure où les arguments théoriques du livre vont à l'encontre de la vie menée. L'*expression* s'entend ici comme une articulation complexe, et non une représentation plus ou moins masquée et déchiffrable du vécu. *Le Deuxième Sexe* exprime quelque chose de la vie de Beauvoir précisément par son discord, par son incohérence avec les lettres écrites au même moment. Des hypothèses d'une autre nature doivent être formulées. La première consiste à penser que Beauvoir décrypte les pièges tendus à l'amoureuse au moment où elle les rencontre. *Le Deuxième Sexe* serait alors l'antidote aux dangers encourus dans l'expérience de la passion. Avec Algren, Beauvoir prend le risque d'un lâcher prise qui l'amène à perdre le contrôle de sa liberté. Cependant, elle jugule ce chaos en l'analysant et en articulant ses sentiments à un examen lucide et rationnel dont elle fait la matière de son livre, d'autant plus volumineux qu'il couvre les périodes les plus intenses de son amour. Son ampleur témoignerait de la tension psychique entre le vécu passionnel et la volonté de maîtrise par l'écriture théorique. L'analyse et la théorie permettent d'introduire une distance réflexive et de ne pas se laisser immerger dans l'océan des affects et des imaginaires. Nommer le réel assure un relatif contrôle, fût-ce au prix d'un mensonge pour en contrer la puissance dévastatrice. De fait, Beauvoir lutte contre la tentation de quitter Paris, de lâcher Sartre et sa carrière intellectuelle pour aller vivre avec Algren.

Cependant nous ne pouvons donner plein crédit à cette tentation passionnelle que Beauvoir exprime dans sa correspondance. Son désir de tout quitter pour se marier avec Algren relève peut-être d'un fantasme avec lequel elle joue. Elle se fait peur, elle jouit de cette possibilité d'une rupture avec l'image qu'elle a construite de sa vie intellectuelle de femme libre. Elle connaît sans doute la jouissance de la destruction, d'autant qu'elle la ressent comme une renaissance possible. Dès lors, une seconde hypothèse se fait jour : Beauvoir s'autorise à exprimer son désir d'abandon et à jouer la femme soumise parce qu'elle a construit un garde-fou, sa théorie de la femme indépendante. Elle peut s'adonner à un exercice d'équilibrisme, marcher sur un fil tendu et risquer de tomber, car un filet de protection, constitué de centaines de pages, la préserve d'une chute définitive. Elle joue en connaissance de cause : elle sait les périls de la relation passionnelle qu'elle vit avec Algren et elle en éprouve les limites. De fait, elle évoque son travail sur *Le Deuxième Sexe* dans sa correspondance amoureuse, et elle rapporte aussi dans *La Force des choses* cette concomitance entre ses voyages amoureux avec Algren et le succès public de son livre théorique. L'ambivalence est assumée, bien que rien n'assure qu'elle soit contrôlée. En effet, le jeu peut se vivre à double sens : Beauvoir joue à la femme dépendante tout comme à l'indépendante, et il ne semble pas douteux qu'elle vive ces rôles avec intensité, tant les pleurs et le désespoir hantent ses textes pour décrire sa passion.

Les écritures exercent des fonctions psychiques. Si nous l'admettons volontiers pour les œuvres fictionnelles ou autobiographiques, nous avons encore du mal à le reconnaître pour les textes théoriques. La multiplication des écritures par Simone de Beauvoir, d'autant plus spectaculaires qu'elles concernent un même événement rapporté sous divers genres, donne à comprendre cet investissement psychologique. La « contradiction » permet d'en approcher la complexité et la puissance lorsqu'elle investit un langage spéculatif et abstrait. La distinction entre une écriture littéraire et une écriture philosophique demeure aussi simpliste que celle qui partagerait, d'un côté, une écriture féminine avec ses imaginaires et ses affects, et de l'autre, une écriture masculine avec ses concepts et sa maîtrise rationnelle. L'éclatante contradiction entre *Le Deuxième Sexe* et les *Lettres à Nelson Agren* nous met plutôt sur la piste d'une double vie, voire d'une vie multiple dans laquelle un auteur circule sans être assuré d'une position souveraine. Il représente, il pense ce qu'il est en train de vivre, et il poursuit cette vie dans le registre des mots.

La dysharmonie entre le traité théorique de Beauvoir et sa correspondance amoureuse révèle surtout une disponibilité du moi qui éprouve des vies multiples. Les commentateurs n'ont pas assez souligné ce qui fait la singularité de l'écriture épistolaire consacrée à Nelson Algren : les lettres ont été rédigées en anglais. Écrire dans une langue étrangère ne se réduit pas à un exercice de traduction. Beauvoir a vécu son amour en anglais, elle a prononcé les mots du désir, elle a exprimé ce qu'elle ressentait, raconté et pensé sa vie dans une langue nouvelle. Non seulement elle a intégré un imaginaire linguistique différent, mais elle a pu vivre et dire des expériences qu'elle n'aurait pas vécues de la même façon en français. L'expression du désir en une langue étrangère encourage souvent une désinhibition, tant les tabous de la langue dite maternelle s'allègent. Une sorte d'innocence et d'impudeur caractérise ainsi les lettres de Beauvoir. Lorsqu'elle parle de ses voyages à Chicago pour rejoindre Algren, elle avoue qu'elle « change de peau » en devenant une femme amoureuse et aimée. Pour autant le passage d'une personnalité à l'autre n'est pas aussi contrôlé qu'un changement d'appartement. Beauvoir connaît des flottements, des syncopes dans sa vie transatlantique. Parfois elle croit reconnaître Algren à l'aéroport alors qu'il est ailleurs, elle projette l'image désirée sur d'autres visages et subit des *troubles dissociatifs*. L'objet de son désir semble métastable, comme si elle n'était pas sûre de le reconnaître après des mois d'absence et d'imagination substitutive. La répartition réglée entre ses deux vies suppose une sorte de « schizophrénie », comme elle le confesse dans *La Force des choses*[104]. Elle se grise des existences possibles qu'elle pourrait mener avec son amant, en Illinois ou au Mexique, prête à devenir une Américaine ou une Indienne. Elle fait dire à son double,

---

104. Simone de Beauvoir, *La Force des choses* [1963], Gallimard, « Folio », 2 vol. (n° 764 et n° 765), 1972, *loc. cit.*, t. I, p. 224.

Les personnalités multiples

dans *Les Mandarins*, « il faudrait avoir plusieurs vies[105] ».
L'écriture lui permet de les imaginer et de mettre un peu d'ordre dans ce vertige d'un soi démultiplié.

L'impression de schizophrénie qu'avoue Beauvoir laisse penser qu'elle compartimente sa vie et ses écritures. Mais ces existences ne sont pas étanches, elles s'articulent selon des liens complexes et contradictoires quant à sa production théorique. En écrivant *Le Deuxième Sexe*, Beauvoir compense, contrôle, s'illusionne, se ment. De tels flottements n'invalident aucunement la pertinence de son opus philosophique. Nous avons déjà observé chez quantité de penseurs que des vérités générales peuvent provenir d'un mensonge à soi-même sans que la pertinence des idées ne soit invalidée. Beauvoir dit vrai et ment en même temps. Elle élabore des thèses et des analyses « vraies » à travers ses dénis et ses contradictions. De la tension entre vérités et mensonges peut ainsi venir une vérité générale. Et si le lecteur du *Deuxième Sexe* se passe volontiers de connaître les aléas psychiques de son élaboration, car ce livre demeure une œuvre philosophique exceptionnelle, il est intéressant de comprendre, selon une analyse des mobiles subjectifs du théoricien, comment le choix et la construction d'une pensée ont partie liée avec une pratique mensongère. Le mensonge reste ici à entendre sans jugement moral et dans l'articulation de désirs discordants à l'œuvre dans le langage abstrait.

L'écriture, de fiction ou de théorie, est une manière de vivre le réel et nous pouvons interroger ce choix

---

105. *Id.*, *Les Mandarins*, *op. cit.*, t. II, p. 228.

d'exister par les mots, cette fabrication d'une existence qui se prolonge, se transforme et s'invente dans une langue. La relation entre Beauvoir et Algren témoigne de cet investissement psychique du langage. Lui n'éprouve pas le besoin de raconter leur amour, il le vit sans représentation. Beauvoir souligne son peu de propension à parler et à analyser. « Les mots, c'est dangereux, lui fait-elle dire, on risque de tout embrouiller[106]. » La sobriété de son vocabulaire ne vient pas d'une infirmité, il est écrivain, mais se contente de la fonction expressive du langage amoureux. Il dit « je t'aime » sans chercher à expliquer, décrire ni interpréter. Lorsqu'elle raconte leurs rapports, Beauvoir le montre dans l'évidence tacite et naïve du désir, et la plénitude des corps n'appelle pas le commentaire. Le lecteur pourrait voir Algren comme une brute simpliste, un gars du Middle West, toutefois son rapport au langage et à la publication diffère de celui de Beauvoir. Réfractaire à la publicité de leur aventure, il ne croit pas à la vérité du discours. « Le pire mensonge : prétendre qu'on se dit la vérité[107] », objecte-t-il à celle qui prône la transparence. À l'inverse, Beauvoir ne cesse de recourir aux mots, pas seulement pour raconter mais aussi et surtout pour donner des formes à ce qu'elle vit.

Afin de décrire et penser son désir, Beauvoir recourt à quatre écritures qui, chacune, exercent une fonction particulière. Par le roman, elle poursuit son œuvre littéraire en racontant sa vie amoureuse et sensuelle avec

---

106. Simone de Beauvoir, *Les Mandarins*, *op. cit.*, t. II, p. 229.
107. *Ibid.*, t. II, p. 263.

Les personnalités multiples

Algren, sous couvert de ses personnages. « Je ne savais pas que ça pouvait être si bouleversant de faire l'amour[108] », fait-elle dire à son double dans *Les Mandarins*. Elle continue, sous le couvert d'une fiction autobiographique, la construction d'une image conforme à son idéal du moi.

L'écriture philosophique répond, elle, à son ambition théorique : elle pense le désir qu'elle ressent et qu'elle suppose chez les autres femmes. Dans *Le Deuxième Sexe*, elle consacre plusieurs chapitres à l'initiation sexuelle de la femme, elle commente longuement le livre de Stekel, disciple de Freud, sur la femme frigide et elle développe de nombreuses généralités sur la passivité féminine, la dissymétrie de l'accès au plaisir. Elle cite le rapport Kinsey sur la sexualité des Américains. Elle recourt alors à un style clinique, fondé sur des observations physiologiques.

La troisième écriture est celle de la correspondance et de l'adresse à l'amant. La charge érotique y prend une place importante, d'autant que la rédaction des lettres est liée au manque sexuel. Beauvoir cherche à y retrouver son moi corporel, à se rassurer dans l'expression de son désir, voire dans l'excitation que provoque l'écriture de la demande sexuelle. Elle se représente à l'autre et à elle-même en femme désirante. Par contraste, elle décrit à Algren le fiasco de sa première expérience sexuelle avec Sartre. Elle met en scène plusieurs de ses corps sous le regard de Nelson. Elle se laisse même photographier nue, de dos, dans la salle de bains de son amant.

---

108. *Ibid.*, t. II, p. 55.

Une quatrième écriture, se présentant sous le genre autobiographique, pourrait être identifiée, jouant un rôle prophylactique : lorsque sa relation avec Algren touche à sa fin, Beauvoir sent que son corps de désir va disparaître et elle cherche à se prémunir d'une chute dépressive. Dans *La Force des choses*, elle décrit un sentiment d'amputation : « Soudain, d'un coup, tout un grand morceau de moi-même s'engloutissait ; c'était brutal, comme une mutilation et inexplicable car il ne m'était rien arrivé[109]. » Elle se découvre une tumeur au sein et craint de devoir subir une ablation. L'unité de son moi se trouve mise en danger avec la fin du désir. C'est alors que le récit de sa relation avec Algren devient un remède. Beauvoir en dresse le bilan rétrospectif et froid, adoptant la sagesse de la raison et reconstruisant son histoire. Elle s'y décrit maîtrisée, consciente du malentendu entre son choix d'une vie indépendante et le projet matrimonial d'Algren. Le récit autobiographique, désinvesti de tout pathos, jure avec la correspondance et son style débridé. L'image de Beauvoir en femme indépendante est sauve. En s'exposant ainsi, elle prend ses lecteurs anonymes à témoin d'une vérité pleine et entière qu'elle construit pour mieux contenir et masquer sa propre division. S'exposer pour mieux se couvrir : la transparence est la voie royale du déni.

Les contradictions de Beauvoir nous en apprennent beaucoup sur les ressorts psychiques de l'écriture qui recèle des mensonges moins destinés à tromper les

---

109. Simone de Beauvoir, *La Force des choses*, *op. cit.*, t. I, p. 347.

Les personnalités multiples

lecteurs qu'à produire des leurres pour l'écrivain qui se ment à lui-même. Toutefois le mot de mensonge reste trop univoque et ces écritures en tension dévoilent plutôt des personnalités multiples qui se construisent par différents registres de langage. En lisant la correspondance de Beauvoir avec Algren, les lecteurs sont tentés de crier au mensonge et à la tromperie. Comment la philosophe féministe s'est-elle permise d'affirmer dans *Le Deuxième Sexe* des thèses si contraires à ce qu'elle vivait, ressentait et désirait ? Cependant le paradoxe n'est pas si simple et il semble plus juste d'observer qu'un sujet écrivant se compose des personnages, non seulement lorsqu'il recourt à la fiction, mais aussi lorsqu'il bâtit des systèmes théoriques.

Le mensonge à l'égard de nous-mêmes consiste à penser que nous pouvons contrôler toutes les personnalités que nous nous inventons. Beauvoir le croyait, quitte à séparer ses existences et ses écritures. Elle vivait en femme indépendante à Paris avec Sartre, elle voyageait en femme énamourée et docile avec Algren, elle écrivait *Le Deuxième Sexe* avec une implacable lucidité et elle s'emballait dans sa correspondance passionnelle. Beauvoir eut la tentation de l'ubiquité, cette illusion de prendre plusieurs points de vue et de s'immerger à volonté dans chacun d'eux. Elle s'imaginait vivre une schizophrénie douce, contrôlée en surplomb par un moi omniscient. La pratique de ses différentes écritures l'autorisait à y croire, en étant à la fois l'objet et le sujet de l'analyse.

À son insu Beauvoir expérimentait des personnalités multiples, usant des mots comme des paravents.

Elle s'est représentée, projetée, cachée, transformée autant dans ses écritures romanesques que dans ses constructions philosophiques. La théorie lui a fourni les masques d'un sujet universel pour mieux contenir une dispersion irrépressible. De là vient l'impression de tromperie ressentie par les lecteurs qui n'acceptent pas encore l'idée que le moi de l'écrivain philosophe n'est pas transparent, n'adhère pas à sa personne. En revanche, si nous assumons l'idée de personnalité multiple s'exprimant jusque dans le langage théorique, le mensonge devient une disponibilité du sujet qui divise et démultiplie son moi dans le théâtre des écritures. Qu'il s'agisse d'un roman, d'une confession, d'une lettre ou d'un traité philosophique, l'auteur est aussi un personnage qui ouvre des portes, lève des rideaux, porte des masques, s'expose sur la scène ou disparaît en coulisses.

Une nouvelle fois nous observons que l'affirmation de la transparence produit un leurre qui transforme une indétermination psychique en choix moral – c'est souvent le rôle de la morale que de masquer les raisons qui nous font agir. L'harmonie entre vie et discours, à la fois évidente et trompeuse, relève d'une fiction du soi. Elle procède de non-dits, de déni, de bricolages, de trucages, de mensonges. Par ces « contradictions » se devinent les fonctions de l'écriture : pourquoi un sujet écrit-il, à la place de quoi, pour donner forme à quoi, pour ne pas dire quoi ? Et quel rôle joue plus particulièrement l'écriture théorique, celle qui prend les habits d'un sujet universel et s'énonce dans un langage dit abstrait ? Ce que nous décelons au travers de ces choix plus ou moins avertis, c'est la fonction d'invention et de représentation de l'écriture qui peut affirmer une chose et son contraire, qui peut nier ce qui est éprouvé, ou théoriser l'inverse de ce qui est vécu. Un sujet qui écrit se compose des personnages qu'il aurait pu être, ou qu'il est d'une certaine manière, virtuellement, en imagination ou *en théorie*.

Peu de théoriciens assument la dimension imaginaire et psychique de leur production. Très peu acceptent de dire qu'ils jouent des personnages lorsqu'ils écrivent un livre de théorie, d'avouer « ce n'est pas moi », ou « c'est moi, mais d'une certaine manière, qui affirme certaines idées ». Tout au plus concèdent-ils qu'ils ont changé, qu'ils se contredisent pour des raisons intellectuelles : ils ont avancé dans leur raisonnement qui conserve son unité malgré certaines dissensions. Un peu moins d'assurance les conduirait pourtant à reconnaître : « Je me suis essayé à travers quelques affirmations, je me suis composé une personnalité affirmatrice, j'ai vécu des existences abstraites, j'y ai contré, poursuivi, transformé ce que j'éprouvais, sans vraiment savoir ce que l'écriture m'amenait à dire et à vivre. Le nom qui me permet de signer mes traités est à la fois le mien et celui d'un personnage qui s'exprime en mon nom. » Parmi les rares penseurs qui ont assumé une telle multiplicité, Kierkegaard incarne une psyché polymorphe des plus éclairantes pour comprendre cette puissance psychique de l'écriture philosophique. Sa pratique de pensée et d'écriture permet d'approcher une « personnalité multiple ».

## Vivre et penser comme mille autres : les pseudonymes de Kierkegaard

Quels penseurs admettraient l'idée qu'ils ne sont pas les auteurs de leurs paroles et écrits ? Ou du moins que leur énonciation, lorsqu'ils argumentent, ne correspond pas exactement avec ce qu'ils vivent, ressentent et pensent. Cette inadéquation semblerait hypothéquer la sincérité et la validité de leurs affirmations. Les écrivains, eux, acceptent plus volontiers, parfois grâce aux pseudonymes, de jouer avec cette distance entre les « je » de l'écriture. L'histoire de la philosophie témoigne malgré tout de tels usages, appelés « littéraires » par commodité, qui autorisent les philosophes à essayer des thèses audacieuses sous couvert d'un prête-nom. Le XVIII<sup>e</sup> siècle offre de brillants exemples d'essais où un penseur prend des masques, sans que le lecteur sache où se trouve la « position » théorique de référence. La coexistence de plusieurs thèses, dans la forme dialogique notamment, existe certes dès les débuts de la philosophie socratique. Elle ne prend toutefois une dimension vraiment théâtrale et ambivalente qu'avec des pièces où s'efface la pédagogie du personnage qui « sait » au profit de thèses livrées à titre d'expériences possibles. Diderot en proposa de nombreuses versions, dont *Le Rêve de d'Alembert* est une des plus réussies, le philosophe se glissant dans les joutes d'une femme d'esprit, d'un docteur et d'un encyclopédiste, risquant des propos matérialistes drôles et audacieux. Où se trouve Diderot ? Parmi chacun de ses personnages auxquels il apporte des soutiens contradictoires. La projection de soi dans des figures conceptuelles relève à la fois du jeu et de la stratégie, tant les arguments subversifs ont besoin d'écrans pour être plaidés au plus vif.

Si l'usage du pseudonyme a été une ruse qui évitait à un auteur de subir la censure, il peut aussi devenir un choix existentiel. Avec Kierkegaard, il participe d'une manière de vivre et de penser. Le philosophe en usa pour écrire de nombreux textes et multiplier les propositions théoriques. Alors que la langue abstraite s'exerce au nom d'un sujet universel et anonyme, Kierkegaard s'inventa des noms d'auteur et assuma pleinement la subjectivité de chaque énonciateur. Cette pratique ne se limite pas à un choix stylistique, elle engage à la fois l'existence du sujet qui écrit et une con-ception de la philosophie. L'auteur ici, entendu comme celui qui prend un nom et propose une réflexion, revendique sa subjectivité et ne se cache pas derrière l'abstraction de ses propos. Il ne « s'abstrait » pas de ses écrits, au contraire il « est » ce qu'il écrit, mais comme un des possibles de sa vie pensante. Kierkegaard a en effet dénoncé le mensonge d'une certaine philosophie qui dissout l'individualité dans la raison objective. Contre Hegel il a rappelé la présence et la singularité de l'individu, irréductible au grand devenir de l'Histoire. Selon lui, les philosophes se fondent imaginairement dans les systèmes rationnels pour mieux se mentir à eux-mêmes. L'impersonnel lui paraît une lâcheté de la part de penseurs qui veulent échapper à leur responsabilité : l'anonymat n'est qu'une manière d'éviter les questions sur les contradictions entre ce qu'on vit et les idées qu'on professe.

À l'inverse, Kierkegaard défend un engagement individuel et existentiel de celui qui écrit dans ses œuvres. Aussi demande-t-il à ce qu'on reconnaisse à chaque livre son nom d'auteur, même s'il en invente de nouveaux. Un pseudonyme constitue une proposition d'existence personnelle et pas seulement un rôle de composition. Une telle pratique déjoue la distinction traditionnelle entre le moi ordinaire et le moi d'auteur, qui a tant suscité de commentaires. Deux approches ont toujours opposé les lecteurs : d'une part, ceux qui pensent que la vie d'un auteur s'exprime dans ses œuvres, par divers filtres, et d'autre part, ceux qui établissent une différence de nature entre la vie psychologique et la vie créative. Avant même le fameux *Contre Sainte-Beuve* de Proust qui optait pour cette deuxième proposition, Kierkegaard s'engageait dans ce débat par une attitude originale : il refusait de séparer le moi d'auteur et le moi d'écrivain, tout en déniant l'unité de chaque moi. Il périmait par avance la réflexion sur le moi et ses masques d'écriture en dénonçant le moi intérieur et authentique comme une fiction non assumée, une identité toujours empruntée, un mirage constant. En revanche, les *moi* incarnés par ses pseudonymes sont bien à l'œuvre dans ce qu'ils écrivent, ils empruntent à l'extérieur d'eux-mêmes des possibles et des expériences multiples. Ces *moi* potentiels appartiennent au sujet écrivant, à titre de virtualités qui s'actualisent par des propositions d'écriture.

Une interprétation psychologique de l'usage des pseudonymes suggérerait sans doute des stratégies de compensation chez un individu qui vit par procuration. Comme un écrivain use de l'imagination, le philosophe adopterait la spéculation abstraite pour ressentir des émotions spirituelles. Cependant cette psychologie passe à côté de la puissance d'existence qu'offre précisément la pratique des pseudonymes. Pour comprendre ce qui se joue dans les articulations très complexes entre l'existence vécue et l'affirmation d'une pensée il est plus intéressant d'analyser l'affirmation d'un moi potentiel dans la théorie plutôt que les motivations inconscientes et la remontée aux déterminations infantiles. C'est dans le présent de la production abstraite que s'effectuent les transferts contradictoires et les mascarades grâce auxquels se réalisent des projets de vie, s'éprouvent des sentiments, des espoirs et des volontés. Les vécus de la pensée ont leur réalité propre, ils impliquent à la fois tout le moi et tous les *moi* sur un mode tant virtuel qu'actuel. Les vies qu'engagent les pseudonymes ne sont pas des pseudo-vies ni ses émotions des pseudo-émotions. Elles se réalisent sur le mode de l'écriture et de la pensée. Lorsque Kierkegaard se définit comme un détective qui obéit à des intérêts supérieurs pour découvrir le vrai et le faux, il accepte d'expérimenter les illusions, de les faire siennes, sans le surplomb d'une autorité illusoire.

Le pseudonyme ainsi compris autorise des existences et des recompositions de soi. Il correspond à des « styles de vie » si l'on entend cette expression au-delà d'un souci de soi, tel que l'a formulé Foucault pour désigner la manière dont les philosophes antiques travaillaient leur vie à la manière d'une œuvre. En effet, l'engagement subjectif, tel que Kierkegaard le conçoit, ne relève pas d'une fabrication car il ne construit pas vraiment un moi unique qui tendrait vers la sagesse, l'équilibre ou la perfection. Il ne s'exerce pas sous l'effet d'une volonté. L'investissement d'un sujet dans une élaboration théorique demeure suspendu aux leurres et aux contradictions qu'il éprouve, constate parfois avec lucidité ou dans lesquels il circule à l'aveugle. Cependant ne pas savoir exactement ce que nous construisons n'empêche pas que nous nous y engagions corps et âme. Ces autres existences autorisent à vivre dans d'autres mondes que le sujet s'invente. Elles peuvent alors faire l'objet de biographies alternatives, un sujet s'orientant vers des imaginaires par lesquels il développe d'autres personnalités. Kierkegaard accepta d'être lui-même tout en adoptant d'autres vies, errant et se trompant, mais allant jusqu'au bout de ces vies pensives. Il se forgea des existences en se donnant des noms d'auteur et il les constitua en lieu de convergence et de divergence, mêlant ses doutes et ses ambitions spirituelles. Le nom « propre » que nous recevons à la naissance demeure un fait contingent, bien que chargé de mémoire, et ceux que nous inventons deviennent aussi des propriétés du soi, des personnalités adoptées. Chaque pseudonyme, loin d'être un masque, est une véritable proposition d'existence.

Si nous ne savons pas, au bout du compte, qui est vraiment Kierkegaard, ses multiples noms en présentent des vérités effectives. En 1846, il éprouva le besoin de déclarer cet usage : « Pour la forme et pour la bonne règle, je reconnais ici, ce qu'autant dire personne n'aura réellement intérêt à savoir, que je suis, comme on dit, l'auteur de : *Enten-Eller* (Victor Eremita), Copenhague, février 1843 ; *Crainte et Tremblement* (Johannes de Silentio), 1843 ; *La Répétition* (Constantin Constantius), 1843 ; *Sur le concept de l'Angoisse* (Vigilius Hafniensis), 1844 ; *Préfaces* (Nicolaus Notabene), 1844 ; *Les miettes philosophiques* (Johannes Climacus), 1844 ; *Étapes sur le Chemin de la Vie* (Hilarius le relieur, William Afham, l'assesseur, Frater Taciturnus), 1845 ; *Post-Scriptum final aux Miettes philosophiques* (Johannes Climacus), 1846[110]. » La liste, loin d'être complète, tient moins de l'aveu que d'une paradoxale explication puisque Kierkegaard dit qu'il est et qu'il n'est pas ses pseudonymes. Et le choix de tels noms fait entendre une grande ironie, avec ces latinisations qui sonnent savant et ces pseudonymes de pseudonymes. Kierkegaard met à distance tout rapport de paternité à ses noms, comme si chacun détenait son autonomie et qu'il n'avait pas à interférer pour leur imposer sa personnalité à lui.

La reconnaissance des pseudonymes paraît complexe : ces auteurs fictifs ne sont pas ses fils, ni même ses doubles, ils existent par eux-mêmes et nous ne saurions les traiter comme des avatars secondaires du penseur qui a nom Kierkegaard. Les spécialistes du philosophe ont la tentation de prendre un point de vue global et de les intégrer dans un parcours intellectuel. De fait ces noms interviennent pendant une période

---

110. Søren Kierkegaard, *Post-scriptum aux Miettes philosophiques*, Gallimard, « Tel », 2002, p. 523.

de quatre ans. Le spectre de la totalité que constitue rétrospectivement une «œuvre» conduit à les isoler dans une séquence à laquelle succéderaient des discours religieux signés du patronyme. Cependant, Kierkegaard a encore recouru à ces pseudonymes après cette période et, surtout, cet usage amène à interroger la relation à son nom de famille : «Kierkegaard», n'est-ce pas un nom de plus, juste imposé par l'état civil et par filiation ? Celui qui signe avec ce patronyme s'y reconnaît-il totalement ?

Unifier les pseudonymes à l'intérieur d'un système où chacun jouerait un rôle déterminé relève d'un désir d'exégèse qui impose la continuité et l'unité d'une œuvre. Les interprètes rechignent en effet à admettre la scission et la multiplicité d'une personnalité et de sa pensée. Le pseudonyme ne se résume pourtant pas à un emprunt temporaire, il témoigne d'une disposition personnelle et d'un mode de réflexion. Kierkegaard refuse d'ailleurs l'idée d'un point de vue totalisant qui lui permettrait d'être partout, comme Dieu surplombant toutes les consciences. Il n'est ni la somme ni la raison de tous ses pseudonymes. Tout au plus admet-il que la Providence pourrait connaître la clef de son parcours et de ses multiples existences. En revanche, les humains comme lui demeurent voués à vivre dans les contradictions et les mensonges qu'ils se forgent pour les autres et pour eux-mêmes.

Aucune vue d'ensemble ne donne la vérité de tous ses noms. Et lorsqu'il envisage un bilan de ses œuvres, Kierkegaard recourt de nouveau à un pseudonyme ! Dans le *Point de vue explicatif de mon œuvre d'écrivain*,

Les personnalités multiples

en 1849, alors qu'il croit sa vie proche de finir, il imagine un tableau cohérent de son évolution intellectuelle et spirituelle, comme s'il avait suivi un plan programmé. Il met à distance les moments de son existence, les constitue en étapes et explique son passage par des œuvres esthétiques pour aller vers des écrits religieux écrits en son nom propre. Mais il hésite à publier cette autobiographie intellectuelle, et renonce : « Je ne puis me présenter sous un aspect entièrement vrai. » Son pseudonyme, Johannes de Silentio, pourrait exécuter ce portrait de Kierkegaard, mais pas lui-même. Seul un résumé paraîtra en 1851 et le reste de façon posthume. Avec cette explication, Kierkegaard prétend conclure son travail antérieur et devenir enfin l'auteur de son œuvre. De fait, l'autorité n'est jamais acquise, elle se construit par arrachement, hésitation, dérivation, et demeure toujours douteuse. Loin de se complaire dans un jeu relativiste où toute vérité ne serait qu'un leurre, Kierkegaard poursuit sa recherche d'un sens vrai tout en admettant ne pouvoir l'atteindre intégralement. Le dernier stade de sa quête rayonne à chaque fois sur les précédents, tout en restant dans l'ombre d'une lumière à venir. Malgré ce chemin et ces étapes, la chronologie ne saurait fournir la vérité d'un chemin édifiant, elle réfléchit seulement les différentes faces d'un sujet aux visages multiples.

La multiplication des points de vue et des positions d'autorité témoigne d'une inquiétude permanente que ne conclura aucune révélation définitive, malgré la ferveur chrétienne de Kierkegaard. Dès lors, la relation entre mensonge et vérité se trouve bouleversée. La recherche du vrai suppose en effet la duplicité de celui qui accepte le fameux *ou bien ou bien*. Kierkegaard ne présente même pas ce jeu alternatif comme une méthode qui permettrait de peser le pour et le contre. Ce mode de réflexion dépasse la volonté et correspond à des « stades », états et dispositions, que l'auteur qualifie de « vie esthétique », « vie éthique » et « vie religieuse ». Cependant les lecteurs s'abuseraient à n'y voir qu'une progression vers le bien. Kierkegaard précise que ce triple point de vue existe depuis le commencement de son existence et jusqu'à la fin : il ne peut jamais se tenir en un seul lieu de vérité. Car parfois la vérité gît au cœur du mensonge. Alors qu'il se pensait dans le stade esthétique, Kierkegaard était déjà dans le religieux, présent d'emblée, même lorsqu'il connaissait le désespoir ou s'adonnait à la sensualité.

Kierkegaard avoue écrire à l'inverse de ce qu'il vit. Les textes les plus mystiques sont parfois conçus alors qu'il mène une vie sans religion et, à l'inverse, les textes les plus licencieux peuvent venir de moments d'ascèse. Ainsi du *Journal du séducteur*, écrit dans un cloître, alors que l'auteur lisait des ouvrages religieux. Aucune écriture, austère ou libertine, philosophique ou littéraire, n'échappe au jeu de la vérité et du mensonge, car la vérité ne repose en aucun lieu et se dit au travers de féconds mensonges. Elle demeure assujettie à une énonciation partiale, à un sujet qui incarne une version et son contraire, qui les essaye et les éprouve, qui vit la contradiction comme un mode d'existence. Jamais paisible, toujours inquiet, le chercheur de vérité ne peut résider entièrement dans une option de vie et de pensée, il doit se déplacer en de multiples points de vue.

L'usage des pseudonymes acquiert ainsi un statut philosophique. Bien peu de penseurs ont osé les multiplier comme Kierkegaard et en essayer les fonctions logiques, politiques et psychiques. Sa démarche instaure un emploi radicalement nouveau du pseudonyme. Il ne sert plus seulement à échapper à la censure pour des auteurs qui se cachent derrière un nom d'emprunt. Il déjoue plutôt la position d'autorité qu'exerce un penseur sur ses écrits. En n'étant pas responsable d'une œuvre qu'il ne signe pas de son nom propre, Kierkegaard ne prêche pas l'irresponsabilité de l'auteur, mais il revendique de ne pas être entièrement dans ce qu'il écrit. Et il modifie le rôle polémique exercé jusqu'alors par ces textes, souvent des pamphlets, qui inventent un énonciateur pour tenir une position critique et transgressive. Kierkegaard propose d'accepter une thèse et son contraire, selon une dialectique non soumise à un dépassement qui résoudrait la contradiction. Les pseudonymes n'incarnent pas des pseudo-thèses que l'auteur présenterait en sous-main, comme dans un dialogue socratique, pour faire advenir la vérité. Ils mettent en tension des hypothèses contradictoires et ils produisent de continuels écarts chez l'énonciateur qui peut penser une chose et une autre qui la contredit.

Kierkegaard recherche, par ses pseudonymes, une position d'indifférence : il essaye des positions de vie et de pensée sans les juger, sans les insérer dans un trajet pédagogique. Il en éprouve la densité d'existence, tout

264

en gardant une distance, morale et affective, qui lui permet de donner vie à ces auteurs fictifs.

« Ma pseudonymie ou polynymie, écrit-il, n'a pas eu de cause fortuite dans ma personne (certes, elle n'est pas intervenue par peur d'une punition légale, à cet égard je n'ai pas conscience d'avoir commis aucun crime, et d'ailleurs l'imprimeur, de même que le censeur en exercice, a toujours été informé officiellement, en même temps que l'ouvrage était publié, de la personnalité de l'auteur), mais une raison essentielle dans la production elle-même qui, dans l'intérêt de la réplique, de la variété psychologique des différences individuelles, exigeait poétiquement une indifférence au bien et au mal, à la componction et au laisser-aller, au désespoir et à la présomption, à la souffrance et à la joie[111]. »

À l'instar d'un écrivain qui compose ses personnages, Kierkegaard veut faire vivre ses penseurs, avec leurs thèses et leur mode de vie comme s'ils existaient vraiment et sans projeter sur eux sa propre psyché. Il peut alors mener jusqu'à leurs extrêmes conséquences ces positions théoriques et ne pas craindre de ne plus être aimé de ses lecteurs. Nous pourrions sourire de cette prétention d'un auteur à s'abstraire de ses personnages ou concepts. Cependant, l'indifférence signifie moins la distance d'un spectateur que la déportation du soi dans une existence autre, avec ses espoirs, ses angoisses et ses erreurs. En créant un auteur pseudonyme, Kierkegaard choisit de vivre dans l'absolu et l'intensité d'une *voix étrangère*.

---

111. *Id.*, *Ibid.*, p. 424.

Les personnalités multiples

Sans doute cette notion de voix correspond-elle le mieux à la nature du pseudonyme et aux vérités qu'il transporte. La personne de l'auteur s'est évanouie, le moi s'est vidé de son épaisseur, de ses plaques de sens agglomérées. Le pseudonyme les a disjointes, il a introduit du jeu, de l'air pour laisser passer le souffle de multiples voix qui se répandent en cris, paroles, chants, désolations et prières. Kierkegaard a insisté sur l'ouïe comme accès royal à la vérité. Il fait partie de ces rares penseurs qui ont brisé la suprématie de la vue pour faire de la philosophie une question d'oreille. Mélomane passionné, il entendait la pensée selon un registre musical, échappant au bien et au mal. Il se représentait lui-même comme une voix dont la personne s'est retirée. Et la vérité se tient peut-être là, dans l'abandon à une voix, dans l'essai d'une vocalité qui corresponde à une position d'existence dénuée de mauvaise foi : la vérité s'entend lorsque est trouvé un ton juste.

La multiplicité des voix que peut adopter un penseur s'écrit dans une partition paradoxale, sans harmonie préétablie. La comparaison avec la musique laisserait penser à une polyphonie des noms d'auteur qui entreraient en relation pour constituer le chœur de la vérité. Cependant les pseudonymes jouent souvent en solo, même s'ils communiquent entre eux. Kierkegaard s'est plu à construire un petit théâtre intérieur dans lequel ses noms de fiction dialoguent, ou parlent des autres, disposant ainsi différentes couches de voix, moins des fugues ou des contrepoints que des pistes qui se superposent et se croisent de temps à autre.

Lui-même, Kierkegaard de son nom propre, se juge à leur aune et se pense inférieur, supérieur ou encore étranger à leurs discours. Chaque voix, en propre ou en figuré, invente sa scène et dispose parfois des entrées pour les autres.

Le pseudonyme donc, plus voix que visage, périme la question de l'authenticité : alors que maints penseurs ont voulu afficher leur sincérité, et se sont rendus d'autant plus suspects de mensonges, ceux qui usent de noms d'emprunt assument la diffraction de la vérité et ses malentendus. Le pseudonyme ne présente pas un masque de l'auteur, il *est* vraiment cet auteur, sur un mode singulier, à la fois étranger à lui et en écart, c'est-à-dire dans la tension de tous les possibles, des personnalités qu'il est et qu'il n'est pas, qu'il pourrait être et par lesquelles il dit une vérité de son existence. Les multiples diversions de soi n'aboutissent à aucun vrai visage et produisent plutôt les échos des différentes voix qui ont parlé au travers des écritures, celles du dialecticien ou de l'écrivain, du séducteur ou du pasteur. En usant d'un pseudonyme, le penseur ne se masque pas, il se déplace au-delà de sa personne, il va plus loin que lui-même au risque de se perdre, mais en ayant plus de chance d'approcher sa vérité.

Søren Kierkegaard évite-t-il, grâce aux pseudonymes, le mensonge spécieux qui guette les tenants de la vérité sincère ? Sans doute le rencontre-t-il tout en l'esquivant par cette lucidité, ou « pensée de derrière » telle que l'a formulée Pascal, qui l'amène à reconnaître la nécessaire ambivalence de l'énonciateur et de sa vérité. Il figure assurément parmi les affirmateurs

Les personnalités multiples

contradictoires dont nous avons analysé les tours. Parmi les exemples frappants d'une contradiction entre ce qu'un penseur vit et ce qu'il théorise figure en effet la théorie du mariage publiée par Kierkegaard. Comment un homme qui ne s'est jamais marié, qui a aimé passionnément une femme et a rompu ses fiançailles, peut-il faire l'éloge du mariage ? Telle est la question de bon sens qui peut être posée à l'instar de celle qui demande à Rousseau l'éducateur pourquoi il a abandonné ses enfants, ou à la philosophe féministe Beauvoir comment elle peut désirer vivre en servante docile, ou encore au penseur du nomadisme comment il peut être aussi sédentaire, et à celui de l'engagement comment il a pu manquer un rendez-vous politique majeur. La critique philosophique sait répondre à ces questions naïves soit en méprisant la biographie des auteurs, soit en donnant la raison intellectuelle des contradictions, leur dépassement et résolution. Nous avons toutefois tenté de contourner ces procédés pour interroger la disposition psychique permettant de tenir un propos tout en vivant le contraire de ce qu'il soutient. Et Kierkegaard offre une nouvelle version de cet écart.

Mais au juste, qui fait l'éloge du mariage ? Est-ce Kierkegaard, l'auteur en propre, ou l'éditeur Victor Eremita, ou encore B, ce Wilhelm auquel est attribué le texte et qui succède à A, l'auteur des textes esthétiques, puis au Johannes du *Journal du séducteur* ? Et comment savoir ce que pense Kierkegaard de ces thèses, et qui l'emporte, de A, de B et de Johannes ? Il faut bien écouter pour répondre. L'éditeur dit en effet que l'ouïe est le sens le plus précieux, l'oreille demeurant l'organe qui permet de saisir l'intériorité, comme au confessionnal. Le maître mot de cet ensemble est le « secret ». L'éditeur fictif dit avoir trouvé ces papiers dans le faux tiroir d'un secrétaire qu'il a acheté dans une brocante. Il présente ce meuble comme une métaphore de l'être humain, avec un extérieur et un intérieur caché. Les papiers proviennent de trois personnes supposées, sans que l'éditeur décide de mettre en valeur l'une plus que l'autre. Nous comprenons que Kierkegaard est chacune d'elles, ou du moins pourrait l'être, bien qu'elles soutiennent des thèses contradictoires. Et surtout, aucune ne gagnera définitivement la partie philosophique : « Le livre lu, A et B seront oubliés, seules les deux conceptions continueront de s'affronter, sans que telle ou telle personnification vienne apporter une solution définitive[112]. » Nous examinerons donc l'éloge du mariage comme une version non édifiante mais plausible et soutenue par Kierkegaard qui s'est investi dans ce texte très ample et argumenté.

L'apologie du mariage est une réponse à la vie « esthétique » menée par A et vante la permanence de l'amour, garantie par cette institution. Contre l'objection d'un déclin de la passion dans la vie conjugale, B affirme au contraire que le mariage réalise cet amour. La vie maritale suppose une vie en bonne intelligence d'où le mensonge a disparu, les époux se déclarant tout, ce que B incarne en personne, citant son

---

112. Søren Kierkegaard, *Ou bien... Ou bien...* [1843], trad. F. et O. Prior, M.-H. Guignot, Gallimard, « Tel », 1984, p. 13.

couple harmonieux en exemple. Le lecteur qui détient quelques informations sur la vie de Kierkegaard songe à sa pratique du secret qui l'empêche d'avouer qui il est à Régine Olsen, la femme qu'il aime. Le pseudonyme B semble alors tenir un discours à l'adresse de Kierkegaard, comme à un contradicteur et à un ami. Il fait d'ailleurs une critique de Don Juan, dont la figure est si chère au philosophe, et il dénonce sa conception conquérante de la vie sentimentale. Il faut plus de force pour conserver que pour conquérir, déclare-t-il.

Pourquoi un célibataire écrit-il un éloge du mariage ? Une première écoute laisse entendre la nostalgie de l'union idéale, espérée avec l'être aimé. Kierkegaard se marie ainsi par la voie d'un *imaginaire théorique*. Le langage de l'abstraction l'autorise à vivre cet amour que la vie a déçu. En philosophant sur l'idée du mariage comme expression supérieure de l'amour, Kierkegaard mène, grâce au pseudonyme, une vie amoureuse avec son épouse rêvée. L'énonciateur B, se référant à son bonheur conjugal pour construire la théorie philosophique du mariage, serait un double de l'auteur. De fait, Régine Olsen est présente dans les textes de Kierkegaard, explicitement ou par allusion et parfois son nom a été biffé. Dans son *Journal*, il lui a consacré de longs développements, puis il a arraché les pages ou il a recouvert les lignes à l'encre par des boucles que les archivistes ont pu déchiffrer grâce au microscope.

La femme aimée demeure présente, jusque dans son effacement, et sa figure hante l'écriture et la réflexion du philosophe. Kierkegaard a rompu ses fiançailles, mais demeure dans l'alternative qui a précédé sa décision. Il envisage même d'écrire un livre à partir de cette rupture et qui s'intitulerait *Coupable – Non coupable*. Alors qu'il tente, pour le bien de Régine, de lui faire croire que leur relation a été une imposture, il continue de s'imaginer marié avec elle. Il l'a aimée et ne peut l'oublier : « Elle n'est pas devenue une princesse de théâtre – elle sera si possible ma femme. […]. Si je ne l'avais pas honorée plus que moi-même comme ma future épouse, si son honneur ne m'eût pas été plus précieux que le mien, je me serais tu et j'aurais exaucé son désir, je l'aurais épousée – tant de mariages cachent de petites histoires. Je ne l'ai pas voulu ; elle serait devenue ma concubine ; j'aurais préféré lui ôter la vie. Mais s'il avait fallu m'expliquer, j'aurais dû, alors, l'initier à de terribles secrets, mon rapport avec mon père, sa mélancolie, la nuit éternelle qui couve tout au fond de moi, mes égarements, mes appétits, mes excès[113]. » Les raisons que donne Kierkegaard sur sa rupture restent obscures et le fait qu'elles sont écrites dans son *Journal*, puis biffées, ne garantit pas leur surcroît d'authenticité. Sait-il lui-même vraiment pourquoi il a rompu avec Régine, et ses arguments éthiques ou l'aveu de ses faiblesses ne sont-ils pas une tentative d'autojustification ? Chaque déclaration témoigne d'un décentrement continuel et aucune ne peut être élue comme celle du vrai Kierkegaard.

---

113. Søren Kierkegaard, *Journaux et carnets de notes*, 2 vol., vol. I (Journaux AA-DD), trad. Else-Marie Jacquet-Tisseau, Jacques Lafarge, et vol. II (Journaux EE-KK), trad. Else-Marie Jacquet-Tisseau, Anne-Marie Finnemann et Flemming Fleinert-Jensen, éditions de L'Orante/Fayard, 2007 et 2013, *loc. cit.*, vol. II, p. 161-162.

Les personnalités multiples

Dans quelle voix se reconnaît-il alors, et avec laquelle se sent-il lié corps et âme ? Il est impossible d'en décider. Le lecteur s'indignerait à juste titre : « Vous, Kierkegaard, vous avez aussi défendu la thèse contraire, ce n'est pas sérieux ! » Mais l'usage des pseudonymes conduit à déjouer cette objection et délivre l'auteur d'avoir à se justifier d'une position en propre. La multiplicité et l'ambivalence repoussent cette fiction d'un sujet unitaire qui rendrait raison de toutes les idées qu'il a échafaudées au cours de son existence. Il n'est plus nécessaire de résoudre la contradiction entre soi et soi, même si l'articulation entre les positions contradictoires demeure une tension vitale. Vivre en adoptant plusieurs voix, en chantant plusieurs airs selon les crises de l'existence, tel est le chemin de la vérité qui doit passer par diverses partitions.

La musique permet à Kierkegaard de formuler cette alliance de l'unité et de la multiplicité. Elle lui fournit à la fois l'expérience et le langage d'une vie évaluée aux timbres des voix. Celle de B correspond à l'éloge du mariage, celle de A aux *Étapes érotiques spontanées*. Dans ce texte, Kierkegaard commente les opéras de Mozart pour y définir différents types de libido. À chaque œuvre lyrique correspond un schème du désir : *Les Noces de Figaro*, par le personnage de Chérubin, montrent une libido sans objet déterminé, hésitant entre deux femmes. En revanche *La Flûte enchantée*, avec Papageno, témoigne d'une libido gazouillante qui s'éparpille dans la diversité indistincte. Enfin *Don Juan* incarne une libido qui a défini ses objets, alliant la joie et la puissance, jouissant de sa propre idée du désir.

À travers ces personnages conceptuels, Kierkegaard projette-t-il sa propre personnalité ou son idéal ? Rien n'est moins sûr, car ces figures n'ont d'existence que musicale. Don Juan « se résout en quelque sorte à nos yeux en musique ; il s'épanouit en un monde de sons[114] ». Don Juan est une pièce musicale plus qu'une personne, et Kierkegaard explique même qu'il s'éloigne de scène pour oublier ce qu'il voit et ne s'imprégner que de musique. Alors que dans sa jeunesse il aurait tout donné pour avoir une place à l'opéra, il lui suffit désormais d'écouter l'œuvre à travers une cloison. La transmutation des corps en substrat musical donne finalement à comprendre le statut des idées chez le philosophe : elles valent comme des propositions harmoniques et le penseur les écoute pour en éprouver la justesse et l'intensité. Les positions théoriques sont jaugées dès lors à cette capacité de composer une pièce sonore, d'être écoutées ou chantées selon l'accord d'une vie et d'une pensée.

Quel sens donner au mensonge et à la vérité dans cet opéra des pseudonymes ? Kierkegaard n'esquive pas la question et admet que le changement de nom et l'alternance de thèses contradictoires relèvent d'une tromperie. Il reconnaît une *double fraude* : celle de ne pas montrer ce que l'on pense, et celle de dire le contraire de ce que l'on vit. Cet aveu étonnant et courageux donne à repenser les fonctions philoso-phiques et psychiques du mensonge. Tout d'abord

---

114. Søren Kierkegaard, *Œuvres complètes*, t. III, *L'alternative*, première partie, éditions de L'Orante, 1970, p. 128.

Les personnalités multiples

l'usage de la tromperie peut s'autoriser d'un alibi pédagogique. Un penseur peut mentir sciemment tout en ayant une idée de la vérité qu'il ne souhaite pas imposer magistralement. Usant d'une « pensée de derrière », l'auteur estime que ses auditeurs ou lecteurs n'ont pas la capacité d'aller directement à la vérité. Parce qu'ils vivent dans l'illusion, il est nécessaire de leur parler dans leur langage et de procéder par ruse. Mentir, c'est alors accepter la vision des ignorants pour établir avec eux un terrain d'entente. « Qu'est-ce que tromper ? demande Kierkegaard. C'est commencer par prendre pour argent comptant l'illusion d'un autre, et non commencer direc-tement par ce qu'on veut lui inculquer[115]. » Kierkegaard use ici d'une maïeutique socratique et passe par le négatif qu'il appelle le « recours au corrosif » afin de dialoguer avec les incroyants ou avec les chrétiens qui se croient chrétiens. Dans ses termes, il emploie le langage de « l'esthétique » pour mieux atteindre « l'éthique » et le « religieux ». Toutefois cette stratégie reste trop sommaire et la reconnaissance du mensonge va beaucoup plus loin qu'une méthode pédagogique.

Penser que les humains vivent dans l'erreur suppose aussi de reconnaître sa propre illusion. Accepter qu'on se trompe, au double sens d'une erreur et d'une auto-intoxication, conduit à une lucidité paradoxale : ne pas être dupe du fait qu'on est dupe. Le penseur conscient de cette possible duperie se méfie de sa personne tout en

---

115. Søren Kierkegaard, *Œuvres complètes*, t. XVI, *Point de vue explicatif de mon œuvre d'écrivain*, éditions de L'Orante, 1971, p. 29.

l'assumant. Tel apparaît le second niveau du mensonge qui implique un travail contre soi. En s'anéantissant dans la personne d'un pseudonyme, Kierkegaard fait l'expérience de la tromperie comme une épreuve de vie. Il sait qu'il lui faut passer par le mensonge car celui qui croit y échapper est le plus grand des menteurs. La pratique du mensonge, en tant qu'illusion nécessaire pour espérer quelque vérité, prend la forme de l'imitation, de la projection et de l'introjection qui sont autant de modes de vie ou de non-vie. Kierkegaard dit *s'espionner par ses pseudonymes*. En devenant un autre, en abolissant sa personnalité, il regarde le monde d'un autre œil, il se regarde lui-même par des yeux étrangers, il s'éprouve aussi dans une vie et une pensée qui lui donnent d'autres formes d'existence pour connaître des affects et des idées qui sont potentiellement les siens. Il s'efface, tout en sachant que même le silence peut être un mensonge. Parler depuis le silence, comme son pseudonyme Johannes de Silentio, consiste à dénoncer le dire franc de la vérité tout en se gardant des leurres d'une vérité qui se tiendrait hors langage. Il faut parler, il faut penser, écrire et vivre le mensonge pour échapper à la témérité d'un sujet qui se croit dans le vrai, indemne de toute illusion.

La possibilité d'atteindre une ou des vérités exige un double mouvement d'immersion et de retrait. La pratique du mensonge vient moins d'une concession à l'égard d'un monde qui veut être trompé et vit d'illusions que d'une volonté de s'anéantir soi-même et de ne pas être impressionné par sa propre personne. Kierkegaard a décidé de vivre autant à l'écart du monde qu'en son cœur. Il ne cherche pas à être reconnu comme un grand philosophe en inscrivant son nom d'auteur dans le grand livre de la pensée. Il méprise ceux qui se font exister par leurs idées, qui conçoivent leurs concepts comme des marques de fabrique. À rebours de cette autorité, il vit des positions d'existence, pensées et vies, en « soutenant » ses pseudonymes. Il existe en eux, vérités et mensonges, il s'immerge dans le monde à travers ses vies potentielles, devenant flâneur, mélancolique, séducteur, pieux, cynique ou exalté. Par empathie, il expérimente ces tromperies comme de grandes épreuves existentielles. Les pseudonymes lui offrent des vérités *incognito*.

Les déplacements de Kierkegaard parmi ses noms inventés nous montrent finalement que le jeu entre auteur et énonciateur n'est pas réservé à la littérature et que la philosophie peut recourir aussi à cet écart. L'écrivain Pessoa créa des dizaines de pseudonymes auxquels il donna des biographies et qu'on appelle des « hétéronymes ». Cette démultiplication a généré une œuvre protéiforme, composée des troupeaux de pensées dont le poète se voulait le « gardeur ». En philosophie, elle produit un effet d'autant plus corrosif qu'elle touche à la nature de la raison et de la vérité. Plus qu'une tactique destinée à masquer la présence d'un moi d'auteur dans la formulation des idées, l'usage de pseudonymes met en cause l'unité du penseur et déjoue l'illusion d'une souveraineté de sa réflexion. Qui parle lorsque je parle ? Cette question pourrait être posée par toute personne qui se risque à prononcer des vérités. Mais l'affirmation, qu'elle prenne la forme de sentences ou d'argumentations, donne au sujet l'impression qu'il fait corps avec ce qu'il dit. Et bien peu de philosophes seraient prêts à assumer une telle suspicion sur l'autorité de leur pensée, tant l'exercice de la raison repose sur la croyance en sa maîtrise, fût-elle acquise au prix de doutes méthodiques et de remises en cause logiques. Adopter plusieurs personnalités n'implique pas pour autant le renoncement à une responsabilité d'auteur ni à l'édification d'une vérité. Cette démultiplication de soi conduit plutôt à faire l'expérience d'une thèse et à l'éprouver comme un mode d'existence. Grâce au pseudonyme, le sujet qui écrit adopte non seulement des arguments, mais aussi une disposition à l'égard des autres et du monde. Il les vit corps et âme.

Ce qui nous apparaissait comme une contradiction, voire un mensonge, relève ainsi de la *personnalité multiple*. Ce terme emprunté à la classification des troubles mentaux a été l'objet de polémiques[116], toutefois il transporte une grande richesse notionnelle pour approcher les vies potentielles qu'un sujet se donne. Au-delà de son usage psychiatrique désignant le passage incontrôlé d'une personnalité à une autre, nous le reprenons afin de décrire cette démultiplication d'un soi autant dissocié qu'associé à des personnages fictifs et vécus intensément. L'invention littéraire est une des voies de la personnalité multiple et les analystes de la littérature ont depuis longtemps observé ces vies

---

116. Voir Ian Hacking, *L'Âme réécrite. Étude sur la personnalité multiple et les sciences de la mémoire*, trad. Julie Brumbert-Chaumont et Bertrand Revol, Les Empêcheurs de penser en rond, 1995.

par procuration, ces projections qui peuvent amener un auteur à se prendre pour un de ses personnages et modifier son rapport au monde en imaginant des existences possibles. Le fameux « Madame Bovary, c'est moi » a ainsi donné lieu à quantité d'interprétations sur la personnalité de Flaubert. Concernant les affirmateurs et surtout ceux qui emploient le langage de l'abstraction, les enjeux paraissent plus complexes car l'usage de plusieurs personnalités remet en question la nature même du langage et la confiance qu'on lui accorde.

La littérature autorise un écrivain à se prendre pour quelqu'un d'autre, car le contrat de lecture repose sur l'imaginaire de la fiction. En revanche, la théorie demeure gagée sur la vérité. Le suspens de l'autorité y devient plus troublant, surtout lorsqu'il autorise un penseur à dire que toutes ses affirmations sont possiblement de lui, mais qu'en même temps rien n'est de lui. Ceux qui se risquent à assumer cette personnalité multiple, tel Kierkegaard, déroutent non seulement les lecteurs, mais ils remettent aussi en question la cohérence de leur réflexion et celle de toute pensée. En étant plusieurs, et parfois l'un et son contraire, ils parcourent les différentes faces de la vérité. Les pseudonymes, employés comme des modes d'existence, sont la marque d'une personnalité multiple autorisant une extraordinaire richesse spéculative. Cependant un nom unique peut aussi recouvrir de telles multiplicités. Simone de Beauvoir en a présenté un exemple éclatant, formulant des idées à l'inverse de ce qu'elle vivait, déployant la théorie, l'analyse, le roman, le journal, la correspondance pour écrire et vivre des vies contradictoires, explorant une position et son contraire, feignant de ramasser les contradictions dans une cohérence rétrospective.

Le langage prédispose à ces unifications du soi d'autant plus quand il est employé avec la force de l'affirmation, la meilleure arme du déni. De singuliers philosophes ont combattu ces leurres et affiché un moi multiple, comme Nietzsche dont *Ecce Homo* présente les métamorphoses. Revenant sur sa vie et ses livres, le penseur exhibe son moi d'auteur avec grandiloquence tout en rappelant combien ses pensées proviennent de moments, de voyages, de musiques. Il a vécu des intensités sans toujours savoir ce qui lui advenait, comparant ses œuvres à des grossesses d'éléphant. Qui est-il au bout de ces processus ? Il s'expose au lieu même où il se voile et se transforme. Il ne cesse de digérer ses contradictions et d'en vivre de nouvelles ; il est une force et une dépression perpétuelle ; la chute le guette, il marche et fuit sans fin, telle une personnalité multiple nommée Nietzsche. Et si nous relisions l'histoire de la philosophie dans ce prisme nous trouverions, même chez les penseurs les plus assurés de leur autorité, de nombreux phénomènes de personnalité multiple.

Grâce à de telles expériences de vie et de pensée, nous comprenons mieux les contradictions entre le vécu et la théorie. Ces apparents mensonges proviennent des articulations entre les personnalités potentielles qui composent un même sujet et qui s'expriment dans des constructions abstraites. Chaque affirmateur trouve des solutions psychiques dont certaines produisent des vérités générales. Le théâtre de ses personnalités multiples provoque des discordances, car elles se fuient, dialoguent ou s'affrontent. Les humeurs, les circonstances, les intérêts décident de leurs relations et de la victoire d'une d'entre elles à un moment donné, œuvrant au mensonge ou à la vérité.

### Mensonges et vérités posthumes

Existe-t-il des situations favorables à la déclaration d'une vérité ou à l'exercice d'un mensonge ? Parfois conscient des fissures entre sa vie et ses affirmations, un penseur peut prendre des dispositions pour délivrer certaines vérités. Il expose, par anticipation, une autre personnalité, insoupçonnée, plus « vraie ». Souvent il diffère ce moment. De fait, ils sont nombreux à réserver certaines révélations pour le temps qui suivra leur mort, ce qu'on appelle des *vérités posthumes*. Quelle idée un sujet se fait-il de la vérité pour considérer qu'elle doit être déclarée une fois qu'il ne sera plus présent, qu'il n'en assumera pas *in vivo* les effets ? Il se projette dans une image de lui-même qu'il laissera au-delà de sa mort soit en contrôlant les informations léguées, soit en acceptant les conséquences incontrôlées de ce legs. Sans doute la première intention relève-t-elle d'un désir de postérité. Maints écrivains, artistes et philosophes ont pensé l'avenir, voire le destin, de leur œuvre après leur existence. Ils ont parfois construit un récit de leur vie réunissant la grande et la petite histoire, selon une distinction artificielle entre les événements glorieux et ceux de la vie ordinaire, se protégeant par avance des versions mal intentionnées. Chateaubriand, avec les *Mémoires d'outre-tombe*, en a offert le plus bel exemple. Son chef-d'œuvre est à la fois un monument de style, une réflexion sur les époques traversées et une autobiographie qui lui donne la bonne part. Plus généralement, les rêves de gloire ont nourri l'imaginaire des auteurs, ont alimenté leur espoir de gagner une place au panthéon de l'humanité ou de trouver les bons lecteurs qu'ils méritaient enfin. La pratique des archives consignées par des écrivains et penseurs, de leur vivant, témoigne souvent de la construction d'une image de soi par sélections, retranchements, falsifications, autant d'arrangements avec les demi-vérités de l'existence. Ces autoportraits par anticipation plus ou moins orchestrés, avatars de personnalités multiples, s'avèrent toutefois énigmatiques lorsqu'un auteur prévoit d'exposer des vérités défavorables qu'il jugeait indicibles de son vivant.

La crainte d'une révélation *post mortem* peut conduire un individu à faire le ménage dans ses affaires afin d'éliminer les traces compromettantes, mais un auteur qui envisage des révélations posthumes dommageables a une représentation complexe de lui-même et de son unité. Kierkegaard laissa le manuscrit censé expliquer son œuvre avec la mention « à n'ouvrir qu'après ma mort ». La publication de son vivant le contraindrait à répondre d'une personnalité homogène, d'une vérité unique sur son existence, alors qu'il connaît sa division et sa multiplicité. L'unité et l'autorité ne semblent accessibles qu'après la mort, une

Les personnalités multiples

fois qu'il n'est plus possible d'expérimenter d'autres existences. De fait, le *Point de vue explicatif de mon œuvre d'écrivain* paraîtra en entier quatre ans après le décès du philosophe. Toutefois, il serait illusoire de croire aveuglément à une telle « explication » qui, sous prétexte d'avoir été dévoilée *post mortem*, exposerait « la » vérité de l'auteur. Cette version « définitive » demeure une reconstruction, à un moment donné de l'existence, certes proposée comme l'ultime, mais tributaire de ce désir d'une unité rétrospective et donc relative au temps de l'écriture en fin de vie. Une image unitaire est bien révélée, qui s'ajoute aux autres et construit une totalité comme un des possibles de l'auteur. Cette volonté d'unité posthume par anticipation conjure l'angoisse de la dispersion définitive.

Parfois un penseur laisse le soin aux futurs lecteurs d'opérer eux-mêmes la synthèse, de recoller les morceaux d'une personnalité fragmentée. La correspondance amoureuse de Beauvoir dont nous avons analysé l'écart extrême avec son œuvre philosophique n'a pas été trouvée comme un secret déniché dans les placards d'un auteur mort. Elle a accepté, voire souhaité, sa publication, mais elle l'a repoussée au-delà de son existence, considérant sans doute, comme Jean-Paul Sartre, que *sa mort appartenait aux autres*. Un individu, de son vivant, peut toujours modifier le sens de son passé à partir de ce qu'il en récupère et en projette vers l'avenir. Une fois mort, il ne peut plus changer ni contrôler cette vie devenue un en-soi, un bloc de significations interprétables par les autres. Beauvoir assume finalement les contradictions de sa personnalité multiple, composée de désirs incompatibles, en les livrant à ses lecteurs posthumes. La vérité se dit ainsi avec retard, publiée « pour solde de tout compte », du moins « une vérité » qui met en lumière les pas de côté, les demi-mensonges, les arrangements avec les *moi* potentiels, et qui sera transformée de nouveau par les nouvelles vérités données par les générations suivantes.

La révélation d'une vérité condamne à devoir en répondre devant ceux qui la cherchent. Cette contrainte de rendre des comptes mène à différer le moment de la publication des faits ou des pensées inavouables. Une solution consiste à effacer les traces gênantes, ou encore à affirmer théoriquement l'inanité de toute « vérité personnelle ». Ces restes de l'existence, manuscrits inachevés, correspondances intimes deviennent la proie des chercheurs de vérités. Scories d'une œuvre ou déchets d'une vie, ces reliquats d'existence témoignent des accommodements avec soi-même, ce que Deleuze appelait ces « sales petits secrets » dont se repaissent, croyait-il, les psychanalystes. Pourtant, le penseur de la vie impersonnelle avait accepté une série de conversations filmées où il s'exposait « en personne », livrant avec parcimonie des éléments biographiques, parmi des propos philosophiques énoncés en son nom propre. Certes, la forme de *L'Abécédaire*[117] déjouait radicalement toute confession ou récit de vie, mais Deleuze tenait fermement à ce

---

117. Gilles Deleuze, Claire Parnet, Pierre-André Boutang, *L'Abécédaire de Gilles Deleuze*, coffret de 3 DVD, Éditions Montparnasse, 2004.

que ces entretiens ne soient diffusés qu'après sa mort. Leur publicité ne l'engagerait pas à répondre, à tenir une position personnelle. Bien qu'il montrât son corps et sa subjectivité, il s'imaginait, avec humour, devenu un *pur esprit* s'adressant à ceux qui feraient tourner les tables pour convoquer la voix d'un mort. À l'opposé de Montaigne qui, dans les *Essais*, affirmait être la matière de son livre, tout en assumant, au présent, les variations tremblantes de son moi, Deleuze rejetait dans l'au-delà de son existence tout discours impliquant sa personne particulière. Et il manifesta encore des pudeurs, dans ses entretiens, à révéler des noms ou des histoires personnelles, malgré la diffusion posthume. Il repoussa au maximum – sauf une concession à la fin de sa vie puisque des extraits furent diffusés de son vivant – son exposition à la curiosité biographique. Le report de ces « vérités » filmées révèle surtout un imaginaire croisé entre d'un côté l'acceptation de se montrer en personne, chair et os, en train de disserter et, de l'autre côté l'illusion d'être devenu invisible et désincarné, sans nécessité de répondre, sans le fardeau du jugement. Se faire entendre après la mort concourt à l'utopie d'un soi impersonnel, au devenir-fantôme de toute pensée.

Quelles que soient les raisons de ces petits arrangements ou de ces grandes angoisses, le statut des vérités *post mortem*, personnelles ou générales, affichées ou murmurées, demeure ambigu. Et les lecteurs s'abuseraient à les considérer comme des vérités supérieures, au prétexte que l'auteur n'a pas voulu ou pu les assumer de son vivant. Elles font l'objet aussi d'un déplacement plus ou moins conscient des représentations qu'un individu se forge de lui-même, se mentant volontairement ou non, s'imaginant survivre en elles au gré de leurs effets imprévisibles. Les vérités posthumes n'existent que dans le regard de l'interprète, libéré du contrôle de l'auteur. Une anecdote en fournit l'allégorie testamentaire : un fils découvre que son père, imprimeur de son vivant, a laissé quelques lettres fermées dans son atelier. Sur l'une d'elles est inscrite la mention « Ne pas ouvrir ». Cette injonction, paradoxale pour un legs, perturbe son héritier qui veut à la fois respecter la volonté de son père défunt et savoir quel secret gardait ce dernier. Il soupçonne de terribles vérités et redoute des révélations dévastatrices. Au bout de longues semaines de doutes et de scrupules moraux, d'interprétations les plus folles sur l'existence de ce père, modifiant radicalement son image, il se décide à ouvrir l'enveloppe. Il y découvre alors une série de cartes sur lesquelles est inscrit « Ne pas ouvrir », destinées aux clients de l'imprimeur.

Les publications posthumes se voient attribuer un coefficient de vérité supérieur, mais elles demeurent tributaires d'un imaginaire projectif, soit celui d'un « auteur » qui s'est construit une personnalité pour ses survivants, soit celui des lecteurs qui assouvissent leur désir d'une vérité unificatrice. Ces données *post mortem* demeurent des fictions et se construisent à partir d'un legs, volontaire ou non, qui prend l'apparence d'une réalité objective. L'illusion de connaître enfin la personnalité d'un auteur vient de la croyance dans la valeur testamentaire de quelques écrits ou éléments

285

biographiques. Ces documents n'offrent généralement qu'un éclairage de plus, un autre façonnement de la personnalité du disparu, et non une vérité rétrospective qui donnerait la clef de son existence. Ainsi le *Journal de deuil*, publié une trentaine d'années après la mort de Barthes, donne certes à voir sa dépression profonde lors du décès de sa mère, toutefois, il ne révèle pas une vérité plus pertinente que *La Chambre claire*, son livre théorique sur la photographie où il impliquait la figure maternelle dans son analyse de l'empreinte du réel sur une image. Barthes n'est pas plus présent ni plus « vrai » dans ces notes éparses, non destinées à la publication. Il l'est tout autant par les notions qu'il invente pour analyser le regard photographique.

L'impression d'entrer par effraction dans la chambre du mort, de trouver des manuscrits, produit un leurre de vérité : l'enquêteur transforme le reliquat en secret et croit accéder à un sens caché. Il invente une profondeur et la constitue en savoir. Cependant, ces vérités, acquises dans le dos de l'auteur, n'existent que par la relative contingence de tout héritage, selon qu'il a été anticipé ou non. Elles se forgent à travers la représentation que les pseudo-découvreurs se font d'une « vie ». Les canons biographiques déterminant notre idée de ce qu'est une existence, nous affectons les documents *post mortem* d'une authenticité et d'une positivité factices. Cette croyance fonctionne sur l'illusion d'un partage établi entre la vérité et le mensonge, comme si la frontière pouvait être dessinée depuis l'extérieur d'une existence, dans le regard de l'archiviste qui décide de ce qui fait foi. Pourtant le donné constitué par ces archives ou par ces faits relevés *post mortem* n'a pas plus de vérité que le discours d'un auteur sur sa propre vie. Ou du moins cette vérité n'est-elle qu'une autre version de l'existence, certes de nature différente puisqu'elle est formulée du dehors. Elle demeure suspendue à une conception particulière du *vrai*, et elle ne permet pas de dire assurément « voilà la vérité rétablie » ni « l'auteur a raconté des histoires et voilà ce qu'il en est véritablement ». Les analyses que nous avons menées sur la dispersion du soi écrivant et pensant nous conduisent plutôt à suggérer qu'une existence se construit parmi les tensions entre des discours et des pratiques de vie, et que la vérité se dit à travers des mensonges. Les apparentes contradictions qui opposent la théorie déclarée et la vie menée font partie de l'existence multiple d'une conscience qui se projette dans des fictions, des pensées, des images et des concepts. S'il est tentant de dénoncer un mensonge en lui opposant la vérité des faits découverts après la mort, nous savons que le mensonge est une de manière de parler de soi et d'exister en tant qu'être de langage. La « vie théorique », même lorsqu'elle semble contredire la vie dite ordinaire, appartient aussi à l'existence vécue. Son caractère virtuel ne l'invalide pas et ne lui enlève pas une certaine réalité, d'autant plus lorsqu'elle produit des œuvres de pensée. Les livres, tant fictionnels que théoriques, sont des extensions de l'existence, des propositions vécues réellement, acquérant un statut de vérité.

Les vérités posthumes, provenant de révélations *post mortem*, ne sauraient donc se parer du vrai plus que

Les personnalités multiples

les « mensonges » de l'existence du vivant de l'auteur. Elles fonctionnent comme des métaphores du soi, des versions prolongées et divergentes qui s'ajoutent aux contradictions vécues avant la mort. Le mot de métaphore indique le transport de ces constructions renouvelées du soi, sans qu'il présuppose un sens premier : les métaphores enchevêtrent les figures, elles métaphorisent d'autres métaphores en démultipliant le mouvement projectif de soi. Aucun noyau, aucune personnalité véritable ne préexiste à ces déplacements. L'invention des *soi* au travers de la théorie et des affirmations abstraites participe en effet de la personnalité multiple, et le soi « authentifié » par les vérités posthumes poursuit la complexité de ces auto-représentations perpétuelles.

Ouvertes ou cachetées, les vérités posthumes ne sont ni transparentes ni profondes, et si nous souhaitons en connaître la nature, il importe de comprendre ce qui les soutient : *les circonstances d'énonciation*, les intentions psychiques, les méandres qui ont conduit à leur profération. Le fait qu'elles soient vérifiables, qu'elles détiennent une pertinence conceptuelle, logique, universelle… relève d'un autre plan d'analyse. Leur succès, leur reprise par d'autres énonciateurs n'empêchent pas d'en observer la fabrication et les fonctions psychiques. Leurs contextes, leurs formulations, leurs adresses, leurs envers et les mensonges qu'elles retournent comme des gants, font corps avec elles. Il n'est d'ailleurs pas besoin de se référer à de grandes expériences de pensée pour l'observer. Notre relation à la vérité dépend étroitement des situations dans lesquelles nous les énonçons. Pourquoi sommes-nous prêts à répondre aux questions les plus intimes lorsque nous sommes dans le cabinet d'un médecin, même si elles ne sont pas directement liées à l'objet de la consultation ? Les protocoles de dialogue instaurent des modalités de discours particulières, « couvertes » par le secret professionnel, et favorisent plus ou moins des aveux. Nous pourrions étendre l'interrogation aux circonstances les plus variées de la vie ordinaire pour analyser le jeu de la vérité et du mensonge. Ainsi des « vérités sur l'oreiller » qu'un individu serait censé dire plus volontiers, sous prétexte d'une intimité sexuelle. Ainsi des vérités qu'un voyageur confie à un interlocuteur inconnu et qu'il ne reverra jamais plus. Certes les vérités qui relèvent d'aveux personnels n'ont rien de commun avec les vérités logiques ou philosophiques, mais leurs modalités d'énonciation donnent beaucoup à apprendre sur les affirmations abstraites. Les situations ordinaires dans lesquelles se formulent vérités et mensonges offrent un champ d'étude immense et peu exploité. Elles incitent à tenir compte, dans les affirmations abstraites, des conditions d'énonciation dont le rôle va bien au-delà du contexte, et dont la complexité est riche d'enseignement sur les formes du mentir-vrai. Une archéologie ou une psychologie de la pensée donne à entendre la nature circonstancielle de toute vérité.

La forme dialoguée par laquelle un penseur se livre à un exercice de vérité souligne particulièrement l'importance de ces dispositifs énon-ciatifs, notamment

Les personnalités multiples

lorsqu'ils paraissent de manière posthume, comme une conversation d'outre-tombe. L'adresse à un interlocuteur oscille entre l'explication et l'aveu. Soit elle impose une norme, avec le risque d'un standard qui amène l'énonciateur à formater sa parole et à dire une vérité conventionnelle destinée à la postérité ; soit l'écoute de sa vérité par un autre l'oblige à accepter une signification qu'il ne maîtrise pas et à composer avec une réception indéterminée. Le mensonge à soi-même, cette mauvaise foi d'un sujet seul « face » à lui-même, doit se confronter à une écoute plus ou moins docile. Certes, les dialogues d'un penseur avec un interlocuteur attitré donnent souvent l'impression d'un exercice pédagogique destiné à expliquer la cohérence de ses idées. Parfois c'est l'auteur seul qui feint de se dédoubler, tel Rousseau avec Jean-Jacques. Toutefois, des confidences personnelles se mêlent souvent aux vérités générales. L'échange reste fermé si l'interlocuteur n'est qu'un faire-valoir, il s'ouvre lorsque la confiance provoque des vérités inattendues. Les dialogues de Sartre avec Beauvoir, publiés dans *La Cérémonie des adieux* après la mort de Jean-Paul en offrent un bel exemple, le philosophe associant réflexions et confessions, acceptant le regard d'un témoin privilégié de sa vie et abandonnant une part de sa volonté de maîtrise. Deleuze aussi, répondant à Claire Parnet dans *L'Abécédaire*, laisse entendre davantage qu'une explication de ses concepts. À son corps défendant, il livre des vérités chargées d'affects, repérables à ses réactions physiques et particuliè-rement à sa voix. Lors d'un dialogue, les tours de la vérité et du mensonge s'entendent, même s'il nous manque des codes pour les déchiffrer. Une affirmation tonitruante ou un énoncé tremblant, un silence ou un bégaiement révèlent des mouvements sous le langage, des fractures et des combats sous-jacents, audibles même dans l'écriture. Des penseurs tels que Kierkegaard et Nietzsche ont su combien la vérité était affaire de ton et de timbre, perceptibles par l'oreille. Le premier considérait que la vérité passe par la voix plus que par le sens. Le second, lui aussi grand mélomane, se vantait d'avoir l'ouïe la plus affûtée de tous les philosophes pour entendre la psyché à l'œuvre dans les concepts. Ces paroles à diffusion posthume, confiées lors d'entretiens et abandonnées à une postérité indéfinie, fournissent moins d'éclairages que de chuchotements. Elles diffusent les échos des mensonges et des vérités qu'un auteur encore vivant lègue sous forme de murmures.

# LA DÉLIVRANCE DU MENSONGE

Le mensonge recouvre une variété d'attitudes, de figures et de processus qui excèdent largement le déni intentionnel d'une vérité. Les tours complexes à l'œuvre chez les philosophes que nous avons analysés en montrent la puissance spéculative. Il serait d'un faible profit de les stigmatiser en dénonçant des contradictions qui signalent plutôt une division inhérente à tout auteur dont la vie ne saurait se résumer à des faits objectifs. Les discours théoriques, s'ils détiennent une cohérence rationnelle, sont aussi les produits de forces complexes et opaques. Ils fondent et développent des *existences*. Aussi l'intérêt pour une œuvre achevée ne doit pas masquer la richesse de sa fabrication qui ne se réduit pas à une argumentation conceptuelle et mobilise des énergies psychiques. À cet égard, les grands abstracteurs que sont les philosophes offrent une matière riche d'enseignement sur les tensions à l'œuvre dans la production des discours rationnels. Certes, toutes les œuvres philosophiques ne procèdent pas d'un mensonge, mais les cas étudiés précédemment

293

témoignent d'une distorsion forte entre plusieurs *moi* qui coexistent chez un même penseur.

Au bout de notre analyse, le mensonge ne se définit plus par le critère de l'intention (mensonge intentionnel *vs* mensonge non intentionnel) : effet de langage, cette notion de mensonge, chargée d'affects moraux, relie diverses tournures prises par la construction de personnalités multiples dont la cohérence est plus ou moins contrôlée. L'expression de « mensonge à soi-même » que nous avons suggérée en début de parcours reste elle aussi problématique, tant elle repose sur la fiction d'un moi unitaire et objectivable. Le soi demeure une figure précaire issue des procé-dures de subjectivation. Il est divisé, composite, multiple comme en témoignent ses contradictions, symptomatiques des scissions rassemblées, arbitrairement, sous un nom d'auteur. Au lieu de conceptualiser « le » mensonge à l'œuvre, nous préférons analyser les multiplicités inventives qui nourrissent la production des discours abstraits et qui fournissent aux abstracteurs des « existences théoriques », vécues avec autant de consistance sensible et émotionnelle que les vies dites réelles. Ce mentir-vrai de la théorie est une autoconstitution, une façon de naître et de se représenter dans un complexe langagier.

Mentir a partie liée avec la *délivrance*. L'histoire de la philosophie dit certes l'inverse : c'est de la vérité qu'on accouche et non du mensonge. La maïeutique socratique organise cette lutte contre des faux-semblants, doxa et simulacres, pour donner jour au Vrai. Elle dessine plus généralement un mouvement de libération, modèle de toute déclaration qui met en scène une apothéose d'autant plus éclatante que l'effort pour y arriver a mobilisé une grande énergie. La vérité métaphysique, la vérité morale, la vérité des faits se déploient selon ce même scénario. Toutefois le mensonge pourrait bien, lui aussi, provoquer une délivrance, conjuguant l'accouchement et la liberté. Au premier degré, délivrer un mensonge signifie remettre à quelqu'un une fausse marchandise. Cependant le livreur se délivre peut-être lui-même en échappant à la pression qu'exerce la vérité. En effet, le mensonge, devenu intransitif, suspend l'opposition du vrai et du faux et favorise la naissance d'un soi inassignable. Si l'on se délivre de l'erreur en accédant à la vérité, à l'inverse, on se délivre de l'empire de la vérité grâce à un mensonge, comme l'enfant dont Nietzsche dit qu'il ment en toute innocence. Le menteur impénitent se dégage du devoir de vérité en devenant caméléon, prêt à endosser tous les rôles qui lui offrent une disponibilité à se multiplier. Le mensonge lui délivre un nouveau passeport. En adoptant des rôles de composition, le menteur ne sait pas qui il est vraiment mais il échappe à la sommation d'être un et transparent pour les autres. L'enfant bonimenteur ne nie pas la vérité, il la fuit. Dans cette fugue se mêlent de la jouissance, de la liberté, de l'insu. La morale enjoint de les réprimer, alors qu'une oreille attentive y découvre la puissance polymorphe du mensonge.

## Les trois voies du mensonge

L'économie psychique déployée par le mentir témoigne de sa force affirmative. Elle se manifeste

La délivrance du mensonge

selon trois régimes : dans le premier cas, elle suit une opposition binaire entre le vrai et le faux. Plus le mensonge aura retenu la vérité dans ses filets, plus forte sera la jouissance de la révélation. Dans le second cas, le mensonge maintient le déni, et il délivre une vérité dans la résistance qu'il lui oppose. Avec le troisième cas, le mensonge échappe à l'antithèse du vrai et du faux et il invente de nouvelles vérités. Il engage alors une économie dépensière et non compensatrice. L'affirmation n'est plus le contraire de la négation, elle échappe à la vérification.

La première voie dispose un théâtre pour la victoire du vrai. Elle s'apparente à une traque policière ou judiciaire qui pousse le menteur à dire enfin la vérité, provoquant sa délivrance. La contradiction a engendré une force répétitive qui excite le désir et vise à son explosion, lorsque est percé le secret, et à sa déflagration soudaine. L'énergie du déni, lancinante, s'exerce dans la durée, alors que celle de l'aveu tient de l'instant et de l'explosion. Le rachat de Raskolnikov avouant son double meurtre en offre une scène lumineuse. Le mensonge tombe enfin, le coupable reconnaît, admet, confirme : oui, il a bien commis le crime dont on l'accuse. Il se sauvait, il est désormais sauvé.

Le moment de l'aveu suscite souvent un effroi et une jouissance, aussi bien chez l'auteur qui avoue que chez les destinataires de la déclaration. La mise en scène de la révélation dépasse largement l'histoire juridico-policière tant elle convoque le désir mystique de la vérité et le satisfait par une sorte d'épiphanie. La vérité sort d'un corps et rétablit miraculeusement l'ordre des choses, tout reprend sa place après l'illumination. L'intégrité est restaurée, la répartition des coupables et des innocents, la distinction du vrai et du faux s'imposent à nouveau et rendent secondaires les motivations obscures qui ont conduit à fausser le réel. Désormais la lumière s'est imposée, la vérité a été accouchée. À observer les spectacles des télévangélistes qui confessent publiquement leurs fautes, nous devinons qu'ils procurent à leur public une jouissance double. Ils lui permettent à la fois d'assouvir le plaisir de juger, de condamner, de rabaisser, et celui de contempler la vérité nue, adorée en communion. Purgation des passions, disent les théoriciens du spectacle, ou plutôt jouissance compulsive du contempteur des vices devant sa propre abjection que les criminels exposent à sa place.

Dans le scénario binaire de la vérité et du mensonge, peu importe la faute et sa gravité, pourvu qu'elle permette le triomphe du oui sur le non : oui, j'ai eu des relations coupables avec une autre femme vient avouer devant les caméras le sénateur ou le héros éphémère d'un show télévisé. Oui, je démissionne, je divorce, je disparais devant vous, pour vous. Je révèle tout le mal pour vous offrir l'apothéose du bien. Le rituel de l'aveu expose un ressort pervers que connaissent les confesseurs. Certains prêtres rapportent qu'ils doivent parfois modérer les confessions de leurs fidèles, soupçonnant leur complaisance à raconter des péchés. Mais pour que l'aveu produise un effet puissant, il faut qu'il succède à une lutte entre le mensonge et la vérité, à la mesure d'un déni qui résiste à la pression et finit par céder, dans le souffle d'une confidence ou le fracas d'une déclaration publique. L'économie de la jouissance passe par cette torture intérieure à laquelle succède une expulsion libératoire.

L'exhibition collective du mensonge fonctionne sur le spectacle de sa suppression. Il est capté par ce rituel sacrificiel qui l'annule, effaçant le travail et la tension qui l'ont soutenu. La vérité rayonne de sa lumière éclatante, non questionnée car trop liée à la jouissance qu'elle a provoquée. Toutefois cette dramatisation de la vérité une et sans ombre a peut-être empêché l'accès à d'autres vérités inscrites dans la tension même du mensonge. Le menteur dit une fois oui, mais il a dit plusieurs fois non et ses négations ne s'équivalent pas, formulées à différentes étapes du déni. Comment accéder aux vérités enroulées dans la profération même du faux ? Entendre les tours et la puissance du mensonge exige de repousser le jugement moral et de juguler la pulsion qui l'anime.

La deuxième voie suivie par l'économie psychique du mensonge est compréhensible si nous écartons l'opposition binaire du vrai et du faux. Plutôt qu'espérer l'explosion du discours mensonger, il est du plus grand bénéfice de le maintenir et de l'observer, de l'écouter. Adoptant cette attitude, Freud écrivit en 1925 un petit texte intitulé *Die Verneinung*, traduit en français par *La Négation* puis par *La Dénégation*, pour mettre en valeur la question du déni. Il y remarque une tournure paradoxale chez certains patients qui formulent une hypothèse pour la dénoncer aussitôt. « Vous demandez qui peut être cette personne dans le rêve. Ma mère… ce n'est pas elle. » Et Freud de conclure « donc c'est sa mère ». Le souci de nier une vérité possible témoigne de la pertinence de cette vérité, sans quoi il n'aurait pas été besoin de l'énoncer. Très souvent un menteur conscient se dénonce par cette volonté suspecte et anticipée d'écarter une accusation, sans même qu'on l'ait accusé. Le menteur inconscient, lui, se parle et se ment à lui-même. Freud analyse avec subtilité ce moment où une pensée refoulée franchit la barrière de la parole, accède à la conscience, mais sous la forme d'un déni. Le processus qu'il met au jour a d'autant plus de force qu'il se manifeste à l'insu du parleur et que lui-même découvre une vérité par son refoulement. La mère a montré son visage dans l'image substitutive, apparue au sein du rêve. Le patient la « voit » soudain puis la renvoie aux limbes de son inconscient.

L'écoute analytique offre une attitude modèle pour comprendre le mensonge. Elle résiste à l'envie de déclarer la vérité et de dénoncer le mensonge que le parleur exerce à l'égard de lui-même, elle sursoit à notre désir de juger. Le mensonge, ainsi suspendu à l'analyse de son contenu de vérité, change radicalement de statut et de fonction. Il n'est plus l'intention consciente de nier le vrai, il devient une des figures de la vérité. Freud avait déjà opéré ce type de renversement face aux hystériques dont les gestes et les discours ne relevaient, selon lui, ni de la comédie ni du mensonge. En écoutant la parole du déni, le psycha-nalyste entend une voix de l'inconscient. Il sait d'autant plus repérer le sens des formules négatives : « Non, ça ne peut pas être vrai, et si ça l'était je ne l'aurais pas dit ! » Dès lors, il ne s'agit pas de contredire le parleur en lui imposant de reconnaître la vérité, mais de le laisser nier le vrai pour que le travail d'acceptation s'effectue. Peu à peu le contenu refoulé s'articule à une prise de conscience plus générale. Freud emploie la métaphore spatiale du dedans et du dehors pour montrer que le patient doit faire sortir de lui quelque chose qui lui est propre, comme une part de son corps, et qu'il doit réussir à l'expulser pour s'en détacher, ce que dit l'expression française « cracher le morceau » pour un menteur qui enfin avoue la vérité. Afin d'atteindre cette séparation du menteur avec son mensonge, il faut laisser venir et courir la parole du déni, s'habituer à l'écouter et à mieux entendre sa richesse et ses connexions. Le mensonge résonne de multiples motifs et histoires enchâssés. Si Freud reste tributaire d'une pensée de l'expression, supposant des profondeurs et des surfaces, nous pouvons toutefois analyser les fictions mensongères comme autant de processus de subjectivations qui s'articulent entre eux sans nécessairement provenir d'un même tréfonds inconscient.

Dans cette seconde voie, le mensonge et la vérité sont étroitement mêlés, se révélant l'un par l'autre. La dénégation est un indice, mais parfois le menteur n'éprouve même pas le besoin de nier la vérité. La suprême autorité du mensonge est alors l'affirmation dérivative. Au lieu de cacher, au lieu de nier, le menteur profère des vérités parasites. Elles visent à faire diversion, à détourner l'attention, comme un anorexique montrant l'assiette des autres pendant qu'il fait disparaître la nourriture de la sienne. La désignation d'une réalité qui vise à en occulter une autre ne relève pas toujours d'un mensonge intentionnel et peut mobiliser des paravents qui permettent au parleur, consciemment ou non, d'éviter la confrontation avec une vérité dérangeante en lui substituant une autre vérité. La psychanalyse repère des assertions sous le nom d'écran ou de couverture lorsqu'un souvenir ou une interprétation donnés par le patient ont pour fonction de masquer un contenu inavouable. Ce type d'affirmations a besoin de réactualisations et de substitutions fréquentes à mesure qu'elles perdent leur pouvoir occultant.

La troisième voie, en revanche, présente la version forte de l'affirmation mensongère : la construction obstinée et autosuffisante d'une « contre-vérité » – ou vérité alternative – qui a la beauté d'une cohérence intellectuelle. Au lieu du désordre anarchique des affirmations écrans, celle-là présente une logique ordonnée et elle atteint parfois la force d'un système. Les théories philosophiques que nous avons étudiées relèvent de cette vérité endogène. L'affirmateur systématique n'éprouve pas un devoir d'authentifier ses dires puisque son discours n'est pas gagé sur une véracité factuelle. S'il se déclare authentique, sincère, transparent… c'est en adhérant à sa seule position d'énonciation et non en référence à sa « vie ». Il peut se mentir à lui-même en développant ses affirmations et prendre les autres en otages de sa performance. Enfant de son propre discours, il exhibe sa jouissance affirmative.

## La *libido affirmandi*

Le surinvestissement de la parole affirmative suit des degrés plus ou moins spectaculaires. Il peut se limiter à un usage de faible intensité, mais souvent répété, que nous pourrions appeler *l'interventionnisme du parleur*. L'affirmation n'est pas nécessairement transitive ou du moins peut-elle changer d'objet lorsque l'affirmateur ne s'identifie pas à une idée particulière. Il éprouve surtout le désir de parler le plus possible, car la parole devient l'affirmation elle-même, le contenu restant secondaire. Dans la vie sociale, cette attitude aisément repérable concerne les personnes qui monopolisent la conversation. Sans doute en va-t-il du désir d'être reconnu en étant écouté. Cependant, nous perdrions à résumer la parole affirmative à la seule volonté de pouvoir, nous n'entendrions pas les discordances d'un sujet qui, précisément, fait trop corps avec sa parole. Une surcharge de présence dans l'énonciation est l'indice d'une contrefaçon. Plus l'affirmation de soi est tonitruante, plus nous pouvons soupçonner que le soi est vulnérable, qu'il a besoin d'être bruyamment réassuré. Des écrivains ont su rendre compte de telles fissures dans l'usage de la parole, surtout lorsqu'elle s'exerce par la plénitude des voix. Sarraute, avec une subtile acuité, a mis en scène des parleurs qui affirment sans cesse, qui jouissent d'employer des concepts, des grandes notions se terminant par –isme. Sous leur parole, elle introduit des microévénements, à peine audibles et qui conduisent à la catastrophe mondaine, à la chute vertigineuse des significations. Il suffit de placer, en contrepoint du babil général, un personnage silencieux pour dérégler l'harmonie affirmative des parleurs et faire entendre leur fragilité.

L'interventionnisme affirmatif trouve un espace naturel d'expression dans la parole publique. Sous la forme de déclarations, tribunes, débats, pétitions des affirmateurs, qu'ils jouent le rôle d'expert ou de prophète, forment un vivier pour les médias. Au-delà de leur rayon d'affirmations légitimes, ils se tiennent prêts à intervenir dès qu'on les sollicite. Ils répondent aussi au besoin d'entendre des affirmations que doit satisfaire la production médiatique. Celle-ci attise et entretient l'envie des auditeurs qui reprennent à leur tour les discours pour mimer les affirmateurs patentés, poursuivant cette jouissance affirmative dans les espaces domestiques. Si la sociologie observe là des stratégies de positions dans le champ intellectuel, cette logique intéressée relève aussi d'une économie psychique dans laquelle s'exerce la jouissance affirmative. Le souci d'intervenir sans cesse dans l'espace public, d'exprimer une « opinion », ou la frénésie d'écriture qui conduit certains auteurs à publier le plus possible, enchaînant les livres pour éviter l'interruption angoissante de leur présence affirmative… tous ces comportements disent combien l'affirmation est aussi un mode d'existence, soumis à l'imaginaire du moi.

L'affirmation intensive ne se limite pas à la parole, elle est aussi lisible dans un texte, si nous savons le déchiffrer comme une partition. Les manières d'asserter, leurs rythmes et figures, plus que des formes stylistiques, se lisent comme des voix. Sans doute est-il encore nécessaire de préciser qu'il existe une immense variété d'affirmations, vraies ou fausses, orales et écrites, et que le fait d'employer une phrase affirmative n'implique pas en soi une intention fallacieuse (si tel était le cas, la langue ferait de tout énonciateur

La délivrance du mensonge

un menteur !). Affirmer que « l'univers est infini » ou que « la loi s'applique à tous » peut se discuter, selon plusieurs régimes de vérité scientifique ou morale, sans impliquer un enjeu psychique. En revanche la modalité d'une affirmation – son contexte, son insistance, son investissement par un sujet, son adresse à un auditeur/lecteur – suppose une lecture et une écoute attentives aux affects de l'affirmation.

Le désir d'affirmer en appelle à un interlocuteur, réel ou imaginaire, qui doit accréditer le moi de l'affirmateur. En deçà des contenus argumentatifs, l'affirmateur se fait exister par un acte de parole adressé, par une idée ou une thèse qui deviennent les étendards de son moi. Certes le bon sens rappelle que les arguments contiennent en eux-mêmes une vérité qui entraîne ou non l'adhésion : nous adoptons une idée parce que nous la pensons bonne, cela semble une évidence. Toutefois la sincérité de l'adhésion à un argument n'empêche pas d'interroger l'investissement psychique d'un sujet qui croit en une idée, lui accorde sa foi, voire sa passion, qui lui consacre une grande part de son énergie et de son temps, qui pense savoir qui il est parce qu'il se reconnaît dans ses affirmations. L'affirmateur construit en effet une image de lui-même dans ses dires, image qui peut se transformer en existence imaginaire.

L'investissement psychique dans une idée atteint son paroxysme quand l'affirmateur en est, ou s'en imagine le concepteur. Être *l'auteur d'une idée* ne va pas de soi et cette formule a été discutée depuis les origines de la philosophie. Freud a malicieusement ciblé cette ambiguïté des philosophes qui affirment l'universalité des concepts alors qu'ils les identifient à leurs auteurs : Socrate et la vérité, Spinoza et le conatus, Leibniz et les monades, Descartes et le cogito, Hegel et l'Esprit... Freud entretient certes une relation ambivalente à l'égard de la philosophie, à la fois admirative et critique tant il se méfie des usages immodérés de l'abstraction. Dans « Sur une *Weltanschauung* », il moque l'idolâtrie des concepts par leurs concepteurs. Sa rivalité avec la philosophie l'empêche toutefois d'analyser singulièrement la psyché des philosophes qui choisissent de consacrer leur vie à des notions abstraites. Son ironie s'applique plutôt à « l'histoire de la philosophie », une histoire peu historique et idéaliste car elle se représente les idées philosophiques comme des entités autonomes, produites par un philosophe, indépendamment de leurs contextes. Les dictionnaires hagiographiques de la philosophie produisent en effet l'illusion d'une unité organique du penseur avec ses idées alors que la pensée est toujours traversée par quantité de discours hétérogènes et de tensions inhérentes au sujet qui pense.

Bien que réductrice, la remarque freudienne sur la relation idolâtre d'un auteur au concept qui l'identifie nous encourage à questionner les motivations qui président aux affirmations théoriques. Les familiers de la philosophie objecteraient avec justesse que l'affirmation est le mode le moins prisé du discours philosophique, tant son attitude première consiste, au contraire, à défaire les assertions toutes faites, à introduire l'étonnement, l'inquiétude, le doute...

Cependant, l'affirmation ne se résume pas à l'énoncé d'une vérité. Là encore il importe de distinguer le contenu de sens et son investissement psychique : s'affirmer dans un discours, un débat ou une pensée n'implique pas d'affirmer, au sens grammatical. L'affirmation d'un soi prend des formes très variées qui présentent différents processus d'identification, de fixation, de répétition, axés sur une thèse. Passer sa vie à développer une idée, consacrer toute son énergie à écrire un traité, se faire le héraut d'une pensée... ces attitudes doivent être interrogées d'un point de vue psychique et existentiel.

Parmi les cas de surinvestissements affirmatifs, celui de la philosophie est éclairant par deux traits, entre autres : l'indétermination de son statut et le recours à un langage abstrait qui l'identifie. La nécessité pour chaque philosophe de dire ou de rappeler ce qu'est la philosophie témoigne de la première caractéristique. De fait, ce mot désigne des usages très divers et qui parfois n'ont rien de commun. L'unification rétrospective des divers discours dans une « histoire de la philosophie » ne peut masquer les disparités entre la démarche d'un cynique en Grèce antique, la construction d'un système métaphysique à l'âge classique et l'analyse du langage par les penseurs anglo-américains du XXᵉ siècle. Et si le mot de philosophie est repris communément, selon une illusoire généalogie, il fait à chaque fois l'objet d'une redéfinition. La pratique philosophique met en gage son statut car il n'est jamais définitivement assis : qu'elle cherche la vérité ou propose un savoir-vivre, qu'elle promeuve l'action ou la contemplation, qu'elle offre une vision du monde ou qu'elle critique les valeurs communes, qu'elle éclaircisse ou invente des concepts... une intention affirmative est toujours requise pour asseoir la légitimité de son discours.

Les idées que tel ou tel « philosophe » défend exigent un surcroît d'affirmation, un acte langagier et pas seulement un contenu argumentatif. En effet, la redéfinition perma-nente de la philosophie engage d'autant plus l'énonciateur philosophe qu'elle implique le choix d'un langage auquel il identifie sa pratique. Cet investissement d'une langue constitue un autre trait saillant de l'affirmation philosophique. Une attention aux traits linguistiques et stylistiques du discours, souvent ignorée, voire sous-évaluée, par les praticiens de la philosophie qui n'y voient qu'analyse formelle permet de saisir, sous la conviction argumentative, une énergie psychique singulière.

*Affirmer*, *déclarer*, *définir*, *énoncer*, *proposer*, *asserter*... l'analyse de ces modalités discursives ouvre un champ immense qui permet de lire différemment les philosophes. Parmi tant de standards stylistiques, qui attirent l'attention de trop rares analystes, l'emploi du verbe *être* témoigne de cette *libido affirmandi*, ce désir d'affirmer. La toute-puissance déclarative se manifeste dans les définitions ontologiques telles que « l'homme est un animal social/pensant/parlant... », ou « le beau, c'est... », « l'amour, c'est... » La référence à la méthode socratique, posant par principe la question « qu'est-ce que », attise la jouissance définitionnelle, que l'on souscrive ou non à sa métaphysique. Le souci de la définition semble aller de soi pour maints

La délivrance du mensonge

philosophes, tant il semble lié à un raisonnement rigoureux. Ne faut-il pas, en effet, définir ce dont on parle pour accéder à des concepts clairs et délimités ? Cette évidence pourrait être contestée par d'autres pratiques de la philosophie, mais elle conserve sa force d'attraction en confirmant la puissance d'un langage qui instaure des vérités par ses vertus déclaratives.

La performance affirmative s'entend peu car elle est recouverte par l'argumentation théorique. Elle engage pourtant une disposition psychique dans le langage : une prise de corps par laquelle un sujet énonciateur prétend dire, proclamer, imposer une vérité. Cette imposition acquiert d'autant plus de force qu'elle recourt à une langue abstraite et codifiée, qu'elle exige de l'autre – lecteur ou auditeur – qu'il réponde avec les mêmes mots, qu'il adopte le même registre langagier, sans quoi il est défait, rejeté dans le camp des ignorants. On n'imaginerait pas un manant combattre avec son gourdin l'aristocrate au fleuret. Ce choix autolégitimé du langage abstrait soulève lui aussi quantité de questions en deçà de ses mérites intellectuels. La généralité conceptuelle et l'hyperbole théorique ne se limitent pas à une technicité langagière, comparable à celle des sciences, elle trouve aussi ses ressources dans une énergie psychique où la représentation d'un soi idéal est mobilisée.

Le désir d'affirmer entre ainsi dans une stratégie de jouissance qui déploie ses ruses et ses armes, compose avec des résistances, établit ses territoires. Il relève, pour une part, d'une économie psychique opposant plaisir et déplaisir, amour et mort, affirmation et négation. L'attention à ces conflits nous permet de comprendre les contradictions choquantes d'un grand affirmateur qui mène une existence inverse à ce qu'il professe ou qui théorise le contraire de sa vie. Une négativité agit parfois au cœur des thèses dans lesquelles nous croyons sincèrement. Et les apparentes contradictions, spectaculaires chez certains philosophes, soulignent en fait des divisions qui se tiennent dans toute énonciation surinvestie. La force avec laquelle nous affirmons une vérité est à la mesure du refoulement de son contraire : l'affirmation contient une négation cachée. Ce secret l'affecte et la travaille au point qu'elle devient excessive et prend des allures grandioses. La psychanalyse a fourni le terme de « sublimation » pour comprendre l'investissement sexuel des idéalités intellectuelles qui se sont substituées aux autres objets visés par le désir. Nous ne reprenons pas ces schémas interprétatifs trop généraux et préférons respecter la nature complexe et polymorphe des affirmations que la notion de sublimation enferme dans une logique du symptôme. En effet, l'affirmation ne rencontre pas nécessairement la résistance du sur-moi ou du moins n'y concentre-t-elle pas son énergie. Lorsqu'elle construit un mensonge et s'emballe, elle façonne une contre-vérité qui constitue son infinie ressource. Rien ne l'arrête, d'une certaine façon, et elle peut continuer à répéter, à se développer, à se métamorphoser en puisant à cette source. Elle ne cogne pas contre un interdit qui l'obligerait à se déplacer, elle est plutôt poussée selon une dérive sans limite et peut multiplier ses formes en

La délivrance du mensonge

courant de l'avant. Elle jouit de son propre mensonge et de son affermissement prolongé.

L'affirmation n'est donc pas le symétrique de la négation. Elle semble plutôt compatible et même complice avec la négation, au point d'en fournir parfois l'expression : l'affirmation porte en elle une négation inavouable, elle est destinée à cacher et, davantage, à produire une vérité niée qu'elle transforme, façonne et fait gonfler. Précisément, les formes d'enflure verbale signalent cette tension entre vérité et mensonge qui caractérise une affirmation surinvestie. Le mot « affirmer » croise le sens d'*affermir*, suggéré par une étymologie commune (*adfirmare*). Devenir ferme, tenir ferme en affirmant, tel se présente le fantasme d'auto-engendrement qui permet de s'imaginer un moi idéal, symbolisé par une construction intellectuelle, une idée grandiose, une thèse dure comme de l'acier. Le désir d'affirmer produit des fermetés de langue, des tumeurs et des appendices multiples qui viennent d'un mensonge interne au cœur du verbe. Le nez de Pinocchio en présente la version hystérique la plus naïve. De fait, l'énergie oratoire ou scripturale de l'affirmateur engendre des appendices verbaux démesurés, mus par le conflit entre la vérité et le mensonge.

## Pour une écoute seconde

L'affirmation s'entend, s'écoute dans le ton, l'allure, les gestes du parleur qui s'affermit en affirmant et multiplie ses prothèses. Il profère ses idées avec assurance, une plénitude de voix qui fait corps avec la signification exposée. La voix, parlée ou écrite, remplit l'espace sonore ou textuel. Elle s'impose pleinement sur la page ou dans la salle de cours. Récemment la voix des penseurs dont les enregistrements ont été conservés est devenue l'objet d'études. Nous avons déjà suggéré que les entretiens de Deleuze donnaient à entendre un corps d'affects au cœur de ses affirmations. Les voix de Lacan et Barthes dans leurs séminaires ont été aussi analysées en tant que telles et en relation aux contenus de leurs discours. Il suffit de comparer leurs registres vocaux pour apprécier l'extraordinaire singularité de chacun et entendre leurs rapports distincts au savoir, à la maîtrise de soi, à l'auditoire. Barthes, qui n'assumait pas la parole d'un maître-penseur, a écrit des propos suggestifs sur la voix qu'il aimerait tenir en situation d'enseignement. Au lieu d'un organe porteur d'un pouvoir et imposant un savoir, il espérait une voix flottante qui tiendrait en suspens les connaissances et les mettrait à disposition. Contre les impostures de la voix magistrale, l'auteur du *Grain de la voix* a régulièrement revendiqué la maladresse, l'hésitation, les silences lorsqu'il était à la radio, scories que les techniques d'enregistrement effacent désormais. Sans doute les qualités d'une voix permettent-elles d'entendre à nouveaux frais le contenu d'une pensée et de lire différemment les textes. Certes nous n'écrivons pas comme nous parlons, mais l'articulation entre la voix parlée et un certain ton de l'écriture est riche d'enseignement. Comprendre une pensée requiert des oreilles averties.

La détection du mensonge, au cœur de l'affirmation, suppose une écoute sourde au sens des mots. Du moins cet assourdissement méthodique favorise-t-il l'enquête. Difficile à réaliser, l'exercice vise à congédier la signification verbale. Parfois cette position de retrait s'installe sans intention, lorsque la fatigue ou l'ennui s'empare de l'auditeur qui assiste à une conférence ou à un babil mondain. Dans le brouhaha, les discours environnants se transforment en une langue inconnue. L'auditeur devient alors sensible aux qualités des voix qui ne sont plus recouvertes par la signification. Il semble certes malaisé de ne plus entendre, intentionnellement, des mots que nous connaissons, cependant, avec effort et retrait, nous ne percevons plus que des phénomènes sonores, porteurs d'affects. Cette conduite n'est pas si folle car le sens passe aussi à travers des tons, des gestes, des portées de voix. Le dramaturge Jean Tardieu s'était ainsi plu, dans *Un mot pour un autre*, à inverser et tordre les phrases des parleurs sans pour autant bouleverser la signification que les spectateurs comprenaient parfaitement. Les situations, les exclamations, les figures convenues, permettaient de conserver une sorte de syntaxe affranchie des mots adéquats. Adopter cette démarche donne à percevoir une « affirmation » surinvestie par le volume de la voix, les écarts de tessiture, les durées… toutes qualités qui importent à la musique et qui, dans ce cas, dévoilent une réalité riche de sens seconds. Le vocabulaire théorique manque souvent de précision pour décrire les singularités d'une voix, la subtilité de ses variations, la relation entre son grain et l'intention psychique qui l'anime. Certes, l'indistinction entre le « naturel » d'une voix, la culture qui l'a formée et l'expression qui la motive rend presque impossible une méthodologie universelle. Les analyses numériques ont nourri quelques savoirs par la transcription des voix en graphiques permettant des descriptions qui demeurent toutefois sommaires. Malgré ce défaut d'identification, être attentif à la profusion de sens qui passe dans une voix, parlée ou écrite, et ses gestes associés ouvre à une écoute et une compréhension nouvelles.

L'*écoute seconde* procède alors du brouillage et de la volonté provisoire de ne plus comprendre les énoncés. Elle semble antiphilosophique : Platon avait déjà la hantise d'un langage humain qui deviendrait bruits d'oiseaux. Cette crainte se poursuit chez les tenants d'une langue purement instrumentale, véhicule transparent de la pensée. La déroute de nombreux philosophes face à la musique relève d'une telle peur : la séduction des sons risque de faire oublier le sens des mots. L'impertinent Alcibiade, dans *Le Banquet*, flattait Socrate en prétendant que ses discours valaient les plus beaux airs du joueur de flûte Marsyas. Pire encore, il déclara que Socrate lui-même était une flûte et n'avait pas besoin de paroles. Selon ce fou pris de vin, la musique des philosophes serait un souffle, un « air » dans lequel les mots ont moins d'importance que le timbre et le rythme. Alcibiade suggérait, sans le dire, une musicalité de la pensée. Mais cette proposition a été reléguée du côté des sophistes et de la séduction. Les philosophes acceptent difficilement de céder sur la maîtrise du sens. Nietzsche fut un des rares, en raison d'une passion pour la musique, à changer de paradigme et à proposer de penser avec les oreilles. L'écoute, avec ce philosophe dont le marteau était un diapason, est devenue un critère d'évaluation.

Cette attention à la musicalité de la pensée conduit à écouter autrement la philosophie : à l'entendre et pas seulement à la comprendre ; ou plutôt à la comprendre en l'écoutant. Il faut alors la relire avec un diapason pour en saisir les vocalités, sans plus chercher la signification qui doit être mise entre parenthèses. Wittgenstein, philosophe et musicien, considérait que la musique n'exprime rien en elle-même et qu'elle entre plutôt dans des jeux de relations et des communautés de style. Repérer des airs de famille parmi les philosophies pourrait se faire grâce à leur style musical. On distinguerait des philosophies de l'accord ou du désaccord, de la durée ou de la syncope. On observerait des philosophies orchestrales ou des philosophies de solistes, des pensées pour instruments à cordes, d'autres pour vents. Des résonances, des spectres sonores peuvent se ramasser en des rengaines et nourrir des courants philoso-phiques sur toute une période. Les agrégats de concepts imposent des tonalités dominantes, apocalyptiques, prophétiques, pastorales… Il faudrait aussi intégrer les accents, leur refoulement ou leur persistance dans la voix et l'écriture. Des sonorités étrangères s'entendent chez certains penseurs et dessinent des partitions nouvelles. Plus que des métaphores, ces styles sont des constituants de la pensée.

La suspension du sens est une étape, un moment de l'écoute, qui n'en reste pas à la musique a-signifiante des discours. Des vérités secondes surgissent dans les tons et, précisément, les manières d'affirmer révèlent un sous-texte qui peut contredire la thèse énoncée. Procéder à une écoute seconde permet ainsi de résister à la force d'intimidation et de conviction d'une voix dominante. Le surcroît d'affirmation recèle des sous-couches de sens, c'est-à-dire d'autres voix dans la voix magistrale, d'autres auteurs dans la parole auctoriale. Tout affirmateur n'est certes pas un menteur, mais les tonalités affirmatives constituent des traces. La volonté d'affirmer qui s'entend derrière l'affirmation éveille un soupçon. Elle invite à hypothéquer le contenu des phrases et à déceler un enjeu psychique, une intention non consciente qui mobilise et déborde le parleur. La folie de vérité qui s'empare de Rousseau en est un exemple presque caricatural : son obsession pour affirmer qu'il est innocent, qu'il est un martyr injustement accusé par tous les menteurs de la terre, ne peut qu'attirer la suspicion du lecteur. Les stratégies de défense ou d'attaque justifient la véhémence d'un ton polémique, mais parfois l'affect emporte le parleur fébrile et signale le mensonge qui le torture. Lisible et audible, l'affirmation découvre ainsi sa violence et les angoisses qu'elle jugule.

Le mensonge n'a au fond d'intérêt que s'il révèle une vérité qui ne peut se dire à découvert ni en ligne droite. Après avoir écouté les multiples tours que prend le mentir-vrai dans les constructions abstraites, nous pouvons nous demander si aucune vérité n'échappe jamais à la ruse malgré les déclarations de leurs auteurs. La prétention à la sincérité ou à l'authenticité

La délivrance du mensonge

éveillant paradoxalement notre doute, il semble impossible de faire confiance au moindre énoncé qui se dit vrai. Le mensonge le plus difficile à déceler est celui qu'un sujet fomente envers lui-même sans en connaître clairement les ressorts. Ce doute à l'égard de la vérité ne procède pas ici d'un scepticisme de principe, car nous cherchons plutôt à comprendre les énergies psychiques qui prévalent dans les affirmations abstraites, sans juger de leur pertinence. D'autres vérités se font jour sous « la » vérité déclarée, au cœur des artifices langagiers.

En finir avec le mensonge semble impossible, toutefois ce constat n'invalide pas le désir de vérité. C'est même le gage d'une pensée forte que de relever ce défi tragique. Sartre espérait un monde futur où le mensonge aurait disparu. Tout y serait dicible, les individus ne se cacheraient plus rien, les motivations secrètes n'auraient plus cours. Chacun dirait sa vérité, affirmerait sa position d'existence, exposerait les raisons qui le poussent à défendre telles idées morales et visions du monde. Sartre n'eut pas le bonheur de vivre cet idéal humain. Kierkegaard, plus modestement, réservait cette vérité sans fard à la vie en mariage… mais il resta célibataire. Pouvoir tout se dire supposerait que nous sachions ce qui est vrai dans nos paroles, et la franchise n'en garantit pas la connaissance.

La fin du mensonge demeure un horizon régulateur dont la réalisation peut entraîner des effets pervers. Ce monde où chacun serait transparent à tous imposerait une tyrannie de la vérité qui ne laisserait aux individus aucune zone d'ombre, aucune intimité à l'écart des yeux inquisiteurs. Plus encore, cet idéal redouble l'illusion d'une transparence à soi-même. La vérité nue, totale, translucide, est un rêve de philosophe ou de moraliste. Certes, nous pouvons nous retenir de mentir volontairement, mais nous mentir à nous-mêmes, un tel mal reste difficile à conjurer. En avoir conscience assure, *a minima*, le gage d'une existence au plus proche du vrai, car s'il n'est pire menteur que celui qui croit détenir la vérité, il n'est pire individu que celui qui se dispense de la vouloir. Les personnalités multiples incarnées par les philosophes que nous avons étudiés montrent moins des menteurs que des sujets polymorphes, traversés de désirs divergents, qui veulent passionnément la vérité et qui la révèlent en se divisant.

# CONCLUSION

Aimer les œuvres dites « de l'esprit » s'exerce selon des dispositions très diverses. Leur beauté fascinante conduit à croire en leur autonomie : elles se tiennent en majesté par la seule puissance de leur composition et nous admirons leurs tours et leurs allures. Parmi elles, les discours abstraits – dont la philosophie a donné de sublimes exemples – engagent lecteurs et auditeurs à embrasser leurs raisons et leurs grammaires. L'admiration peut aussi conduire à deviner leurs secrets de fabrication. Elle suspend alors le contrat de lecture qu'imposent les énoncés abstraits qui exigent le maintien dans le registre universel. Les constructions théoriques dévoilent ainsi leur matière complexe et notamment l'investissement psychique de leur auteur. Une telle démarche associe à la compré-hension des idées l'attention à l'écriture, à la voix, aux mobiles implicites, aux postures et aux écarts. Elle suggère d'écouter les concepts et d'être attentif à leur résonance, leur volume, leur timbre parfois fêlé qui dessinent un spectre singulier. Les énoncés abstraits donnent l'illusion qu'ils existent indépendamment des sujets qui les ont élaborés. Ils transportent pourtant quantité de sédiments, nombre de gestes et d'adresses qui en informent le paysage. Tel est le paradoxe du langage abstrait : il s'extirpe de la gangue des intérêts personnels pour se présenter dans la vérité anonyme de l'universel, mais, par le déni des motivations subjectives qui le soutiennent, il favorise le mensonge.

L'attention à la matière psychique des affirmations abstraites conduit à les référer aux actes ordinaires de la pensée et à observer les circonstances, les contextes historiques et personnels de leur énonciation, à la « vie » de leurs auteurs. Certes, ces mots de vie, de personne et d'auteur restent très ambigus et nécessitent bien des précisions. Ils ne désignent pas une réalité identifiée et procèdent de constructions. La vie ne détient pas d'unité a priori et se distingue de la biographie dont la narration invente les continuités. Elle se compose de fragments et de versions contradictoires et présente moins une vérité individuelle que des articulations entre le vécu et les discours.

Pour accéder à cette teneur psychique, il est parfois nécessaire d'adopter une écoute et une lecture candides amenant à poser des questions simples : pourquoi un auteur tient-il tant à démontrer telle ou telle idée ? Pourquoi manifeste-t-il ce désir, voire cette rage d'affirmer ? Pourquoi choisit-il un langage aussi abstrait et pourquoi s'engage-t-il dans des circonlocutions infinies ? L'observateur naïf ou dessillé ne se laisse pas hypnotiser par le désir de déchiffrer un texte obscur ni par l'exposition intimidante d'une thèse, quand

bien même il en reconnaîtrait la pertinence intellectuelle. Les auteurs s'étonnent parfois eux-mêmes du
tour que prennent leurs œuvres. Rousseau, dans ses
*Dialogues*, tente de justifier la longueur et la lourdeur
de son fatras d'arguments « noyé dans un chaos de
désordre et de redites », et il avoue être dépassé par
une énergie incontrôlée. Il souffre, gémit, soupire en
se relisant, puis, abattu, renonce à mettre de l'ordre
dans ce chaos. Nombre de philosophes sont débordés
par leur volonté démonstrative dont le mobile inconnu
dépasse l'intention théorique. Sartre n'arrivait pas à
finir ses livres et dès qu'il les reprenait pour les recadrer,
il leur ajoutait de nouveaux chapitres, produisant
des monstres magnifiques et inachevés, reléguant la
suite à plus tard. Cette manière compulsive, repérable
chez nombre d'auteurs, signale l'inten-sité d'un
travail psychique à l'œuvre dans la conceptualisation.
La profusion de l'écriture ou ses contractions, ses
délitements, sa limpidité ou sa lourdeur, sont souvent
jaugés à l'aune de la pensée qu'ils expriment, selon
l'adage de Boileau qui gage la clarté de l'énonciation
sur celle de la conception. Cependant, ils manifestent
surtout les forces psychiques luttant au cœur de la
production intellectuelle.

Nous n'interrogeons pas assez les formes que
prennent les œuvres argumentatives. Certes, elles
dépendent des modèles historiques et culturels qui
conduisent les penseurs à adopter un genre plutôt
qu'un autre – traité, méditation, fragment... Toutefois
leurs écritures, même protocolaires, sont nourries à
la fois par le désir d'exposer, d'affirmer, de démontrer

et par les tournures langagières qui les informent, les sollicitent et les transportent. S'il est périlleux de les définir comme des « symptômes », du moins ces formes langagières sont-elles les révélateurs d'une élaboration complexe. Elles articulent en effet des intentions plus ou moins conscientes – les mobiles pour exposer une thèse n'étant pas tous connus du parleur – et des discours, qui ne sont pas seulement les instruments de la pensée, mais aussi des paravents, des leurres et des vecteurs de transformation pour le discoureur qui s'y représente.

La tension psychique régnant au cœur des constructions abstraites est d'autant plus spectaculaire lorsqu'elle produit un écart entre la « vie » d'un auteur et ses affirmations théoriques. Ce décalage nous semble une contradiction, un paradoxe ou encore un mensonge. Si nous suspendons notre esprit logique et notre jugement moral, il montre surtout les solutions psychiques inventées par un auteur. Plutôt que de pointer une erreur de raisonnement ou de condamner l'hypocrisie d'un penseur qui mène une vie contraire à ce qu'il professe, nous découvrons alors *le génie du mensonge*, entendu comme un discours pétri d'angoisses et de désirs, de folles représentations de soi, de fuites et de métamorphoses.

Les cas dont nous avons analysé les « mensonges » montrent l'extraordinaire profusion des figures qui agencent l'affirmation et le déni et qui composent des thèses où s'entendent des voix contradictoires. Certains penseurs cachent une vérité personnelle tout en faisant l'éloge de la vérité. Dans son dernier séminaire, prononcé alors qu'il se pensait condamné, Foucault déploya un théâtre philosophique où il joua son propre rôle par procuration. Et tout en exaltant le courage de la vérité, il organisa le secret sur son sida. Ce déni produisit un aveu paradoxal, une confession masquée sous les traits augustes des philosophes antiques. Le mensonge prend aussi, en d'autres cas, des allures de plaidoyer moral, lorsqu'un penseur est miné par une faute qu'il n'arrive pas à expier. Les délires paranoïaques de Rousseau, persuadé que le monde entier lui reprochait l'abandon de ses enfants, conduisirent à l'édification d'un traité d'éducation où il se dépeignit en pédagogue attentionné. Sartre, après avoir traversé la guerre sans héroïsme, devint le parangon de l'engagement, dénonçant la complicité des intellectuels silencieux devant les injustices et les crimes. Le renversement du défaut en vertu ne s'effectue pas d'un trait de plume et il exige des efforts théoriques intenses. L'imaginaire du tribunal hante ceux qui doivent contenir leur mauvaise conscience et qui s'incarnent dans les rôles de l'accusé et de l'accusateur, en d'infinis tourniquets. Voudrions-nous leur reprocher ces tours de passe-passe, nous nous placerions du côté de la Vérité et du Bien, c'est-à-dire de l'imposture. Plus féconde est l'analyse des motivations psychiques générant de sublimes œuvres et pensées.

Personne n'échappe à l'opacité de toute affirmation dont les mobiles ne sont jamais aussi clairs que le croient les affirmateurs. Et plus la sincérité du parleur s'affiche avec ostentation, plus elle révèle son mensonge. Le *pathos* de la vérité et ses déclinaisons en authenticité, pureté, transparence, dénotent une intention paradoxale. L'insistance, la répétition, le redéploiement incessant d'une idée proviennent d'une tension irrésolue : quelque chose n'arrive pas à être formulé une fois pour toutes et taraude le discoureur jusqu'à l'obsession... Dès que nous éprouvons le besoin d'exposer un principe, une qualité, une vertu, nous nous projetons dans une entité abstraite qui recueille à la fois un mobile psychique et le masque sous les atours d'un énoncé anonyme.

Les grands affirmateurs abstraits usent des concepts comme des fétiches qu'ils peaufinent et perfectionnent sans fin. La radicalisation et l'hyperbole permettent de porter des notions à la limite de l'entendement et de les extirper du réel, au point qu'elles deviennent invérifiables. Peu importe qu'elles sortent du champ de l'expérience puisque la beauté du raisonnement l'emporte sur son efficience humaine. Nous admirons ainsi le raffinement et la complexité de certaines argumentations sans nous sentir engagés par leur réalisation. Mais précisément cette radicalisation nous dédouane de toute application et nous pouvons jouir de nous imaginer aussi moraux et altruistes, impersonnels et nomades, que l'ont formulé magistralement des philosophes tels que Levinas ou Deleuze, sans avoir à l'éprouver dans nos existences ordinaires. Le succès de certaines thèses vient parfois d'un tel déni, paré d'une autorité intellectuelle que nul comportement ne viendra démentir. L'abstraction nous autorise à vivre des imaginaires théoriques et à nous composer des personnalités virtuelles.

Mentir n'est pas toujours du ressort de la sphère morale et relève plutôt de la division et de la multiplicité du soi. Le mot de mensonge, pour désigner ces divergences entre l'adhésion intellectuelle à un principe et la vie effectivement menée, doit être délesté de sa charge condamnatoire, car elle empêche de comprendre les raisons psychiques qui motivent de tels écarts. C'est pourquoi il convient de distinguer le mensonge exercé sciemment et le mensonge à l'égard de soi-même. Analysée comme telle, cette auto-illusion permet d'approcher les tours psychiques liés aux affirmations abstraites. Affirmer un idéal alors que nous vivons à son opposé va au-delà d'une simple opposition. À travers les idées nous expérimentons des vies qui ont une consistance propre, avec leurs affects et leurs intensités, qui n'ont parfois rien à envier à la vie dite réelle. Et loin d'un rapport binaire entre vie et pensée, les relations entre nos idées et nos existences s'exercent selon des figures très diverses, de l'opposition à la négociation, de l'adhésion à l'intoxication. Quelques penseurs en offrent d'étonnants exemples, telle Beauvoir construisant une philosophie féministe de première importance et vivant son amour avec Algren sur des modèles contraires. Au lieu de crier à l'imposture, nous comprenons qu'elle vit plusieurs modes d'existence et que sa vraie personnalité ne se trouve ni d'un côté ni de l'autre de ses affirmations. Multiple, elle expérimente corps et âme des désirs, des situations et des choix. Elle les vit intensément, sans que nous puissions décider d'un degré supérieur d'authenticité pour l'une de ses positions existentielles.

325

Les affirmations théoriques ne sont pas nécessairement adéquates au sujet qui les énonce. Les idées proviennent d'un moi distinct de celui de la vie ordinaire, comme Proust l'a affirmé pour la littérature. Il est certes plus courant d'accepter une telle multiplicité chez les écrivains, familiers des doubles que permet la fiction. Le présupposé de la transparence en philosophie, qui suppose une identité entre le « je » d'un penseur et son « je » personnel, voire l'effacement de tout « je », nous aveugle à cet écart pourtant fécond. Kierkegaard est sans doute le philosophe qui a le plus consciemment assumé cette multiplicité des *moi* dans la construction de pensées abstraites. Son usage des pseudo-nymes déroute nos habitudes de lecture car il n'en use pas comme de simples masques derrière lesquels il mènerait une stratégie en son nom propre. Chaque pseudonyme correspond à une position d'existence qu'il vit jusqu'au bout, sans la juger ni la surplomber. Il devient chacun de ses auteurs inventés, adoptant ses idées, ses sentiments, ses comportements à l'égard des autres et du monde. Les contradictions s'effacent au profit des alternatives. Pour autant, cette multiplicité ne conduit pas à renoncer à la vérité, elle suggère plutôt que sa recherche passe par diverses positions d'existence. Un penseur peut ainsi se composer des personnalités multiples sans détenir la clef de toutes ses inventions. Il vit sa pensée selon différentes temporalités et divers rythmes. Il se projette dans ses vies potentielles qui constituent une part de lui-même, autant d'avatars qui l'amènent à tenir des thèses distinctes et parfois contradictoires.

Pour le philosophe aussi, qu'il le veuille ou non, « je est un autre ».

Le mensonge à soi ne disparaît cependant pas avec les personnalités multiples. Elles ne constituent pas une galerie de personnages, disponibles à volonté, que nous déciderions d'incarner, à la manière d'un acteur, devenant tel jour un cynique, tel autre un altruiste, un illuminé ou un sage. Nous pouvons certes expérimenter des positions d'existence hétérogènes et, par méthode, préserver leur singularité, mais nous ne savons pas ce qui se joue entre elles, faute de contrôler un centre moteur qui en distribuerait les places. Si chacun de nous est plusieurs, il reste à savoir comment s'articulent ces existences potentielles, avec leurs désirs contradictoires, leurs rêves et leurs angoisses. Et celui qui se croit souverain demeure sans doute le moins apte à comprendre ces entrelacs.

L'impossible clairvoyance à l'égard de soi souligne la dimension *tragique* de la vérité. Lucides quant aux mensonges des autres, nous n'avons jamais l'assurance de l'être pour nous-mêmes. Certains dispositifs encouragent malgré tout à découvrir les subterfuges qui nourrissent la représentation de notre moi. La psychanalyse ménage ainsi un travail pour démêler les nœuds de mensonge et traverser les couvertures qu'un sujet dresse en guise de protection. Cette image laisse croire à un noyau originel caché derrière le voile d'ignorance. Or l'analyse, si elle traque les mensonges rassurants, ne découvre pas une plage de vérité qui permettrait de résoudre tous les maux. Elle organise plutôt de nouveaux récits par lesquels un sujet se reconstruit et déplace des points de fixation. Sa perspective tient plus de la guérison que de la révélation. Quelles que soient les pratiques – examen de conscience, doute méthodique, cure analytique – la volonté d'en découdre avec ses propres mensonges ne trouve ni repos ni fin. Cette quête infiniment poursuivie et déçue a des allures tragiques. Nous rencontrons la vérité en la fuyant, elle nous échappe lorsque nous croyons la tenir.

La conscience du mensonge condamne doublement à la solitude. En observant le mensonge des autres nous découvrons l'inépuisable propension des êtres à se raconter des histoires, à se mentir sur les raisons qui les font agir et afficher de hauts principes. Mais, surtout, nous savons combien notre propre position est guettée par un mal identique. Nous voudrions imposer la vérité, obliger les autres à l'affronter, à reconnaître leurs dénis et leurs impostures. Toutefois, comment le pourrions-nous puisque ces faux-semblants nous renvoient à notre propre illusion et au soupçon de nos propres mensonges ? Même vouloir la vérité peut receler d'obscures motivations. Nous pouvons tout au plus espérer ne pas être dupes de notre propre duperie. Un tel constat ne condamne cependant pas toute forme de discours à prétention universelle, d'autant que ces leurres produisent des œuvres sublimes, à l'instar de celles que nous avons analysées. La présence du mensonge ne disqualifie ni l'engagement théorique d'un auteur ni la pertinence intellectuelle de ses discours. Elle dénote un génie, parfois malin, dans la pensée.

Une lucidité minimale supposerait qu'un auteur reconnaisse des failles entre lui et ses affirmations, concepts et principes : non le simple discord entre ses dires et sa vie, mais une relation complexe entre les personnalités qu'il se crée dès qu'une position d'autorité – sous la forme d'un « je » ou d'un impersonnel – s'expose dans des formulations générales. À cette condition, il soupçonnera peut-être qu'il se dupe, qu'il écrit à un destinataire singulier tout en prétendant s'adresser au plus grand nombre, qu'il se cache sous la prose d'un sujet universel, qu'il écrit à la place d'un autre, qu'il a pris une voix pour s'octroyer une unité et une continuité, pour se forger un moi de composition, un nom d'auteur qu'il dit être son nom propre, mais qui n'est que le prédicat d'un soi sans consistance, divisé et multiple, perdu dans ses reflets. Cette lucidité ne lui octroiera ni la clarté ni la transparence, elle le gardera plutôt de la grande supercherie du moi prenant la voix du maître.

Le mensonge s'entend, même à l'écrit, pour peu que nous tendions l'oreille. Une affirmation tonitruante, un bégaiement, une formule qui revient en boucle, un ton contrefait livrent les indices d'une fêlure, voire d'une imposture. Notre propre voix, lorsqu'elle nous revient par un enregistrement, nous semble étrangère et nous inquiète : qui parle ainsi, quelle personne a emprunté notre timbre pour discourir en notre nom ? La perception de ce désaccord incite à chuchoter, à modérer le désir d'affirmer. Ou à crier le mensonge tragique d'une vie menée dans l'insu. À trop fréquenter les grands discours, nous décollons parfois de leur partition et n'entendons plus la musique rassurante du sens. Ils se délitent et sonnent faux... puis se recomposent... et, peu à peu, ils bruissent de vérités inouïes.

# SOMMAIRE

Composition :
L'atelier des glyphes

Dépôt légal : septembre 2015
IMPRIMÉ EN FRANCE

Achevé d'imprimer le 2 septembre 2015
sur les presses de l'imprimerie «La Source d'Or»
63039 CLERMONT-FERRAND
Imprimeur n° 18099